ПРЕЗИДЕНТСКИЙ МАРАФОН

ПРЕЗИДЕНТСКИЙ

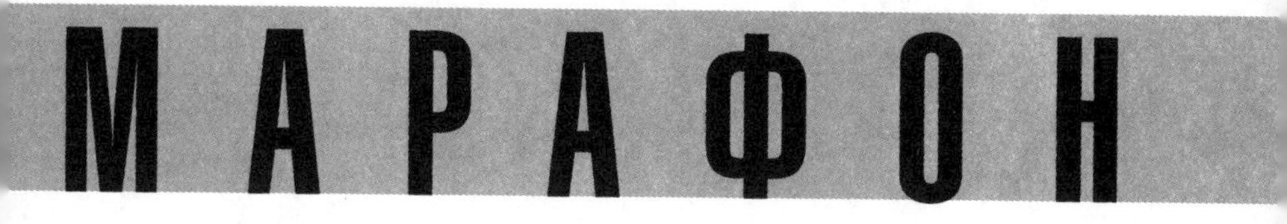

аст
ИЗДАТЕЛЬСТВО

Москва • 2000

ББК 63.3(2)
Е58

ISBN 5-17-004456-9

Моей жене Наине
посвящается

ПРЕДИСЛОВИЕ

Моя первая книга — «Исповедь на заданную тему» — вышла в годы горбачевской перестройки. В ней я ставил перед собой простую задачу — рассказать о себе: кто я, откуда родом и вообще какова моя биография. Это было время, когда шла борьба между теми, кто хотел оставить Советский Союз в его прежнем виде, и новыми политиками, отстаивавшими демократические ценности.

Одним из этих политиков был я, и мне пришлось вести страну через трудные, непопулярные реформы.

Эти первые шаги российской демократии, целая череда политических кризисов и потрясений, в основном 1991–1993 годов, стали материалом для моей второй книги — «Записки президента».

В своей новой книге, «Президентский марафон», я обращаюсь к событиям, которые относятся в основном ко второму сроку моего президентства, после 1996 года. Смена правительств и финансовый обвал, поиск нового лидера и жестокая предвыборная борьба — обо всем этом я постарался написать максимально правдиво и честно. И с другой стороны, эта книга в какой-то степени итог моего «десятилетия» в российской политике.

Жанр дневников не предполагает последовательного изложения событий. На протяжении последних лет я урывками, в основном ночью или ранним утром, записывал свои мысли, впечатления.

Сейчас, после отставки, у меня появилось время систематизировать эти записи, дополнить их более подробным рассказом о событиях и о людях. Главная цель книги — рассказать историю наших реформ, мою личную историю — историю первого демократически избранного президента России.

31 ДЕКАБРЯ

28 декабря 1999 года, как обычно, прошла запись новогоднего телеобращения президента к стране. Это бывает всегда в представительском зале Кремля — елка, большие золотые часы, привычный ритуал и новогодний текст. Группа ОРТ, всего несколько человек — режиссер, оператор, звукорежиссер, осветитель, — работала собранно, внимательно. Я пожелал россиянам счастливого Нового года. Встал. Погас текст на телесуфлере.

«Значит, так, — сказал я сухо. – Голос у меня получился какой-то хриплый. И текст не нравится. Будем переписывать».

Лица спичрайтеров вытянулись. Никаких замечаний до записи я не делал, это было для них полной неожиданностью. «Почему, Борис Николаевич?» — «Надо поработать над текстом. Даю три дня. Записывать будем 31 декабря».

Тут уже расстроились телевизионщики: «Борис Николаевич, почему 31-го? А монтировать когда? А если какие-то замечания или, не дай Бог, сбой какой-нибудь? Зачем такой цейтнот?» — «Я еще раз повторяю. Записывать будем 31-го».

И пошел к выходу...

Ну не мог, не мог я объяснить этим милейшим, исполнительным людям, в чем была причина моего неожиданного «каприза». Слава Богу, удивления это не вызвало, только небольшое огорчение: они привыкли к моему характеру, к экспромтам и сюрпризам.

«А вдруг кто-то из них что-то заподозрил?» Я от этой мысли даже замедлил шаг, адъютант сбился с ноги, удивленно на меня взглянул, тоже слегка притормозил.

Длинный кремлевский коридор всегда дает время успокоиться, прийти в себя и подумать.

Подумать было над чем...

Никогда еще я так долго не держал столь важное решение в тайне даже от ближайших помощников из президентского аппарата.

Решения я всегда любил принимать в одиночку. И реализовывать быстро. Принятое решение не терпит волокиты, разговоров, оттяжек. С каждым часом оно теряет силу, эффективность. Поэтому, как правило, я сразу включаю «приводной ремень», механизм реализации: в первую очередь, разумеется, глава моей администрации; за ним — помощники, аналитики, юристы, канцелярия; потом пресс-секретарь, тележурналисты, информационные агентства тоже включаются в работу. С каждой минутой об этом узнает все большее число людей, с каждой минутой от решения как бы расходятся волны.

Так было всегда. На протяжении всех восьми лет моего пребывания на главном посту. На посту президента новой России.

Сегодня все не так, сегодня от начала и до конца я несу груз принятого решения в одиночку. Почти в одиночку.

Потому что об этом решении, кроме меня, знает только один человек. Этого человека зовут Владимир Путин.

Честно говоря, трудно. Трудно носить в себе такую тяжесть. Ужасно хочется с кем-нибудь поговорить.

Но не могу. Если информация просочится – весь эффект будет потерян. Будет потерян моральный, человеческий, политический смысл этого жеста. Будет потеряна энергетика этого решения.

Моего решения об отставке.

Я ухожу сознательно, добровольно. Всю силу своей политической воли я вкладываю в этот поступок. Поэтому любая утечка, любые упреждающие разговоры, любые прогнозы и предположения на восемьдесят, девяносто, нет, на сто процентов сводят к нулю значение того, что я хочу сделать.

Сегодня мне предстоит включить в круг посвященных еще двоих. Я пригласил главу администрации Александра Волошина и бывшего главу Валентина Юмашева в Горки-9 к 18.00.

Они ждут в гостиной. Честно говоря, волнуюсь. Очень волнуюсь. Вот он, момент запуска проекта. Это как запуск ракеты на Байконуре.

Прошу адъютанта пригласить их в кабинет.

«Александр Стальевич, Валентин Борисович, слушайте меня внимательно. Я хочу сообщить вам о своем решении. 31 декабря я ухожу в отставку».

Волошин смотрит на меня не мигая. Юмашев тоже замер, ждет, что я скажу дальше.

«Необходимо подготовить соответствующие указы и текст моего обращения», — продолжаю я.

Волошин смотрит на меня все тем же застывшим взглядом.

«Александр Стальевич, ну у вас и нервы... Президент только что объявил вам, что уходит в отставку, а вы даже не реагируете. Вы меня поняли?»

Волошин очнулся.

«Борис Николаевич, у меня вся бурная реакция всегда внутри. Понял, конечно. Как глава администрации, я, наверное, должен был бы вас отговаривать. Но не буду этого делать. Решение правильное и очень сильное».

...Позднее Волошин сказал мне, что он настолько растерялся в тот момент, что чуть не потерял самообладание, комок к горлу подступил.

Значит, есть нервы и у железного Стальевича.

Юмашев, как человек творческий, сразу оценил красоту события. Новый век! Новый президент!

Ну а дальше мы договариваемся о технике: когда будет готов текст обращения, какие письма, указы и другие юридические документы необходимо подготовить к утру 31 декабря. Прецедента, связанного с добровольной отставкой главы государства, в новейшей истории России не было, и здесь все должно быть юридически абсолютно выверено.

Намечаем примерный план действий на 31 декабря. В какой момент будет сделана запись телеобращения, в какой момент подписаны указы, разосланы письма в Думу и Совет Федерации. С кем необходимо встретиться, с кем переговорить по телефону. Все это надо продумать сейчас.

Ну, кажется, обо всем договорились, ничего не упустили.

По-моему, они не ожидали от меня такого. Юмашев знает меня давно, уже больше десяти лет, и он тоже не ожидал.

Когда мы уже вроде бы все обговорили, Валентин вдруг сказал: «Борис Николаевич, неправильно, что Таня ничего не знает. Неправильно и несправедливо. Она работает вместе с вами все последние четыре года. Скажите, пожалуйста, ей». — «Хорошо, подумаю», — сказал я.

Мы попрощались. А у меня на душе кошки скребут. Вроде бы семью я в свои решения никогда не посвящал, но сейчас... это другое. Мое решение с их судьбой слишком сильно связано.

Позвал Таню. Посадил напротив себя. Она смотрит на меня выжидающе: «Да, папочка?» — «Таня, я ухожу в отставку».

Посмотрела удивленно, потом кинулась ко мне. Заплакала. Дал ей платок.

«Папа! Извини. Извини, пожалуйста. Ты не подумай. Просто это так неожиданно. Ты же ничего никому не говорил. Ты молодец! Дай я тебя поцелую...»

А потом мы с ней долго-долго сидели. Она мне рассказывала, какая у нас интересная жизнь настанет. Как можно будет по улицам ходить, с людьми встречаться, в гости ездить, и все это без протокола, без расписания. А глаза у нее все время были на мокром месте. «Дочь, ты меня... до слез доведешь». Махнул рукой — давай иди.

Таня спросила, растерянно, как ребенок: «А как же мама ничего не знает?» — «Потом... Все потом». Спустились ужинать. Наина заметила, что Таня плакала. Посмотрела на меня внимательно, но ничего не сказала.

Сейчас важно, чтобы никаких сбоев, никаких утечек. Если вдруг информация уйдет, отставки не будет. Перенесу ее на более поздний срок. Но... не думаю, что что-то сорвется. С этой надежной командой срывов быть не должно.

Впрочем — интересное наблюдение, — дома, в уютной, спокойной обстановке, я порой сам не мог сдержаться, и у меня прорывалось: «Вот после 31-го... Все станет ясно после 31-го...» Скажу, а сам смотрю, наблюдаю за реакцией.

Наина была спокойна. Старшая дочь Лена тоже. Может быть, догадались? Нет, ничего не подозревают!

...Впрочем, сомневаться поздно. Счет пошел на часы. Запущен механизм настоящей политической бомбы. И если кто-то попробует его остановить...

Теперь — самое главное. Разговор с Путиным.

Это будет уже второй разговор. Думаю, что очень короткий. Первый состоялся в моем загородном кабинете 14 декабря. За пять дней до парламентских выборов. И коротким он не был.

Тогда первая реакция Путина меня обескуражила: «Думаю, я не готов к этому решению, Борис Николаевич».

...Нет, это не была слабость. Путина слабым не назовешь. Это было сомнение сильного человека. «Понимаете, Борис Николаевич, это довольно тяжелая судьба», — сказал он.

Уговаривать очень не хотелось. Я стал рассказывать ему о себе, о том, как приехал работать в Москву. Мне тогда было чуть больше пятидесяти, я был старше Путина, наверное, лет на семь-восемь. Энергичный, здоровый. Думал: если достанут меня эти московские бюрократы, займусь чем-нибудь другим, уйду из политики. Вернусь на стройку. Уеду в Свердловск. Или еще куда-нибудь. Жизнь казалась широкой, как поле.

Огромное поле.

А дорожка-то в поле — одна. Как ему это объяснить?

«Я когда-то тоже хотел совсем иначе прожить свою жизнь. Не знал, что так получится. Но пришлось... Пришлось выбирать. Теперь вам надо выбирать», — сказал я.

Путин заговорил о другом: «Вы очень нужны России, Борис Николаевич. Вы мне очень помогаете. Вот вспомните саммит в Стамбуле. Если бы поехал я — одна ситуация, поехали вы — другая. Очень важно, что мы с вами работаем вместе. Может, лучше уйти в срок?»

Я помолчал. Посмотрел за окно. Два человека сидят, разговаривают. Обычное утро. Вот так просто, откровенно. Но я, в отличие от него, уже знаю железную хватку принятого решения. От него, решения, никуда не уйдешь, никуда не денешься.

«Ну, так как? Вы мне все-таки не ответили». — «Я согласен, Борис Николаевич».

В тот день я не сказал ему о своей дате.

...И вот прошло две недели с того дня. У Путина была возможность спокойно обдумать все, о чем мы с ним говорили во время последней встречи. Тогда, 14-го, мы обсудили главное, теперь надо обсудить детали.

29 декабря. 9 утра. Кремль. Он входит в кабинет. И у меня сразу возникает такое ощущение, что он уже другой — более решительный, что ли. Я доволен. Мне нравится его настрой.

Я говорю Путину о том, что решил уйти 31 декабря. Рассказываю, как хочу выстроить это утро, как события будут следовать друг за другом. Телеобращение, подписание указов, передача ядерного чемоданчика, встречи с силовиками и т.д. Вместе вносим незначительные коррективы в наш, теперь уже совместный, план.

...Путин мне очень нравится. Как реагирует, как корректирует некоторые пункты в этом плане — все четко и очень конкретно.

Я люблю этот момент работы. Когда от эмоций, чувств, идей все переходит в жесткую плоскость реализации решения. Простая вещь: один президент уходит, другой, пока еще исполняющий обязанности, приходит. Сухо, строго и юридически точно воплощаем в жизнь статью Конституции РФ. Главное, поскольку все это в первый раз, ничего не забыть.

...Наконец работа завершена. И кажется, ничего не упустили. Официальный кабинет не способствует проявлению чувств. Но вот сейчас, здесь, когда я в последний раз рядом с ним в роли президента, а он в последний раз еще не первое лицо страны, мне многое хочется сказать. По-моему, ему тоже. Но мы ничего не говорим. Пожимаем руки друг другу. Обнялись на прощание. Следующая встреча — 31 декабря 1999 года.

30 декабря. Юмашев принес текст телеобращения. Я прочитал его несколько раз, стал править: никто не должен думать, будто я ухожу в отставку по болезни или кто-то вынудил меня пойти на это решение. Просто я понял: это надо сделать именно сейчас.

Валентин заспорил, сказал, что никто и не думал, что вас можно заставить уйти — по болезни или по какой-либо другой причине. Какая еще болезнь за полгода до выборов?! Эта правка утяжеляет текст.

Я подумал, еще раз перечитал и согласился: пожалуй, он прав.

31 декабря проснулся раньше обычного. Не мог долго спать в этот день.

После обычного семейного завтрака, когда я уже собирался на работу, Таня напомнила: «Маме скажешь?»

Я снова засомневался: «Может быть, не надо ее сейчас волновать?» — «Папа, ну я тебя прошу».

Стоял в прихожей, не знал, что делать. Медленно застегивал пальто.

«Наина, я принял решение. Я ухожу в отставку. Будет мое телеобращение. Телевизор смотри».

Наина застыла на месте. Глядела то на меня, то на Таню. Все никак не могла поверить. Потом кинулась, как вихрь какой-то, меня целовать, обнимать: «Какое счастье! Наконец-то! Боря, неужели правда?!» — «Все, мне пора».

Еще ничего не началось, а я уже успел разволноваться до предела.

Но Таня была права. Не предупредить жену, самого близкого человека, о таком решении — плохо. Не по-человечески. Похоже, я становлюсь излишне сентиментальным, из политика превращаюсь опять в обычного человека. Вот это да!

К подъезду подъезжает машина. Особое шуршание шин бронированного автомобиля. Толя Кузнецов, руководитель службы безопасности, привычно открывает дверь. Он думает, что еще полгода вот так, каждое утро, мы с ним будем отправляться в Кремль. Толе я ничего не сказал. Поговорю с ним по душам потом, после отставки.

8 утра. Волошин вызывает к себе в кабинет руководителя правового управления администрации Брычеву и помощника главы администрации по юридическим вопросам Жуйкова. Дает указание: подготовить указы об отставке президента страны и два письма — в Думу и Совет Федерации.

8.15 утра. Захожу в свой кремлевский кабинет. На столе, как обычно, лежит план сегодняшних мероприятий. Во столько-то — запись новогоднего обращения, затем встреча с премьер-министром Путиным, потом у меня встречи с замами главы администрации и обсуждение январского плана, наконец, несколько телефонных звонков.

Но этот план уже не нужен.

Я достаю из внутреннего кармана пиджака свой план, по которому я сегодня буду жить. Лист помялся. А я терпеть не могу мятые бумаги. Пытаюсь его разгладить, кладу на стол.

«И с большим чувством и удовольствием,
с особым скрипом водя пером, подписываю указ».

«Значит, есть нервы и у железного Стальевича»
(с Александром Волошиным).

13 октября 1999 года. Владимир Путин еще не знает, что его ждет через два с половиной месяца.

С Валентином Юмашевым.

Кремль. 31 декабря 1999 года.

31 декабря 1999 года. «Все, что хотел сегодня сделать, — сделал».

Сверху прикрываю папкой. На всякий случай, чтобы никто не увидел. Хотя что уже скрывать, счет пошел на минуты.

9 утра. В кабинет входит заведующий канцелярией Валерий Семенченко, кладет мне на стол традиционную президентскую почту. Эту пачку документов я должен до конца дня просмотреть (шифротелеграммы, различные сообщения силовиков, телеграммы из МИДа и т.д.), а вот это подписать: два письма, вето на законы, несколько поручений различным ведомствам, приветственные телеграммы. Я смотрю еще на один документ — концепция послания президента Ельцина Федеральному Собранию. «Уже не понадобится», — думаю про себя.

Семенченко поздравляет с наступающим Новым годом, уходит.

Все документы, что лежат сейчас на столе, для меня уже никакого значения не имеют. Кроме моего помятого плана. Где же главные указы? Нажимаю на кнопку дежурного приемной, спрашиваю, когда будет Волошин.

Он входит с красной папкой. Лицо взволнованное. Вот, кажется, и Александра Стальевича проняло. Как-то он несмело начинает: «Борис Николаевич, вот, все вроде подготовили...» Я строго на него смотрю: «Вы там что, засомневались вдруг? Действуйте по плану!» Волошин смотрит на меня удивленно: «Да нет, что вы, Борис Николаевич. Мы действуем».

Я опять нажимаю кнопку дежурного. Прошу к 9.30 вызвать Путина.

Раскрыл красную папку с указами.

1. В соответствии с частью 2 статьи 92 Конституции Российской Федерации прекращаю с 12 часов 00 минут 31 декабря 1999 г. исполнение полномочий Президента Российской Федерации.

2. В соответствии с частью 3 статьи 92 Конституции Российской Федерации полномочия Президента Российской Федерации временно исполняет Председатель Правительства Российской Федерации с 12 часов 00 минут 31 декабря 1999 г.

3. Настоящий Указ вступает в силу с момента его подписания.

Ну слава Богу! И с большим чувством и удовольствием, с особым скрипом водя пером, подписываю указ.

Ровно в 9.30 в кабинет входит Путин. Мы здороваемся. Я прошу пригласить в кабинет руководителя протокола Владимира Шевченко, пресс-секретаря Дмитрия Якушкина, кремлевского оператора Георгия Муравьева, фотографа Александра Сенцова.

Внимательно смотрю на всех, потом вслух зачитываю указ. Шевченко первый не выдерживает. «Борис Николаевич, — почти стонет он, — давайте пока не будем указ выпускать. Подождем недельку. У нас с вами поездка в Вифлеем».

Я смотрю на Путина. Он сдержан. Чуть смущенно улыбается. Я жму ему руку: «Поздравляю».

Мои сотрудники в шоке. Анатолий Кузнецов, Валерий Семенченко, Алексей Громов, Андрей Вавра, секретари приемной, всех сейчас не перечислю. Помню только их удивленные глаза. И немой вопрос: зачем? Я понимал, что все это для них будет неожиданностью, но не предполагал, что до такой степени.

Так. Теперь запись телеобращения.

Вхожу в знакомые новогодние декорации представительского кабинета. Та же телевизионная группа. Но вид у них отнюдь не праздничный. Они уже знают, что я ухожу в отставку. Полчаса назад, в соответствии с нашим планом, Волошин принес им текст моего телевизионного обращения. Оно уже набрано на телесуфлере.

Я решительно направляюсь к столу, сажусь. Звучит команда режиссера Калерии Кисловой: «Мотор. Начали!» Я вдруг чувствую, что у меня сел голос. Слава Богу, не забыли поставить стакан воды. Делаю глоток и произношу уже спокойно: «Дорогие россияне! Дорогие мои...»

Я почти не волновался. Почти... Правда, один раз соринка в глаз попала. И я смахнул ее рукой.

Когда произнес последнюю фразу, услышал, как в зале тикают часы. А потом кто-то захлопал, потом еще кто-то и еще. Я поднял глаза и увидел, как вся телегруппа, стоя, приветствует меня. Я не знал, куда деваться. Женщины не скрывали слез, и я их подбадривал как мог. Попросил принести шампанское, женщинам подарил цветы. Мы чокнулись, подняли бокалы за Новый год, за этот день.

Я попробовал внутренне оценить, как я чувствую себя, какое у меня настроение. И с некоторым удивлением понял, что настроение хорошее. Очень хорошее, бодрое.

Оператор вытащил кассету из телекамеры. Я взял ее в руки. Маленькая черная коробочка. Вот! Самый главный документ! Пожалуй, важнее любых указов и писем в Думу. Здесь я объявляю людям о своем решении. С момента выхода в эфир моего телеобращения заканчивается мой президентский срок и начинается отсчет времени исполнения обязанностей Владимиром Путиным.

Ищу глазами Юмашева. Киваю ему. Он берет в руки кассету и уходит. Около 6-го подъезда Кремля стоит бронированная машина, у выезда из Боровицких ворот — машина сопровождения ГАИ. Именно так, с охраной, кассета должна быть доставлена в Останкино, на телецентр. И там Юмашев должен лично проследить, чтобы ровно в 12 часов дня телеобращение вышло в эфир.

Что у меня дальше в плане? Встреча с патриархом Алексием. Я вернулся в кабинет. Медленно вошел патриарх. Я сообщил ему о своем решении. Он посмотрел на меня внимательно. Долго держал паузу. «Мужское решение», — сказал патриарх совсем не церковные слова. Потом искренне благословил. Какое-то время мы поговорили втроем — патриарх, Путин и я. Заметил, и это было приятно, что у Владимира Владимировича сложились с его святейшеством добрые, человеческие отношения. Путину нужна будет помощь этого мудрого человека...

Патриарх пожелал нам удачи и попрощался.

Следующий этап — передача ядерного чемоданчика. Поскольку для публики это действие самое интересное, по просьбе Дмитрия Якушкина мы засняли с помощью нашего телеоператора этот исторический акт на пленку. Хотя процедура на самом деле достаточно скучная.

Еще один атрибут президентской власти с этого момента ложится на плечи Владимира Путина. А я освобождаюсь от него. Отныне за ядерную кнопку отвечаю не я. Может быть, теперь с бессонницей будет легче справляться?..

11.30. Встреча с силовыми министрами. Торжественный прощальный обед. Стол накрыли в президентских апартаментах на третьем этаже.

Это наше прощание. Мое прощание с надежными товарищами, их прощание с верховным главнокомандующим. Слова, что были сказаны друг другу в те минуты, буду помнить всегда.

Вдруг где-то без десяти двенадцать Тане срочно позвонила Наина. «Таня, — сказала она, — я тут подумала, нельзя сегодня объявлять об отставке. Зачем людей беспокоить, зачем им волноваться, переживать?.. Представляешь, надо Новый год праздновать, а президент ушел. Что, не мог пару дней подождать? Новый год закончится, и можно будет уходить. Подумайте, поговори с папой еще».

Таня железным голосом в ответ: «Мама, это невозможно, не волнуйся, все будет хорошо, смотри телевизор».

Кстати, с телевизором получилось недоразумение. В зале, где мы собрались с силовыми министрами, за пять минут до эфира выяснилось, что телевизора поблизости нигде нет. Стали срочно искать. Ближайший телевизор оказался в Танином кабинете. Притащили. Еле успели его включить, буквально за полминуты до начала выступления.

Смотреть телевизор было трудно. Хотелось закрыть глаза, опустить голову. Но смотрел прямо.

Министры, генералы — все смотрели молча. У некоторых были на глазах слезы. И это у самых суровых мужчин в стране.

Выпили шампанского.

Люстры, хрусталь, окна — все светилось ровным новогодним светом. И я вдруг первый раз за этот день по-настоящему почувствовал Новый год. Ну и подарочек же всем я сегодня сделал!

Откуда-то появился огромный букет цветов.

Около часа дня я поднялся, попрощался со всеми и пошел к выходу. Было легко, светло на душе. И только необычно громко стучало сердце, напряжение этих дней давало себя знать. В коридоре около лифта остановился. Чуть не забыл! Достал из кармана президентскую ручку. Именно ту, которой подписал самый последний свой указ. И подарил ее Путину.

Все. Теперь все. Все, что хотел сегодня сделать, — сделал.

Спустился к подъезду. Подъехала моя машина. Снег. Какой мягкий чистый снег в Кремле!

Хочется что-то важное сказать на прощание Владимиру Путину.

Какой же тяжкий труд ему предстоит впереди. И как хочется ему хоть чем-то помочь.

«Берегите... Берегите Россию», — говорю я ему. Путин посмотрел на меня, кивнул. Машина медленно сделала круг. Закрыл глаза. Все-таки я устал. Очень устал.

По дороге на дачу в машине раздался звонок. Адъютант сказал: «С вами хочет переговорить Клинтон». Я попросил президента США связаться со мной позже, в 17 часов. Теперь можно позволить себе это. Теперь я пенсионер.

Меня встречали Наина и Лена, целовали, поздравляли. Позвонила внучка Катя: «Ну, деда! Ты просто герой!»

Таня не отходила от телефона. Звонков было море. Я ей сказал: «Посплю часа два. Не будите».

На Новый год, как всегда, был Дедом Морозом. Вынимал из мешка подарки. А мне подарили часы.

Потом мы вышли из дома.

Звезды. Сугробы. Деревья. Темная-темная ночь. Давно мы с моей семьей не были так счастливы. Очень давно...

Утром тоже грусти не было.

ТАНЯ

В конце 1995-го у меня случился острый сердечный приступ. По сути дела, первый инфаркт.

Значения этому я не придал: отлежался, отдышался — и снова в бой. Наплевательское отношение к своему здоровью, вероятно, вообще было свойственно многим руководителям. Тучные от сидячего образа жизни, обрюзгшие от вредных привычек, с красными от вечного недосыпа глазами, с тяжелым выражением лица — это был особый человеческий тип. Я, правда, себя считал исключением среди них, поскольку занимался спортом: плавал в ледяной воде, ходил на лыжах, играл в волейбол и теннис, обожал прогулки. Да и наследственность у меня хорошая: отец и дед оба прожили до глубокой старости, были как будто из мореного дуба сделаны. Вот и я на свой организм всегда рассчитывал — он справится! Как видно, ошибался. После 40—45 лет сердце человеческое, особенно у мужчин, часто дает сбой, будь ты спортсмен или сибарит, будь ты монах или грешник.

...Новый, 96-й год встретил в каком-то смятении. Сразу после сердечного приступа и сразу после тяжелейшего поражения на думских выборах. Блок левых партий, главным образом коммунистов и аграриев, в декабре 95-го получил в новой Думе более сорока процентов, то есть около двухсот голосов. А так называемая партия власти во главе с Виктором Черномырдиным («Наш дом — Россия») еле-еле набрала десять. К тому же мы по-прежнему не видели просвета в чеченской войне. С таким грузом моральной ответственности было очень нелегко идти на второй срок.

...Вот в такой ситуации встречал я 1996 год. Год, когда не только стране, но и мне самому предстояло сделать свой главный выбор — избираться на второй срок или нет, идти или не идти на президентские выборы.

Наина очень не хотела моего выдвижения. Да и меня самого постоянные стрессы совершенно измотали, выжали все соки.

Может быть, впервые в жизни я вдруг ощутил себя почти в полной политической изоляции. Дело было даже не в трехпроцентном рейтинге (как тогда говорили, «рейтинг практически отрицательный»), а в том, что я перестал чувствовать поддержку тех, с кем начинал свою политическую карьеру, с кем шел на первые депутатские и потом на президентские выборы. Интеллигенция, политики-демократы, журналисты — мои союзники, моя неизменная опора — как будто отошли от меня. Одни из-за войны в Чечне, другие из-за неожиданных и громких отставок, третьи — неудовлетворенные общим ходом развития нашей страны.

У всех нашлись свои причины, вроде бы логичные, справедливые. Но было у меня интуитивное чувство: эти люди готовы объединиться, они по-прежнему мои союзники, только нужно эту объединяющую всех идею найти!

...В конце 1995 года в моем ближайшем окружении (а неформальным его лидером тогда был Александр Коржаков, руководитель моей охраны) стала обсуждаться идея: наследником Ельцина должен быть не проигравший думские выборы Виктор Черномырдин, а Олег Сосковец, первый вице-премьер. Статный мужчина «с открытым русским лицом», настоящий хозяйственник, бывший директор металлургического завода, по сути дела, второй человек в правительстве, он был вполне достойной представительной фигурой. Тогда я еще не до конца понимал, насколько опасен Коржаков в роли «спасителя отечества», почему он так рьяно протежировал своему ближайшему другу Олегу Сосковцу.

Мне никто ничего не говорил в открытую, но я и так видел, как упорно Коржаков подталкивает меня к тому, чтобы я отправил в отставку Черномырдина. Дальнейший ход событий просматривался тоже достаточно четко: на волне борьбы с чеченским сепаратизмом, на волне «коммунистической угрозы» к власти приходит полувоенная команда постсоветских генералов: начальник службы безопасности Александр Коржаков, директор ФСБ Михаил Барсуков, которых прикрывает своим могучим телом первый вице-премьер Олег Сосковец. Найдутся и другие...

Буду неискренен перед читателем, если скажу: вот именно так я тогда и думал, именно поэтому и пошел на выборы. Нет, не поэтому.

Я стоял перед жизнью, продуваемый всеми ветрами, сквозняками, стоял и почти падал от порывов ветра: крепкий организм — подвел; «ближайшие друзья» — уже нашли тебе замену, как стая, которая исподволь, постепенно намечает нового вожака; наконец, отвернулись от тебя и те, на кого ты всегда опирался, кто был твоим последним рубежом, резервом, — духовные лидеры нации. А народ... Народ не может простить ни «шоковой терапии», ни позора в Буденновске и Грозном. Казалось бы, все проиграно.

В такие моменты приходит прозрение. И вот с ясной головой я сказал себе: если иду на выборы — выигрываю их, вне всяких сомнений. Это я знаю точно! Несмотря на все прогнозы, несмотря на рейтинги, несмотря на политическую изоляцию. Но вот вопрос: иду ли? Может, действительно пора мне сойти с политической сцены?

Но мысль о том, что я тем самым буду способствовать приходу к власти коммунистов, показалась нестерпимой.

Вероятно, выручила моя всегдашняя страсть, воля к сопротивлению.

В конце декабря я свой выбор сделал...

...А потом появилась Таня.

Читатель не должен удивляться, встретив в книге эту фразу. Лена и Таня, мои дочери, никуда из моей жизни, конечно, не исчезали. Самые любимые, дорогие люди. Но железное правило — семья отдельно, работа отдельно — я никогда не нарушал. Не нарушал до весны 1996 года...

У каждого человека свои привычки, свой характер, свой образ жизни. Здесь общих законов нет. Сейчас стало общеизвестным, что Михаил Сергеевич Горбачев от своей жены секретов не держал. И по-своему он был, конечно, прав. У меня была прямо противоположная ситуация: долгие годы в семье я о политике вообще не говорил. Ни слова! Все новости жена и дочери узнавали только по телевизору. Я выслушивал их мнения, восклицания, реплики — и молчал. Со стороны это выглядело, наверное, довольно странно. «Боря, ну сколько же можно не платить пенсии людям! Когда правительство с этим наконец разберется?» Я молчу, как в рот воды набрал. Или отвечаю вроде бы невпопад: «Слушайте, а какая погода сегодня отличная!» Мои мнения о людях, о ситуациях они вычисляли по каким-то словечкам, жестам, реакциям. Так продолжалось долгие годы: читать длинные и сложные лекции о политике я отказывался, а разговаривать на поверхностном уровне — не хотел. Но в момент жесточайшего политического кризиса, когда от меня отвернулись почти все бывшие союзники, семья неожиданно пришла мне на помощь. Пришла в лице дочери.

...Таня была абсолютным технарем, ни о какой политике не помышляла. Ей к тому времени было уже за тридцать. Самостоятельный, сложившийся человек. Окончила факультет вычислительной математики и кибернетики МГУ, уже довольно долго работала в КБ «Салют», была хорошим программистом, занималась баллистикой, в частности расчетом траекторий космических летательных аппаратов. На мою бурную политическую карьеру смотрела, как мне всегда казалось, с уважением и, наверное, с некоторым восторгом, испугом, жалостью: папа, куда же тебя занесло?

И в личной жизни у Тани все сложилось. Ее муж, Алексей Дьяченко, конструктор и сын конструктора, работал в том же бюро. Сын Борька был уже старшеклассником, младший сын Глеб только что родился. Таня как раз была в отпуске по уходу за ребенком, растила маленького Глеба.

...В начале января я объявил о своем решении идти на выборы. Тогда же был создан мой предвыборный штаб, руководителем которого стал Сосковец. Я рассуждал так: если у Олега Николаевича есть политические амбиции, пусть он их проявит. Пусть покажет, какой он политик, какой политической волей обладает. А там посмотрим...

Скандалы в штабе начались почти сразу же. Первый — с подписями по поддержке кандидата в президенты, необходимыми по Закону о выборах. Газеты мгновенно разнесли весть о том, что в день зарплаты железнодорожников и металлургов заставили расписываться сразу в двух ведомостях: в одной — за зарплату, в другой — за президента Ельцина. Я попросил проверить. Оказалось — правда. Это был не только позор на весь мир. Важно было другое — руководитель штаба просто «забыл» о том, что мы живем уже в другой стране.

Это сейчас мы произносим как само собой разумеющееся: политическое планирование, предвыборные технологии. До таких тонкостей тогда не доходили. Шла сплошная, беспардонная накачка губернаторов: вы должны, вы обязаны обеспечить! Серые от испуга губернаторы встречали, рапортовали, но что толку! Ни внятных лозунгов, ни внятной стратегии, ни анализа ситуации не было и в помине. Помню, как Сосковец по какому-то незначительному поводу грубо наорал на телевизионщиков: что-то там не то показали в выпуске «Вестей». Практически поссорил нас с телевизионными журналистами.

Это был единый стиль.

Такая работа живо напомнила мне заседания бюро обкома партии — те же методы, слова, отношения, как будто из глубокого прошлого. В кулуарах вроде бы нормальные живые люди, на заседаниях — наглухо застегнутые «пиджаки».

Тогда-то я и понял, что мне в штабе нужен свой человек. Человек, который беспристрастно и честно сможет рассказать мне о том, что происходит, поможет увидеть ситуацию другими глазами. И самое главное — он должен быть свободен от групповых пристрастий, быть вне борьбы различных «интересов», которыми полна вся эта предвыборная деятельность.

Где же его взять? Да еще такого, который не вызвал бы подозрений, интриг, вошел бы туда спокойно и незаметно. Практически человек-невидимка!

Как-то раз ко мне в Барвиху приехал Валентин Юмашев. Я не выдержал и поделился с ним своими мыслями: чувствую, что процесс не контролирую, вижу по потухшим глазам помощников, в частности Виктора Илюшина, что ситуация в штабе день ото дня ухудшается и мы медленно, но верно погружаемся в болото. И судя по всему, штаб — сплошная склока, никакой стратегии нет, советский стиль общения, на собрание единомышленников совсем не похож.

«Нужен свой человек в штабе», — сказал я. Валентин послушал, покивал, задумался.

...Но кто? Кто это может быть?

«А если Таня?» — вдруг спросил он.

Я вначале даже не понял, о ком он говорит. При чем тут Таня? Это было настолько непривычно, что меня сразу же одолели сомнения: как это будет воспринято в обществе? Что скажут журналисты, политики? Как она будет встречена в Кремле?

...С другой стороны, Таня — единственный человек, который сможет донести до меня всю информацию. Ей скажут то, чего не говорят мне в глаза. А она человек честный, без чиновничьих комплексов, скрывать ничего не будет. Она молодая, умная, она моя дочь, с моим характером. С моим отношением к жизни.

В середине марта создан новый предвыборный совет — его возглавил я сам, а замом стал Виктор Черномырдин. На заседании не без волнения представил Таню: «Представляю вам нового члена предвыборного штаба Татьяну Дьяченко».

Вначале никто ничего не понял: ну, появилось новое лицо, ну, сидит девушка допоздна, появляется рано утром, днюет и ночует на этих совещаниях, общается со всеми, задает наивные вопросы. Может, причуда просто такая? И вдруг в какой-то момент стало понятно: при ней многое стало невозможным. Интриги, склоки, мужская борьба самолюбий вдруг улетучились сами собой. Мне об этом рассказали только потом, сам-то я на все эти бесконечные совещания не ходил.

Дело в том, что Таня пришла в этот кремлевский мир из другой жизни. Ее простые, естественные реакции сбивали с толку видавших виды чиновников. Она спрашивала: а почему? И глупость, прикрытая бюрократическим апломбом, мгновенно себя обнажала. И проблема приобретала совершенно ясные очертания.

На некоторых совещаниях Таня совершенно в открытую, не стесняясь, говорила вещи, которые просто шокировали аудиторию: «Слушайте, кого мы выбираем?! Почему папа встречается только с начальниками? Что, нормальных людей вокруг нет? Это же ни в какие ворота не лезет...»

Что чувствует отец взрослой дочери, когда она стала окончательно взрослой? Это очень сложно выразить словами. Это какая-то другая любовь, не менее сильная, чем та, которую испытываешь, когда она еще малыш, ребенок, подросток, девушка, молодая мама. На всех этапах по-разному. А тут... какое-то удивительное чувство покоя. Открываешь во взрослой дочери и потрясающее женское обаяние, и мягкость, и ум, и тонкость. В то же время с некоторым удивлением обнаруживаешь в ней свои черты. И при всем этом она тот человек, который может сказать тебе, порой даже резко, всю правду.

Разумеется, понимание этого пришло далеко не сразу. А сначала были одни чувства. Противоречивые чувства. Но чаще очень хорошие. Таня теперь была все время где-то рядом. Насколько спокойнее я стал себя ощущать!.. Подойдет, поправит галстук, застегнет пуговицу на рубашке — и у меня настроение улучшается. А психологический тонус для кандидата в президенты — вещь абсолютно неоценимая. И еще. До того как Таня пришла в штаб, я думал, что нагрузок, которые обещала предвыборная гонка, просто не выдержу. Физически. Все эти поездки, выступления заранее вызывали у меня стресс. Ведь сорвусь, слягу. Что делать?

А тут я вдруг стал думать: нет, не сорвусь. Смогу. Но самое главное — совершенно естественно стали разрешаться, казалось бы, неразрешимые проблемы.

Примерно в это время я встретился в Кремле с руководителями крупнейших банковских и медиа-групп: с Гусинским, Ходорковским, Потаниным, Березовским, Фридманом и другими известными бизнесменами... Это была первая моя встреча с представителями российского бизнеса в таком составе.

Она состоялась по их инициативе, к которой я поначалу отнесся довольно сдержанно. Понимал, что деваться им некуда, все равно будут меня поддерживать, и думал, что речь пойдет, видимо, о финансировании моей предвыборной кампании. Но речь пошла совсем о другом. «Борис Николаевич, то, что происходит в вашем предвыборном штабе во главе с Сосковцом, в вашем окружении, — это уже почти крах. Именно эта ситуация заставляет одних бизнесменов идти договариваться с коммунистами, других — упаковывать чемоданы. Нам договариваться не с кем. Нас коммунисты на столбах повесят. Если сейчас кардинально не переломить ситуацию, через месяц будет поздно».

Такого жесткого разговора я, конечно, не ожидал. Больше того, этим дело не ограничилось: они предложили использовать в предвыборной кампании весь их ресурс — информационный, региональный, финансовый, но самое главное — человеческий. Они рекомендовали в штаб своих лучших людей. Тогда и появилась так называемая аналитическая группа, куда вошли Игорь Малашенко, Сергей Зверев, Василий Шахновский, независимый социолог Александр Ослон и другие молодые, сильные аналитики.

Поразило и заставило задуматься больше всего их общее мнение: в штабе нужен Анатолий Чубайс!

Чубайс буквально за два месяца до этого был в очередной раз с треском уволен из правительства, в очередной раз группа Коржакова — Сосковца сумела меня с ним поссорить.

...Так Чубайс был назначен руководителем аналитической группы. И очень скоро я увидел, что Таня отлично вписалась в эту группу.

Впервые за долгое время я вдруг ощутил легкий прилив оптимизма. Подумал: а на самом деле, мне ведь вовсе не требуется опять, как в прежние годы, совершать эффектные жесты, резкие движения, демонстрировать волю к власти, силу. Есть молодые люди с ясной головой, с нормальным языком и мышлением, не обремененным тяжким грузом прошлого. Они не будут отстаивать интересы своей группы, своего клана, а будут просто работать, потому что им это интересно и выгодно! Надо помнить, что мы живем в стране с очень высоким уровнем образования, где, несмотря на все трудности, есть дело для молодых людей, есть возможность проявить себя, заработать деньги, устроить свою судьбу. Вот на таких людей из Таниного поколения и надо опираться. Несмотря на мой возраст, на мою долгую партийную биографию, несмотря на то, что они иногда надо мной подшучивают, я — их президент. А они — мои избиратели. Если они хотят сохранить свой образ жизни, они пойдут на выборы. Они — моя надежда. Мои помощники.

И все же далеко не все складывалось так оптимистично, как кажется теперь, спустя несколько лет после описываемых событий. Особенно через несколько дней после создания аналитической группы. Да, у ребят кипела работа, обстановка в штабе изменилась, изменился тон прессы. Потихонечку, еле-еле, пошел вверх и мой рейтинг, но тогда, в конце марта, мне казалось: поздно, очень поздно! И слишком медленно происходят все эти изменения.

К тому же резко осложнилась политическая ситуация. Коммунисты почувствовали сладкий вкус близкой победы. Вот она, власть, вроде бы совсем рядом — осталось только руку протянуть. Их тактика была традиционной — штурмовать власть. Пытаясь разбудить ностальгические чувства избирателей, левая Дума проголосовала за отмену Беловежских соглашений 1991 года, по сути, возвращая страну назад, в бывший Советский Союз. В Думе звучали призывы привлечь к ответственности, к суду, заковать в наручники тех, кто участвовал в подписании декабрьских документов 91-го года. Это была настоящая провокация.

Мой публичный ответ был мгновенным: сразу же после заседания Совета безопасности я сказал журналистам несколько резких слов о Думе, заявил, что глубоко возмущен этими решениями, никому не позволю совершать антиконституционные действия. Честно говоря, тогда казалось, что необходимы жесткие, решительные шаги. Ясно было, что начинается война нервов.

Александр Коржаков тоже нашел свою «предвыборную технологию». «С трехпроцентным рейтингом бороться бессмысленно, Борис Николаевич, — говорил он. — Сейчас упустим время за всеми этими предвыборными играми, а потом что?»

Чего греха таить: я всегда был склонен к простым решениям. Всегда мне казалось, что разрубить гордиев узел легче, чем распутывать его годами. На каком-то этапе, сравнивая две стратегии, предложенные мне разными по менталитету и по подходу к ситуации командами, я почувствовал: ждать результата выборов в июне нельзя... Действовать надо сейчас!

Я решился и сказал сотрудникам аппарата: «Готовьте документы...» Началась сложная юридическая работа. Был подготовлен ряд указов: в частности, о запрещении компартии, о роспуске Думы, о переносе выборов президента на более поздние сроки. За этими формулировками — приговор: в рамках действующей Конституции я с кризисом не справился.

Ситуацию я для себя сформулировал так: ценой тяжелой потери качества — выхода за конституционное поле — я решаю одну из своих главных задач, поставленных мной еще в начале президентства. После этого шага с компартией в России будет покончено навсегда.

23 марта в 6 утра состоялось закрытое совещание с участием Черномырдина, Сосковца, силовых министров, главы администрации Николая Егорова. Я ознакомил всех с этим планом, сказал: «Вот есть такая идея. Высказывайтесь. Что вы обо всем этом думаете?»

Повисла тяжелая пауза.

Неожиданно резко против этого плана высказался Анатолий Куликов, министр внутренних дел. «Компартия, — сказал он, — в половине регионов России контролирует местную законодательную власть. Она выведет народ на улицы. За всех своих подчиненных в этой ситуации поручиться не могу. Что будем делать, если часть милиции будет за президента, другая — против? Воевать? Это же гражданская война». Ту же позицию занял и Черномырдин, сказав, что не понимает, чем вызвана необходимость столь резких и необратимых ходов.

Но большинство участников этого утреннего совещания поддержали идею переноса выборов. «Борис Николаевич, — говорили мне, — вы же не отказываетесь от выборов, вы только переносите их на два года, поэтому обвинить вас в нарушении демократических принципов нельзя. Народ не хочет никаких выборов. Все привыкли к вам. И с коммунистами можно покончить только решительными действиями. Сколько лет они будут людям головы морочить, отравлять всем мозги?! Сейчас, может быть, тот самый благоприятный момент, когда это можно сделать. У вас пошел рейтинг вверх, за вами все пойдут».

Наконец я сказал: «Все понятно. Большинство — «за». Совещание закончено. Идите, я подумаю сам».

С Биллом Клинтоном после выборов.

НАШ ПРЕЗИДЕНТ
ЛУЖКОВ НАШ

Татьяна во время предвыборной кампании 1996 года.

Во время предвыборной встречи.

«Психологический тонус для кандидата в президенты — вещь абсолютно неоценимая».

9 августа 1996 года. Дворец съездов. Инаугурация.

«Длинный кремлевский коридор всегда дает время подумать, сосредоточиться».

Кардиоцентр. После операции.
«Спасибо вам, мои врачи, медсестры, нянечки.
Все ваши лица помню и люблю!»

«Первый раз после операции вышел в парк».

Оставшись один, я все обдумал: решать надо сейчас, в течение суток. Откладывать такие вещи нельзя, иначе информация может просочиться. Опять почувствовал этот внутренний холод: я один должен принять решение и один отвечать за него.

Пока я находился в кабинете, Таня позвонила Чубайсу, позвала его в Кремль. «Папа, ты обязан выслушать другое мнение. Просто обязан», — сказала она. И я вдруг понял: да, обязан...

...Когда Чубайс волнуется, его лицо мгновенно заливается алой краской.

«Борис Николаевич, — сказал он. — Это не девяносто третий год. Отличие нынешнего момента в том, что сейчас сгорит первым тот, кто выйдет за конституционное поле. Хотя, в сущности, и в девяносто третьем первыми за флажки вышли они. Это безумная идея — таким образом расправиться с коммунистами. Коммунистическая идеология — она же в головах у людей. Указом президента людям новые головы не приставишь. Когда мы выстроим нормальную, сильную, богатую страну, тогда только с коммунизмом будет покончено. Отменять выборы нельзя».

...Мы разговаривали около часа.

Я возражал. Повышал голос. Практически кричал, чего вообще никогда не делаю.

И все-таки отменил уже почти принятое решение. До сих пор я благодарен судьбе, благодарен Анатолию Борисовичу и Тане за то, что в этот момент прозвучал другой голос — и мне, обладающему огромной властью и силой, стало стыдно перед теми, кто в меня верил...

После этой важной психологической и идеологической победы аналитическая группа с Чубайсом во главе стала главным центром принятия всех политических решений. Предвыборный штаб Сосковца перестал существовать.

Команда Чубайса развернулась в полной мере.

Социолог Александр Ослон, шаг за шагом, стал составлять социологическую карту выборов — но не «среднестатистический» портрет россиянина, у которого Ельцин имеет двух-трехпроцентный рейтинг доверия, а конкретную, точную картину, из кусочков, сегментов, срезов общества. Вот тогда-то и выяснилось, что конкретный россиянин смотрит на вещи совсем не так, как «среднестатистический»! Служащие и «челноки», студенты и молодые специалисты, семейные сорокалетние люди и пожилые работающие пенсионеры, жители юга и севера, больших и малых городов — все ждут от выборов разного.

Во время обсуждения какой-нибудь очередной идеи, когда все замолкали, задавался вопрос: «А что думает народ?» Все глядели на Ослона. И он, углубляясь в свои тетрадки, выносил окончательный вердикт, что по такому-то поводу народ думает. Под этим условным именем — «Народ» — Александр Ослон и работал в аналитической группе.

Мы стали искать адресную подачу предвыборной программы, новую тональность, новый стиль. И переход от казенной лексики к живому и понятному языку, конкретный разговор с каждой группой людей об их проблемах, вызвал сначала замешательство, потом интерес. «Ельцин другой», — заговорили тогда многие с удивлением. И как результат, примерно с середины апреля рейтинг стал подниматься быстрее. Огромное значение имели, безусловно, и средства массовой информации. Журналисты поняли, что если они не хотят коммунистической цензуры, — нужно работать согласованно. Игорь Малашенко выстроил четкую вертикаль в работе с телевизионщиками и журналистами.

Позже он проделал эксперимент — положил передо мной фотографии двух предвыборных кампаний.

На первой фотографии, нынешней, 96-го года, — толпа начальников и ожидающий их «за санитарным кордоном» испуганный люд (по-моему, в Краснодаре). На второй, старой, 91-го года, — огромная масса людей, оживленные лица, сияющие глаза. Я увидел счастливое лицо женщины, которая тянет руку ко мне, к другому Ельцину, и чуть не заревел от боли. Впечатление было сильное. Ведь это было всего пять лет назад!

Я вспомнил ощущения от встреч с людьми, и все сразу встало на свои места.

...Было сделано главное — мы придумали саму стратегию выборов. Борис Ельцин — один из участников предвыборной гонки, а не только президент. Да, он вместе с остальными кандидатами борется за голоса избирателей: ездит по стране, встречается с людьми, активно ведет кампанию. В ее рамках проводится агрессивная молодежная акция — концерты, плакаты, реклама, — но, по большому счету, это огромная жизнерадостная игра, и в этой игре никто никого не принуждает, не заставляет, не запугивает («не выберете Ельцина, тут вам всем и крышка»), просто предлагает идти на выборы.

Я потом думал: как же точно и вовремя молодая команда перевела стрелки от надоевшей всем идеологии — на игру. «Голосуй, или проиграешь». Вся активная часть общества, в сущности, была втянута в эту игровую ситуацию: нажмешь на одну кнопку — один результат, нажмешь на другую — прямо противоположный. Как игра по телевизору. А человек в жизни в каком-то смысле — игрок.

Еще один игровой момент — кампания с телевизионными роликами «Выбирай сердцем»: с телевизионного экрана простые люди говорили, что думают обо мне. Сейчас даже трудно представить, какой эффект дала эта кампания. Интерес к личности президента вырос. Народ удивлялся, задумывался. Настолько был силен контраст между сложившимся образом президента и этим призывом.

Избиратель как будто бы проснулся. Конечно, можно поставить на Явлинского, Лебедя, Жириновского, но готовы ли они гарантировать наше благополучие? Готовы ли они защитить людей от новых социальных передряг? Наверное, все-таки нет. А вот «новый Ельцин» — ожил, встряхнулся, может быть, опять поставить на него?

Политологи назвали потом итоги голосования «отложенным выбором», то есть люди проголосовали против резких перемен, против поворота назад, против передела и смены элит. Но я все-таки в этом словосочетании делаю акцент на втором слове. Это был их сознательный выбор — пусть все остается как есть до 2000 года.

В принципе, это была нормальная предвыборная работа. В предвыборном штабе шли встречи со всеми влиятельными группами общества. Хотите выжить? Помогайте. Хотите продолжать заниматься банковской деятельностью? Помогайте. Хотите иметь свободу слова, частные телеканалы? Помогайте. Хотите свободу творчества, свободу от цензуры и от красной идеологии в культуре? Помогайте. Хотите заниматься своим шоу-бизнесом? Помогайте.

Увидев, какая мощная молодая команда работает на Ельцина, киты бизнеса потянулись в наш предвыборный штаб. Они «вложились»: кто организационно, кто интеллектуально, а кто и финансами.

Кто мешал Зюганову предложить тем же самым группам влияния свои гарантии, свои условия? Никто. Он решил, что средний класс и интеллигенция ничего не определяют — их слишком мало, — и поставил на обездоленных и недовольных, на безработных в регионах с кризисной экономикой, на жителей села. И просчитался! Даже в этих регионах нашлись социальные слои, которые не захотели расставаться с пусть маленьким, но уже нажитым добром, с образом жизни, с новыми возможностями — куда-то съездить, что-то увидеть, скопить денег на квартиру. Я не социолог, но абсолютно уверен, что именно эти скромные люди (класс «челноков», как их тогда называли) качнули маятник в мою сторону.

Таня вошла в работу штаба незаметно. Даже я, отец, вроде должен все замечать, и то не сразу обратил внимание, как все неуловимо и тонко изменилось. Таня просто рассказывала мне о заседаниях штаба, кто что сказал, какие были позиции, и я начинал совершенно неожиданно видеть целостную объемную картинку... При этом видел даже то, чего, возможно, не видел никто из этих молодых ребят. Свое личное мнение она, как правило, оставляла при себе. Это наше негласное правило Таня практически никогда не нарушала. Но если вдруг пыталась: «Папа, но я все-таки думаю...» — я старался разговор увести в сторону. Главным условием ее работы было одно: она — мой помощник. И не пытается, пользуясь положением дочери, что-то мне навязать.

Постепенно я начал понимать, что стратегия, предложенная аналитической группой, — это моя стратегия, это нормальная тяжелая предвыборная работа и только так и можно победить.

Кстати, после выборов все самое ценное, все лучшее, что было наработано во время предвыборной кампании, мы постарались включить в каждодневную жизнь президента. Отсюда пошли радиообращения президента к россиянам, отсюда постоянный анализ общественного мнения, измерение политической температуры общества. Именно из этого совершенно нового подхода к работе Администрации Президента в конце концов родилась наша победа на парламентских выборах 1999 года и на президентских выборах 2000-го.

Я поставил задачу сделать из Администрации Президента настоящий интеллектуальный штаб. Самые сильные аналитики в стране должны работать на президента, на власть, а значит, на будущее страны. Приглашать их на любые должности. Не хотят идти в чиновники — не страшно, пусть работают в качестве советников, просто участников постоянных совещаний. В любом качестве они должны быть востребованы.

Именно тогда, летом 96-го года, я поставил своему штабу, своей администрации главную задачу. Преемственность власти. Преемственность власти через выборы. Задача эта — историческая, не имеющая прецедентов ни в новейшей, ни в прошлой истории России. В 2000 году президентом России должен стать человек, который продолжит демократические реформы в стране, который не повернет назад, к тоталитарной системе, который обеспечит движение России вперед, в цивилизованное сообщество.

Так, без лицемерия и жестко, была поставлена задача команде, которая пришла на работу в Кремль летом 1996-го. До выборов 2000-го оставалось четыре года.

Снова возвращаюсь в предвыборный год.

...Коржаков проглядел опасность. Он был уверен, что сумеет «съесть» Чубайса. На Таню просто не обратил внимания. А когда обратил, попытался выжить ее из штаба. Пошли разговоры: а почему, мол, она ходит сюда как на работу? Ей что, зарплату платят?

Начальник службы безопасности запретил Тане появляться в Кремле в брюках. Чего он добивался? Наверное, надеялся, что она вспыхнет, обидится, побежит жаловаться. А я не выношу ничего подобного. Но Таня отреагировала с юмором, в брюках ходить продолжала. В другой раз Коржаков продержал ее три часа в приемной.

Наконец, атмосфера слухов: мол, Таня заняла неподобающее ей помещение в Кремле (все это оказалось враньем) — меня вывела все-таки из себя. Я позвонил Коржакову: хорошо, не пускайте ее больше в Кремль. Александр Васильевич вызвал ее, заговорил ласково: «Таня, я, как старый друг семьи, не пускать тебя в Кремль, конечно, не могу. Но ты учти — сплетни ведь будут продолжаться...»

Он хорошо знал наши семейные отношения, нашу, ельцинскую, натуру... Но на Таню это все не подействовало. Математический склад ума и твердый характер легко и просто подсказали ей выход из этой душной, нетерпимой обстановки давления и мелочных уколов. Не замечать этого. Цель — важнее.

Коржаков с Барсуковым и Сосковцом реагировали на работу аналитической группы, социологов, телевизионщиков, то есть своих «конкурентов», довольно своеобразно. Старались с ними не общаться совсем. Запирались и никого не хотели видеть. О чем говорили между собой — не знаю.

Между тем приближался первый тур выборов.

Практически каждая предвыборная поездка превращалась в повод для моей отцовской гордости. Таня работала как вол, могла спать по три часа, проявляла немыслимое упорство в достижении результата. Могла переписывать вместе со спичрайтерами тексты выступлений десятки раз, десятки раз прорабатывать сценарии встреч или концертов. Я никогда не забуду, как готовился текст одного из моих обращений, посвященных 9 Мая. Таня подключила к работе практически всех знакомых журналистов, писателей. По иронии судьбы в основу окончательного текста был положен вариант, написанный чуть ли не самым жестким оппонентом президента Ельцина — журналистом Александром Минкиным. Обращение получилось чрезвычайно человечным и трогательным.

Я постепенно увидел, какой Таня невероятно работоспособный человек.

И еще — верный, преданный. И отцу, и своим друзьям.

Всю предвыборную команду я твердо настраивал на победу только в первом туре. Когда мне пытались приносить планы поездок, выступлений после 16 июня, связанных со вторым туром голосования, я все это возвращал без рассмотрения. «Если кто-то думает о втором туре, может отдыхать! Второго тура не будет», — повторял я. Кто-то, наверное, думал, что я не до конца понимаю, какова реальная ситуация. Ничего подобного! Мне важно было передать весь свой заряд энергии, весь свой настрой тем, кто работал в моем штабе. Надо выложиться полностью, до конца — тогда будет результат.

Первый тур. Итоги: я — на первом месте, Зюганов, с небольшим отрывом, — на втором, Лебедь — на третьем. Во второй тур выходят Ельцин и Зюганов.

Уже 17 июня, в семь утра, я собрал аналитическую группу в Кремле. Войдя в кабинет, увидел, что все напряженно ждут, что я скажу. Буду раздражен, расстроен? Брошу что-то резкое?.. Посмотрел на них, улыбнулся: «Ну что, работа неплохая. Докладывайте план наших действий на второй тур. Будем побеждать».

Накануне второго тура президентских выборов Коржаков решил нанести свой ответный удар. 19 июня, в семнадцать часов, на проходной Белого дома служба безопасности президента задержала двух членов предвыборного штаба. Их обвинили в хищении денег. Коржаков давно искал повод для скандала. И наконец нашел.

В восемь утра 20 июня я назначил встречу Коржакову и Барсукову, руководителю ФСБ. В девять утра — встречу с Черномырдиным. Затем — с Чубайсом.

...А рано утром Таня рассказала мне, что происходило этой ночью. Об аресте членов предвыборного штаба

Евстафьева и Лисовского она узнала от Валентина Юмашева. Затем ей домой звонили Чубайс, Илюшин. В двенадцать ночи она сама позвонила Коржакову. Он посоветовал ей дождаться утра и не вмешиваться.

...И тогда Таня поехала, уже около часа ночи, в офис «ЛогоВАЗа», где собрались большинство членов аналитической группы и просто сочувствующие — Немцов, Гусинский, журналисты, телевизионщики. Охрана сообщила, что на крышах дежурят снайперы, а вокруг здания — сотрудники спецслужб. Всем казалось, что Коржаков и Барсуков никого оттуда не выпустят.

Таня сидела там до пяти утра, пила кофе, успокаивала всех: не бойтесь. И она была права. Ни арест, ни какая-либо провокация были невозможны, пока в офисе находилась она.

Кстати, довольно часто я возвращаюсь мысленно к этому эпизоду. Если бы те люди, которых Таня в ту ночь практически прикрывала собой, то есть Березовский, Гусинский, Малашенко, помнили об этом и в дальнейшем... Если бы они умели поступаться своими интересами, своим самолюбием! Но к сожалению, в политике чаще всего живут люди с короткой памятью.

Именно тогда я понял, что Коржаков окончательно присвоил себе функции и прокуратуры, и суда, и вообще всех правоохранительных органов — по его приказу люди в масках готовы были «положить лицом на асфальт» любого, кто не нравился главному охраннику, кто, по его мнению, нарушал некие, одному ему ведомые, правила игры. Претензий к Коржакову накопилось достаточно. Он давно перешел все границы дозволенного начальнику службы безопасности.

Утром я принял окончательное решение. Коржаков, Барсуков, Сосковец по моему приказу написали прошение об отставке. В дальнейшем проверка показала: состава преступления в действиях Лисовского и Евстафьева, заместителей Чубайса по работе в предвыборном штабе, не было. Все обвинения оказались необоснованными.

Однако увольнение Коржакова, Барсукова и Сосковца не было следствием только этого скандала. Длительное противостояние здоровых сил и тех, кто шел на провокации, чтобы захватить власть в предвыборном штабе, наконец перешло в открытый конфликт. И я разрешил его.

...После выборов Таню, как обычно, приглашали на совещания в Кремль. И однажды ко мне зашел Чубайс (он к тому времени был уже руководителем президентской администрации) и попросил: давайте определим Танин статус, в качестве кого она работает в Кремле.

Действительно — какой ее статус? Работа сложнейшего государственного механизма никаких вольностей не терпит. Традиции «семейного» управления страной нам, конечно, не подходят. У меня с государством четкий контракт, прописанный в Конституции. Доработаю — и до свидания. А у нее?.. На душе было тоскливо. Очень не хотелось лишаться ее незаметной, но такой нужной поддержки.

У нормального человека, думал я, интересы дела должны быть отдельно, семья отдельно. Но в конце концов, этот партийный домострой тоже часть советского образа жизни. И я со своими взглядами уже устарел, наверное. Танино желание помочь, защитить меня — ну что в том плохого? Нормальное чувство дочери. Почему я должен ее отталкивать?

И тут я вспомнил, что такой прецедент в Европе где-то есть... Точно, есть!

Клод Ширак, дочь президента Франции. Именно она стала его советником во время президентских выборов. Она помогла ему избавиться от ненужных слов, от неестественной манеры держаться, нашла хороших имиджмейкеров. Я тут же позвонил Жаку, попросил помочь Тане встретиться с Клод, так сказать, «для обмена опытом». Он отреагировал тепло, сказал что-то вроде: «Борис, вы об этом не пожалеете».

Таня и Клод встретились в резиденции Ширака. Им было легко разговаривать, никакого напряжения не возникло: почти ровесницы, поняли друг друга с полуслова. Клод подробно расспросила Таню об избирательной кампании 96-го года, о работе аналитической группы. Кстати, некоторые детали удивили Клод. Оказалось, в каких-то вещах мы более продвинуты, чем французы: в частности в интенсивности социологического анализа. Например, наши социологи проводили опрос и до моей предвыборной поездки в регион, и после. Они замеряли реакцию слушателей после радиообращений президента и так далее.

Клод, в свою очередь, рассказала Тане, как она работает в структуре администрации французского президента (в ее сферу входила группа по связям с общественностью), как она и ее коллеги готовят поездки Ширака. Таня поинтересовалась: а как отнеслись французы к ее назначению на официальный пост? Оказалось, что и дочь французского президента мучили в свое время те же проблемы, те же сомнения. Клод Ширак тоже почувствовала негативную реакцию общественного мнения, о ней тоже писали несправедливые критические статьи. «Но ты не обращай внимания, — посоветовала она. — К женщинам, которые находятся рядом с президентом, всегда так придирчиво относятся. Думаешь, моей маме легко? Привыкнут. Просто привыкнут, и все».

В конце беседы Клод вдруг предложила: «Пойдем поздороваемся с папой». Такого поворота Таня не ожидала. Думала, что она только обсудит свои проблемы с Клод. И вдруг — приглашение к президенту Франции...

Но беседа получилась на удивление теплой. Ширак говорил о нашей предстоящей встрече. Таня обратила внимание, что Жак старательно, по-русски, выговаривает: «Борис Николаевич». (Кстати, именно так он всегда называл меня, с трудом выговаривая непривычное для француза сочетание звуков, и ни за что не хотел переходить на ты. «Вы меня можете спокойно называть Жаком, а я вас буду — Борис Николаевич», — упорно повторял он.)

«Давайте сфотографируемся втроем», — предложил Тане Ширак. Открыли маленький балкон и сфотографировались на фоне изумрудной лужайки.

Мне очень понравилась эта фотография: улыбающийся Ширак и две светловолосые веселые девушки — Клод и Таня.

После поездки Таня окончательно решила, что мы все правильно делаем. И хватит мучиться, колебаться.

Так Таня стала советником. Советником по имиджу, как писали журналисты. Правда, она сама потом удивлялась: «А почему меня так назвали?»

Жалею ли я сегодня о том, что так поступил? Нисколько! Более того, это было одно из самых верных решений за последние годы. Таня действительно своим неуловимым присутствием, порой советом помогала мне. Я перестал быть прежним президентом, ломающим всяческие перегородки, безоглядно идущим на любой конфликт, на любое обострение отношений... Впрочем, об этом речь еще впереди.

Вообще, я думаю, Танин феномен заставляет задуматься: не пришло ли в России время женщин, женской политики — мудрой и созидательной? Пусть не радуются отчаянные феминистки — я не за феминизм. Я за то, чтобы в России наступило спокойное, светлое время, время без потрясений.

И последнее...

Я очень благодарен Тане за то, что она никогда не играла в политику. Она просто помогала своему отцу.

ОПЕРАЦИЯ: ДО И ПОСЛЕ

Это случилось 26 июня, за несколько дней до второго тура выборов.

Приехал с работы на дачу около 17 часов. День был напряженный, тяжелый. Я прошел по холлу несколько шагов. Сел в кресло. Решил, что отдохну немного прямо здесь, а потом уже поднимусь на второй этаж, переоденусь.

И вдруг — странное очень чувство — как будто тебя взяли под мышки и понесли. Кто-то большой, сильный. Боли еще не было, был вот этот потусторонний страх. Только что я был здесь, а теперь уже там... Есть это чувство столкновения с иным, с другой реальностью, о которой мы ничего не знаем. Все-таки есть...

И тут же врезала боль. Огромная, сильнейшая боль.

Слава Богу, совсем рядом оказался дежурный врач Анатолий Григорьев. Он мгновенно понял, что со мной произошло. И начал вводить именно те медикаменты, которые необходимы при сердечном приступе. Практически через несколько минут. Положили меня прямо тут, в этой же комнате. Перенесли кровать, подключили необходимую аппаратуру. На моих женщин было страшно смотреть, так они перепугались. Наверное, вид у меня был... хуже не придумаешь.

А я думал: «Господи, почему мне так не везет! Ведь уже второй тур, остались считанные дни!»

На следующий день огромным усилием воли заставил себя сесть. И опять говорил только об одном: «Почему, почему именно сейчас!» Наина все повторяла: «Боря, я прошу тебя, успокойся, все будет хорошо, не волнуйся!»

Запланированную встречу с Лебедем решил не отменять.

На второй день после инфаркта, 28 июня, из обычной гостиной, куда теперь перенесли мою кровать, устроили что-то вроде рабочего кабинета. Оператор (наш, кремлевский) долго мудрил, чтобы ничего лишнего в кадре не было, особенно рояля, который по традиции всегда тут стоял, и, само собой, кровати. Медицинскую аппаратуру чем-то накрыли. Наина умоляла об одном: «Боря! Только не вставай! Сиди в кресле! Тебе нельзя вставать!» Но я не выдержал и заставил усилием воли себя встать, здороваясь с гостем.

Лебедь был очень доволен встречей. Ему сказали, что я простудился, он лишних вопросов не задавал. Мне же почему-то запомнился его необычный внешний вид: черные туфли, белые носки и яркий клетчатый пиджак. «Это он оделся по-летнему», — промелькнула вовсе не политическая мысль.

...В первом туре — 16 июня 96-го — Александр Лебедь набрал 15 процентов голосов. А 18 июня я назначил его секретарем Совета безопасности. Наши договоренности перед вторым туром о том, что Лебедь прямо сейчас, не дожидаясь итогов голосования, создания нового правительства, начинает заниматься Чечней, были важны и для него, и для меня.

Эта короткая встреча в Барвихе накануне второго тура имела принципиальное значение. И отменить ее я не мог.

Силы постепенно возвращались. Тем не менее ходить врачи пока категорически запрещали.

Но до 3 июля (второго тура выборов) оставались считанные дни. Встал вопрос: где будут голосовать президент и его семья? Наина настаивала, чтобы мне, как «порядочному больному», избирательную урну привезли прямо домой. «Это же по закону!» — чуть не плача, говорила она. «Да, по закону, но я хочу голосовать вместе со всеми». — «И что ты предлагаешь?» Я позвал Таню, и мы обсудили все варианты. Первый — голосовать по нашему московскому адресу, на Осенней. Его отвергли почти сразу: длинный коридор, лестница, долго идти по улице. Даже я, со своим упрямством, и то понял, что это невозможно. Второй вариант: санаторий в Барвихе, недалеко от дачи. В санатории всегда голосуют, там есть избирательный участок, и все будет по закону, все правильно. Туда же можно пригласить и корреспондентов.

Я продолжал сомневаться: «Ну что это за голосование, среди больных?»

«Папа, журналистов будет чуть-чуть меньше, но поверь, их будет совсем не мало — основные каналы телевидения, информационные агентства, все как обычно», — успокоила Таня. «А как объяснить, почему я отправился в Барвиху накануне выборов?» — не унимался я. «Все знают, сколько ты мотался по стране, сколько сил отдал избирательной кампании. Никто не удивится, что ты взял между первым и вторым туром краткосрочный отпуск, поверь. Тебе тоже отдыхать надо».

«Неубедительно», — пробурчал я. Но в конце концов согласился.

...Было понятно, что мы с Зюгановым идем практически вровень, и тут все зависело от электората Лебедя и Явлинского. За кого они проголосуют? И проголосуют ли вообще? Вот тот резерв Ельцина, который должен был сработать во втором туре. Именно это, а не мое самочувствие волновало общественное мнение. Именно об этом писали и говорили все СМИ.

...Случись приступ на месяц раньше, результаты выборов, наверное, были бы иными. Удержать темп и напор предвыборной кампании просто не удалось бы. И Зюганов мог выиграть благодаря такому «подарку судьбы». Страшная перспектива. Старался об этом не думать — лежал, принимал лекарства, общался с врачами, с семьей и буквально считал часы до голосования. Скорей! Скорей!..

Кроме семьи, об инфаркте, разумеется, знали только лечащие врачи, несколько человек из охраны и персонала. Не то что ближний круг — ближайший!

Буквально на следующий день после приступа, 27 июня, Таня и Чубайс встретились в «Президент-отеле», там, где работал штаб. Весь график встреч между первым и вторым туром, все акции, поездки на предприятия пришлось отменить под благовидным предлогом — изменение тактики: президент, мол, уверен в успехе. И ни в коем случае не допустить утечки информации о болезни.

Конечно, я и мои помощники ходили по лезвию бритвы: позволительно ли было скрывать такую информацию от общества? Но я до сих пор уверен в том, что отдавать победу Зюганову или переносить выборы было бы во много раз большим, наихудшим злом.

В воскресенье, в день второго тура, я с огромным трудом поехал вместе с Наиной на избирательный участок. Телекамеры ОРТ, РТР, НТВ, журналисты и корреспонденты информационных агентств, всего человек двадцать, внимательно следили за каждым моим движением. Собрав волю в кулак, я улыбнулся, сказал несколько слов: «Послушайте, я уже столько раз отвечал на все ваши вопросы...»

...Итогов голосования ждал, снова лежа в постели.

Победа была с привкусом лекарства. И тем не менее это была фантастическая, удивительная победа! Я победил, хотя в начале года никто, вообще никто, включая мое ближайшее окружение, в это не верил! Победил вопреки всем прогнозам, вопреки минимальному рейтингу, вопреки инфаркту и политическим кризисам, которые преследовали нас весь первый срок моего президентства.

Я лежал на больничной койке, напряженно смотрел в потолок, а хотелось вскочить и плясать! Рядом со мной были родные, друзья. Они обнимали меня, дарили цветы, и в глазах у многих стояли слезы.

Теперь было время вспомнить всю эту тяжелейшую кампанию, день за днем. Да, пришлось мне в эти предвыборные месяцы нелегко.

Врачи ходили по пятам, хуже чем охрана. Все их специальные чемоданчики, бледные от испуга лица я уже спокойно видеть не мог. Слышать не мог одно и то же: «Борис Николаевич, что вы делаете! Ограничьте нагрузки! Борис Николаевич, вы что!» Но куда деваться? Они честно делали свою работу. Следили за каждым моим шагом. Всюду за спиной стояли с инъекциями и таблетками. И имели для этого веские основания: сердце прихватывало постоянно. Причем капитально, с комом в горле, с уплывающим горизонтом, все как положено.

В народе, я слышал, бытует мнение: доплясался Ельцин на выборах, допрыгался. Верно, был такой случай. Вместе с певцом Женей Осиным я на сцене действительно лихо сплясал. Никакое сердце, никакие предупреждения врачей не могли снизить мой эмоциональный тонус, мой огромный настрой и желание выиграть этот бой. Пожалуй, впервые я участвовал в такой широкой кампании — летал по стране, каждый день встречался с огромным количеством народа, выступал на стадионах, во дворцах спорта, на концертах, под шум, гвалт, свист и аплодисменты молодежной аудитории. И это меня «заводило» необычайно. Перед этим злополучным концертом в Ростове-на-Дону Таня меня умоляла: «Папа, я тебя прошу, только не танцуй!» Но я ничего не мог с собой поделать... Эти сильные положительные эмоции не мешали жить, а помогали.

Так что танцы абсолютно здесь ни при чем. Накопилась усталость, стрессовые ситуации. А вот теперь появилось время полежать, подумать: что со мной? Когда это началось? И к чему приведет?

Еще до выборов, весной, было коллективное письмо врачей на имя Коржакова, в котором они прямо указывали на катастрофическое состояние моего сердца. Мне это письмо не показали, семье тоже. Прочитал я его много позже.

«Заключение консилиума.

За последние две недели в состоянии здоровья Президента Российской Федерации Бориса Николаевича Ельцина произошли изменения отрицательного характера. Все эти изменения напрямую связаны с резко возросшим уровнем нагрузок, как в физическом, так и в эмоциональном плане. Существенную роль играет частая смена климатических и часовых поясов при перелетах на большие расстояния. Время сна сокращено до предела — около 3—4 часов в сутки. Подобный режим работы представляет реальную угрозу здоровью и жизни президента».

Заключение подписали десять врачей.

Содержание письма Коржаков не скрывал, неоднократно намекал Тане, что, если со мной что-то случится, виновата будет она. А вот сам документ не показал никому.

Я же теперь, лежа на больничной койке, вспоминал другое письмо, написанное врачами года полтора назад, о том, что мне необходима коронарография — исследование сосудов сердца. Кроме врачей, о письме знали я и Коржаков. То письмо семье тоже не показали...

Эх, если бы я своим сердцем занялся не в год выборов, а немного раньше!

Но что об этом говорить...

Итак, что мы теперь имеем? Я — больной не безнадежный, но врачи сто процентов успеха гарантировать не могут. Много отрицательных факторов. Они говорят: пятьдесят на пятьдесят.

Но аортокоронарное шунтирование — операция не уникальная. Хирурги знают ее наизусть. Опыт у них достаточно большой. «Хотите, — сказали они, — делайте за границей, хотите — здесь. Предупреждаем заранее: в России опыта меньше, за границей есть хорошие клиники, где шунтирование вообще на потоке. Зато здесь будет комфортнее. И вообще российского президента должны оперировать наши». — «А если я не пойду на операцию?» Возникла пауза. «Ваше состояние будет плавно ухудшаться. Помощь врачей будет требоваться постоянно. Работоспособность будет неуклонно падать. Сколько именно вы проживете — год, два, три, может быть, меньше, — мы точно сказать не можем».

Нет, такой жизнью я жить точно не смогу. Надо решаться. Надо оперироваться.

Спросил врачей: «Когда?» — «Не раньше сентября. Сначала вам надо восстановить силы после инфаркта, пройти все обследования». Это хорошо. Значит, есть время все обдумать, все взвесить. И все вспомнить.

...Началась подготовка к инаугурации. 9 августа на сцене Дворца съездов, положив руку на Российскую Конституцию, я произнес слова торжественной присяги.

Сцена Дворца съездов. Алые, зеленые, голубые... какие еще там цвета? Душно, несмотря на все кондиционеры. Режет глаза. Никогда в жизни я не был так напряжен.

Мне всегда не по душе принимать почести, ходить по струнке. А сегодня особенно.

Несмотря на все старания врачей, именно в этот ответственный момент чувствовал я себя ужасно, хотя мне кололи обезболивающие.

Накануне мы с Анатолием Чубайсом ломали голову, как сократить церемонию по времени.

Егор Строев, глава Совета Федерации, вручавший мне президентский орден — символ власти — и цветы, патриарх Алексий II, стоявший рядом на сцене, и все, кто был в зале, переживали за меня — я это видел.

«Ну ничего, не бойтесь. Ельцин выдержит. И не такое выдерживал».

Торжественные, высокие слова клятвы. Для меня они в сто раз стали и тяжелее, и дороже.

...Что же будет дальше?

Пришлось довольно значительное время восстанавливать силы перед операцией. Сначала поехал в Завидово. Любимые места. Так хотелось надышаться перед больницей этим душистым, сладким воздухом. И вдруг чувствую — не могу. Слабею с каждым днем, есть не хочу, пить не хочу, только лежать... Позвал врачей. Это что, конец? Да нет, говорят, Борис Николаевич, не должно быть. Все идет по плану. А сами бледные. Таня, Лена, Наина — в шоке. За несколько дней я сильно осунулся. Оказалось — у меня упал гемоглобин. Анемия. Это был первый предоперационный кризис. Из-за него операцию пришлось перенести на месяц.

Сейчас мне кажется, что на здоровье повлияла не усталость, не медикаменты — врачи ведь все время поддерживали меня в форме, — а что-то совсем другое. Настроение — хуже некуда. Нужно было наконец обнародовать мои болячки перед страной, перед всем миром.

...Это было для меня еще одно тяжелое испытание.

Я был сторонником жесткой позиции (очень распространенной в советские времена): чем меньше народ знает о болезни главы государства, тем ему, народу, спокойнее. И так жизнь тяжелая, а тут еще в прессе начнется истерика, что да как. Болячки президента — его личное дело. Показывать свои рентгеновские снимки — я такой присяги не давал.

Таня убеждала меня: «Папа, но это странно: ты пропадешь на столько времени неизвестно куда».

Таня принесла мне в переводе с английского письмо Рейгана к нации, которое он написал, когда болезнь Альцгеймера уже серьезно давала о себе знать: шли необратимые изменения головного мозга. В сущности, Рональд Рейган в этом письме прощается с американцами. Таким, как раньше, он уже не будет. Простые слова, очень простые... Как будто записка на клочке бумаги, написанная в больничной палате. Так пишут самым близким.

Я задумался: а могу ли и я вот так же по-человечески открыто, абсолютно откровенно разговаривать с людьми моей страны?

Близкие убеждали меня: после того как я провел такую искреннюю, такую открытую предвыборную кампанию, скрывать мою операцию нельзя. «Это не личное дело Бориса

Ельцина и его семьи», — написал мне в письме новый пресс-секретарь Сергей Ястржембский. Письмо мне привезла в Завидово Таня — отправлять его обычной президентской фельдъегерской почтой мои помощники не хотели. Пока про операцию никто не знает, информация — абсолютно конфиденциальная.

Здесь, в Завидове, я принял окончательное решение: да, расскажу все как есть.

Я дал интервью Михаилу Лесину — прямо в зимнем саду, в Завидове, сидел в джемпере. Помню, запнулся. Трудно было произнести: «Операция на сердце». Когда эти кадры смотрел по телевизору, подумал как-то мельком: ну вот, начинается совсем новая моя жизнь. А какая?

В начале августа в консилиум ввели новых врачей из кардиоцентра: Рената Акчурина и Юрия Беленкова.

Они назначили коронарографию...

Во время первого же разговора я почувствовал доверие к моему будущему хирургу Ренату Акчурину: он говорил корректно, но абсолютно жестко и понятно.

Коронарография — довольно серьезное исследование: в артерию через катетер вводится йодсодержащий раствор. Кровь, «окрашенная» йодом, идет по сосудам к сердцу. На экране врачи видят, как эта «цветная» кровь толчками пробивает себе дорогу.

Красивое, вероятно, зрелище. Но исследование это опасное: можно спровоцировать новый инфаркт.

Готовили меня долго, тщательно.

Я все пытался представить свое сердце, как по нему идет кровь, как ее выбрасывает в какие-то там желудочки, даже смотрел рисунки, схемы... Но представить себе этого не мог.

«Так какого все-таки цвета будет потом моя кровь и куда эта кровь денется?»

Врачи не были расположены шутить. Исследование показало картину гораздо худшую, чем они ожидали: затруднен кровоток, закупорены сосуды. Как сказали врачи, операция «по жизненным показаниям». «Что это значит?» — «Это значит, что не делать операцию нельзя».

...С кардиоцентром была одна проблема: им руководил Чазов, бывший начальник Четвертого управления, бывший министр здравоохранения СССР, курировавший когда-то всех членов Политбюро.

Специалист он прекрасный, но когда я думал, что предстоит с ним встретиться, сразу вспоминал 87-й год. Я ведь тогда тоже лежал в больнице, после пленума ЦК КПСС, где сказал несколько критических фраз, за которые меня дружно затоптали все остальные члены Политбюро и ЦК. Ни один не выступил в мою защиту.

А снимать меня с должности должен был пленум Московского горкома партии, на который меня, больного, насильно отправили.

Чазов приехал в больницу: «Михаил Сергеевич просил вас быть на пленуме МГК, это необходимо». А умру я или не умру после этого — не важно. Меня накачали лекарствами, посадили в машину. На пленуме чувствовал себя так плохо, что казалось — умру прямо здесь, в зале заседаний.

Наина говорила: «Но как же так! Ведь он же врач!» А что врач? Врач тоже лицо подневольное. Не было тогда просто врачей, просто учителей, все, так или иначе, были солдатами партии. Солдатами государства. Но вот увидел я Чазова через много лет, улыбнулся, пожал руку. Хотя и через силу.

...Да, я снова у Чазова. Странно это.

Сколько лет я сохранял в себе самоощущение десятилетнего мальчишки: я все могу! Да, я могу абсолютно все! Могу залезть на дерево, сплавиться на плотах по реке, пройти сквозь тайгу, сутками не спать, часами париться в бане, могу сокрушить любого противника, могу все, что угодно. И вот всевластие человека над собой внезапно кончается. Кто-то другой становится властен над его телом — врачи, судьба. Но нужен ли этот новый «я» своим близким? Нужен ли всей стране?

Именно в те дни, когда готовился к операции, Лена и Таня вспомнили о годовщине нашей свадьбы. В сентябре юбилей, сорок лет. Идут с утра к нам с каким-то блюдечком.

Я сначала даже не понял, в чем дело. На блюдечке два кольца — одно, с камушком, для Наины, а для меня — простое обручальное. У меня, кстати, его никогда не было. На свадьбу, помню, взял у деда его медное, напрокат. Для загса. Так с тех пор без обручального кольца и ходил.

«Молодые, сядьте рядом!» Наина, наверное, сразу сообразила, в чем дело. А я не мог понять, думал, что-то важное сказать хотят, что-то предложить. И вдруг, когда осознал все, такое тепло ощутил в груди, такую благодарность девчонкам... «Ну, мама, папа, поцелуйтесь! Обменяйтесь кольцами!» Какой солнечный свет в окне, какая жизнь хорошая! Хорошая — несмотря ни на что.

Да, принесли кольца. Хоть смейся, хоть плачь. Но плакать не стали. Правда, и выпить тоже не смогли за здоровье молодых.

О ходе самой операции мне писать особо нечего — лежал на столе. Своих хирургов, всех врачей во главе с Ренатом Акчуриным не забуду никогда. Правильный был выбор — оперироваться дома. Родные лица помогают. Точно помогают.

Не забуду и американского хирурга Майкла Дебейки, который на мониторе отслеживал весь ход операции. Я потом разговаривал с ним, шутил и все смотрел в его глаза. Как же мне захотелось быть таким же, как он в свои восемьдесят пять, — живым, веселым, абсолютным оптимистом, который всем нужен и знает все про эту жизнь! Он одним своим видом поставил передо мной эту цель — 85! Но до счастливой старости надо еще дожить...

...Произошло все это 5 ноября.

Встали мы очень рано. Поехал я один, семья осталась дома. Провожали меня в шесть утра, напряженные, волновались, конечно. Собирались ехать в кардиоцентр следом. Трудно сказать почему, но я был абсолютно спокоен, да нет, не только спокоен — я испытывал какой-то мощный подъем, прилив сил. Таня первая это заметила: «Пап, ну ты даешь. Мы тут все трясемся, переживаем, а ты какой-то веселый. Молодец». В больницу поехал не в обычной президентской машине, а на «лидере» — первой машине сопровождения. «Зачем?» — спросила внучка Маша. «Чтобы никто не узнал. Иначе там будет толпа журналистов. Им пока снимать нечего. И вообще пусть поменьше суетятся», — ответил я.

Как-то быстро проскочили в ворота. На часах было шесть тридцать. Погода сырая, серая. Дождик, по-моему, моросил. И ветер в лицо. В холле больницы меня ждала целая толпа в белых халатах. Вид они имели, прямо скажу, неважный. Бледный вид. Помню, чтобы чуть разрядить обстановку, я сказал руководителю консилиума Сергею Миронову: «А нож-то с вами?» Все немножко оттаяли, заулыбались.

Началась операция в восемь утра. Кончилась в четырнадцать.

Шунтов (новых, вшитых в сердце кровеносных сосудов, которые вырезали из моих же ног) потребовалось не четыре, как думали, а пять. Сердце заработало сразу, как только меня отключили от аппарата. За ходом операции следили Дебейки и два немецких кардиохирурга, Торнтон Валлер и Аксель Хаверик, которых прислал Гельмут Коль. Ну и, конечно, наши — Беленков, Чазов, целая бригада.

Наину и дочерей в просмотровый зал, слава Богу, не пустили. Не знаю, как бы они смогли пережить это зрелище.

Заранее были подготовлены и подписаны два указа — о передаче всех президентских полномочий Виктору Черномырдину (на время операции) и их возвращении мне же. Сразу, как только пришел в себя после наркоза, проставил время на втором указе: 6.00.

Потом много писали: как только Ельцин пришел в себя после операции, он потребовал ручку и подписал указ о возвращении полномочий. Вот, мол, инстинкт власти!

Но дело тут, конечно, не в страхе потерять власть. Это известный журналистский штамп, не более. Просто все шло по плану. Как было задумано. Шаг за шагом. В этом ощущении порядка, четкости в тот момент я действительно сильно нуждался.

После операции мне принесли алую подушечку — подарок от американского общества больных, переживших операцию на открытом сердце. Прочитал их письмо: «Дорогой

Борис Николаевич, мы сердечно желаем вам скорейшего...» Подушечку нужно прижимать к груди — и кашлять... Чтобы мокрота, скопившаяся в легких, скорее отходила.

Что было по-настоящему неприятно и болезненно — огромный шов на груди. Он напоминал о том, как именно проходила операция.

Я очень не люблю долго болеть. Семья это знает, мои врачи — тоже. Но в этот раз, к счастью, прогрессивная методика реабилитации совпала с моим настроением на все сто, даже на двести процентов.

Уже 7 ноября меня посадили в кресло. А 8-го я уже начал ходить с помощью медсестер и врачей. Ходил минут по пять вокруг кровати. Дико болела грудная клетка: во время операции ее распилили, а затем стянули железными скобками. Болели разрезанные ноги. Невероятная слабость. И несмотря на это — чувство огромной свободы, легкости, радости: я дышу! Сердце не болит! Ура!

8 ноября я, несмотря на все уговоры врачей, уже уехал в ЦКБ, минуя специальную послеоперационную палату.

Спасибо вам, мои врачи, медсестры, нянечки. Всех вас не перечислить в этой книге, но все ваши лица помню и люблю!

Спасибо моей семье.

И огромное спасибо — больше всех волнующейся, переживающей — моей Наине.

Там, в ЦКБ, было у меня время подумать.

В принципе, катастрофы со здоровьем случались на протяжении всей жизни. Прободение язвы, травма позвоночника после аварии самолета в Испании, инфаркты, были и операции, и дикие боли. Но периоды болезни, плохого самочувствия, как правило, чередовались с работой по 20 часов в сутки, с моментами чрезвычайной активности, с тяжелейшими нагрузками. Падал, вставал — и бежал дальше. Мне так было нужно. Иначе жить не мог.

Сейчас, лежа в палате ЦКБ, я понимал — отныне, наверное, будет как-то по-другому. Но ощущение легкого дыхания, ощущение свободы не проходило. Не болит! И это самое главное! Скоро я буду на работе!

20 ноября сняли послеоперационные швы. Первый раз вышел в парк. Гуляли вместе с Наиной, Таней, внучкой Машей. Сказал несколько слов тележурналистам — пообещал скоро выйти на работу.

А в парке было сыро, тихо и холодно. Я медленно шел по дорожке и смотрел на бурые листья, на ноябрьское небо — осень. Осень президента.

22 ноября я переехал в Барвиху. Торопил врачей, теребил их: когда? когда? когда? Врачи считали, что после Нового года — в начале января — я смогу вернуться в Кремль. У меня сразу поднялось настроение. Я шутил, всех подначивал. Все никак не мог привыкнуть к ощущению, что сердце не болит. Сколько же месяцев, да нет, лет я провел с этим прижатым сердцем, будто кто-то давил, давил изнутри все сильнее и все никак не мог додавить...

Семья радовалась моему состоянию. Я впервые за долгое время приносил им радость. Только радость.

Если так и пойдет, через год уже все будет в норме и я уйду из-под опеки кардиологов. Доктор Беленков, очень тонко улавливающий мое состояние, попросил: «Борис Николаевич, не форсируйте. Это добром не кончится. Не рвитесь никуда».

4 декабря я переехал из санатория на дачу в Горки, можно сказать, домой. Родные заметили, что я сильно изменился. «Как изменился-то?» — спрашиваю. «Ты какой-то стал добрый, дедушка», — смеется внучка Маша. «А я что, был злой?» — «Да нет, просто ты стал всех вокруг замечать. Смотришь по-другому, реагируешь на все как-то по-новому».

Да я и сам чувствовал, как изменился внутренне после операции. Каким вдруг стал ясным, крупным, подробным мир вокруг меня, как все в нем стало дорого и близко.

9 декабря я перелетел на вертолете в Завидово, где должен был восстановиться окончательно.

Туда, в Завидово, ко мне приехал Гельмут Коль. В сущности, это не был дипломатический визит. Гельмут просто хотел меня проведать. Увидеть после операции. И я ему очень благодарен за это. Это было очень по-человечески, искренне. Я угостил Гельмута обедом. И обратил внимание, что он как будто хочет заразить меня своим аппетитом к жизни: отведал каждое блюдо, попробовал русское пиво. Молодец Гельмут, в любой ситуации ведет себя естественно, уплетает за обе щеки. Мне, в принципе, это нравилось. Я представил Гельмуту Колю Сергея Ястржембского, своего нового пресс-секретаря. Он посмотрел на него ровно секунду и улыбнулся: «Понятно, Борис, ты взял дипломата, который будет хорошо обманывать журналистов».

Я потом часто вспоминал эту его вроде как случайную шутку... Сергею Владимировичу и впрямь приходилось иногда очень нелегко на его службе.

23 декабря я вернулся в Кремль — на две недели опередив самый «ускоренный» график, составленный врачами. Все окружающие обратили внимание на то, как я похудел и как легко стал двигаться. Действительно, не ходил, а бегал. Стал гораздо быстрее говорить. Сам себя не узнавал в зеркале. Другой вес, другое ощущение тела, другое лицо.

Было такое чувство, будто вернулся из долгой командировки. Почти физически переполняло нетерпение, желание работать. С этим чувством вышел к телекамерам, сказал: «Что в стране творится! До чего дошли...» А страна ведь была ровно та же самая. Просто у меня было удивительное ощущение: я — другой человек! Я могу справиться с любой проблемой!

За всеми делами незаметно приблизился Новый год.

Хотелось видеть не только привычную кремлевскую обстановку, а просто людей на улице: что они делают, как готовятся к празднику. Было очень легкое, светлое, искрящееся чувство времени.

«Заеду в магазин, куплю внукам игрушки», — подумал я.

По дороге с работы заехали в магазин «Аист» на Кутузовском проспекте. Меня окружили продавцы, хором что-то предлагали, рассказывали. В игрушечном магазине я не был сто лет. Господи, до чего же здесь хорошо! Сколько всего для ребятишек, на любой вкус, были бы деньги...

Купил огромную детскую машину для Глеба — очень люблю большие подарки. Чтобы сразу была реакция, удивление: вот это да!

31 декабря поехал на «елку». Так мы между собой называем торжественный прием в Кремле, который устраивает обычно Юрий Михайлович Лужков.

Врачи очень не советовали ехать. Наина тоже была против. Я никого не послушался. Дал команду помощникам: готовьтесь.

Дорога до Кремля знакомая, недлинная. Кортеж несется сквозь принаряженную, сверкающую Москву. Ну вот, хоть почувствую праздник.

...С первых секунд в Большом Кремлевском дворце испытал какие-то новые, для себя необычные чувства. После долгого отсутствия я почти физически ощутил на себе тысячи внимательных взглядов. Чувствительность, оказывается, после операции совсем другая. Как будто кожа стала тоньше. Этого я не предполагал...

Наверное, за долгие годы жизни в публичной политике вокруг тебя появляется какая-то невидимая броня. Ты ко всему привыкаешь — к спинам охранников, к постоянному врачу, который дежурит где-то рядом, к толпам людей, к пожиманию сотен рук, к ауре ожидания, которая тебя сопровождает, к пространству, которое вокруг тебя всегда должно оставаться пустым. Привычка спасает от неловких движений или слов.

Оказывается, после операции эту привычку я на какое-то время утратил. Появилось совершенно незнакомое чувство — неудобно, неловко, все смотрят. С трудом взял бокал шампанского, простоял положенное время, произнес речь.

А через несколько дней после Нового года я пошел в баню.

Пытался убедить себя: все, хватит лазарета, я нормальный человек. Езжу на работу, пью шампанское, хожу в баню. Пришел, разделся. А баня еще не нагрелась...

7 января меня с подозрением на пневмонию госпитализировали в ЦКБ.

Наина до сих пор не может себе простить, что не уследила.

РОССИЯ И ГЕНЕРАЛЫ

Россия всегда гордилась своими генералами.

Генералами войны 1812 года, генералами Крымской кампании (хоть и проигранной), генералами Михаилом Скобелевым, Алексеем Брусиловым, великими полководцами Второй мировой: Георгием Жуковым, Константином Рокоссовским, Иваном Коневым...

Даже такие противоречивые фигуры, как герои гражданской войны Михаил Тухачевский, Василий Блюхер, Иона Якир, в истории остались людьми героическими. Мы до сих пор переживаем, строим догадки: а как бы сложилась наша жизнь, если бы Сталин их не посадил, не расстрелял? Может, и в Великой Отечественной погибло бы меньше людей?

В известном фильме Никиты Михалкова «Утомленные солнцем» есть потрясающий момент: красного генерала везут на Лубянку, уже избитого, со сломанным носом. Еще полчаса назад этот человек был национальным героем, а сейчас все: он раздавлен, не может сдержать рыданий — кровь, сопли, слезы. А кто это сделал? Да всего лишь трое дюжих чекистов: сунули в морду несколько раз кулачищем, и все — огромный сильный человек сломался. Помню, я смотрел фильм и думал: как же так? Что за время было? Человек, не боявшийся командовать огромными соединениями, армиями, мировой войны не боявшийся, даже жаждавший этой мировой войны, — и вот он стал в одно мгновение никем, нет его. И вся его надежда — позвонить Сталину!

И еще подумал: а вот если бы не расстреливали мирное население знаменитые красные генералы, не объявляли тотальный террор бунтовавшим крестьянам и казакам, не вычищали под корень целые социальные пласты — может, и не пришлось бы ехать потом в арестантской машине?

Почему я об этом говорю так подробно?..

...Вплоть до выборов 96-го года новая волна российских генералов-политиков оказывала сильнейшее воздействие на нашу жизнь. Судите сами. Генерал Павел Грачев, министр обороны. Генерал Джохар Дудаев, президент «независимой Чечни». Генерал Александр Лебедь, кандидат в президенты России и секретарь Совета безопасности. Генералы Александр Коржаков, руководитель моей охраны, и Михаил Барсуков, директор Федеральной службы безопасности. У каждого — своя история. О каждом есть что сказать.

Прошлую свою книгу, которую писал по горячим следам, закончил на трагических событиях осени 1993 года. Тогда мне казалось, что все — с коммунизмом в стране покончено раз и навсегда. Никому не хотелось доводить дело до массовых столкновений. Но раз уж Верховный Совет во главе с Хасбулатовым навязал президенту и стране логику гражданской войны, пришлось действовать очень жестко и быстро. Это были страшные для Москвы дни.

И все-таки главной своей победой считаю то, что нам удалось избежать широкомасштабного кровавого столкновения, гражданской войны между сторонниками коммунистического Верховного Совета и законной президентской властью по всей России.

...Вот тогда я впервые глубоко об этом задумался. Можно сказать и по-другому — тогда я впервые столкнулся с типом генерала без убеждений.

Суровые внешне, как бы из железа сделанные, волевые, четкие, приверженцы присяги и долга — такими они хотели выглядеть. А на поверку вышло как раз наоборот.

Часто у скромного гражданского человека, застенчивого и книжного (самые яркие примеры — Сахаров, Лихачев, Собчак, Старовойтова), и убеждения тверже, и поступки решительнее.

Список примеров тут может быть бесконечен.

Все это время — с 90-го по 96-й, — теперь я в этом абсолютно убежден, над Россией висела тень смуты, гражданской войны. Многие россияне с глухой тоской верили в то, что все так и будет: новый военный переворот, хунта, растаскивание на множество маленьких республик, короче, вариант Югославии. Или, если ближе к нашей истории, — вариант 1918 года. Страшный вариант. Он был возможен. Многие тогда уезжали из страны именно по этой причине.

И действительно, объективные обстоятельства подталкивали нас именно к такому развитию.

Советская империя строилась много лет без тени сомнений, по железному генеральному плану. Внутренних противоречий не замечали. Сценария, по которому империи придется уйти с ряда территорий, уступить место новым государственным образованиям, даже не предполагали, не имели в виду. Экономику развивали исходя не из местных потребностей и уклада жизни, а разом всю, на одну шестую часть суши. После развала Союза в роли эмигрантов оказалась огромная часть русскоязычного населения в республиках, где они десятки лет обслуживали имперскую промышленность, науку, культуру. В тех городах и областях, куда продовольствие завозили из других регионов и где производили только сталь, танки, ракеты, приборы и так далее, из-за рухнувшего внутреннего рынка произошла почти экономическая катастрофа. К обычным безработным добавились безработные офицеры — наша армия быстро покидала Европу.

В 1991 году, в дни августовских событий, когда рухнула советская власть, мне лично казалось, что уж с идеологией-то в стране все будет в порядке. Все тогда дружно ненавидели коммунизм и коммунистов, все клеймили лживый режим...

Наш российский народ очень верит в силу слова. И я такой же. Потребность в пропаганде, потребность верить красивым словам в нас неистребима.

Слишком долго нас трясло и в годы горбачевской перестройки, и после ее краха, слишком много политики было на экранах телевизоров. Образ мирной, благоустроенной, позитивной России никак не мог родиться. Ему мешали путчи, бытовая неустроенность, экономическая «шоковая терапия», ломка всего старого уклада. Да и я считал, что ничего искусственного здесь создавать не надо. Не нужна пропаганда новой жизни. Новая жизнь сама собой убедит людей в том, что она уже есть.

...И чувство обиды, потери всего привычного породило новую генерацию политиков.

С одной стороны, истерично-озлобленных депутатов, для которых важно было оседлать эту идею национальной ущемленности.

С другой — харизматических генералов, которые были готовы в любой момент встать во главе каких-нибудь очередных «событий».

Вот вам генерал Дудаев. Вроде бы настоящий армейский генерал, можно сказать, видный советский военачальник. Командовал подразделением стратегической авиации, держал в руках штабные карты Европы. Казалось бы, человек образованный.

Неужто уже тогда, в 91-м, он возвращался домой в Чечню, имея в голове план: выйти из состава России, объявить шариатскую республику? Неужели не давали покоя лавры Хомейни или Каддафи? Я этого себе представить не могу. Но оказалось именно так — на «историческую родину» вернулся одержимый безумными идеями человек. За грозными, эпохальными событиями 91-го мы проглядели эту национальную катастрофу Чечни. Не верили, не могли представить, что такое возможно.

Масштабы насилия, охватившие республику в первые же годы правления Дудаева, были просто невероятны. Сначала десятки, потом сотни тысяч людей, и русских, и чеченцев, покинули в те годы Чечню под проклятия и угрозы.

Но главная опасность была даже не в этой невиданной эскалации дикости. На территории России образовалась криминальная черная дыра. Всплеск криминала — особая тема. Я к ней еще обязательно вернусь. Здесь чеченцы выглядят не хуже и не лучше других народов — у каждого народа есть свои бандиты. Но только в Чечне этот бандитизм стал практически легальным видом дохода, стал гражданской доблестью. Одно дело, когда государство худо-бедно, но пытается бороться с оргпреступностью на своей территории, в своих городах, где органы правопорядка имеют хоть какой-то ресурс власти. Другое дело — если местная власть сама помогает бандитам и они могут в любой момент исчезнуть со своими деньгами, с заложниками, с оружием в эту самую черную дыру.

Тогда, осенью 94-го, перед началом первой чеченской войны, общество, напуганное путчами, не хотело никаких конфликтов.

Но Дудаев угрожал России, шантажировал ее террористическими актами, взрывами на военных объектах, на атомных электростанциях. Человек, который озвучивает такое, в принципе, не может и не должен быть субъектом переговоров.

Чеченцы очень гордятся тем, как долго и как часто они воевали с большой Россией: в XIX веке — с царем, в гражданскую — с белыми генералами, после войны — с чекистами.

На этом национальном мифе, на том, что чеченцы еще в древней истории чувствовали враждебность со стороны других горских племен, и сыграл Дудаев. Ничто в его лощеном провинциальном облике — шляпа, галстук, усики — не напоминало сегодняшних главарей вооруженных банд, которые пришли ему на смену и терроризировали Россию уже не на словах, а на деле. Но именно Дудаев — духовный отец этих людей.

И помог ему в этом еще один миф — об исламской революции. Опасный миф. И самое печальное, что в том числе и грубая политика Советского Союза привела к возникновению мирового исламского экстремизма. Сколько лет мы в СССР «боролись с сионизмом», осуждали Израиль, помогали палестинцам и другим арабским движениям, не брезгуя терроризмом. Сколько лет потом воевали в Афганистане. В результате привозной социализм, террористические методы, насаждавшиеся нашими же спецслужбами, сомкнулись с самыми радикальными и страшными исламскими сектами и... с ненавистью к России и к русским, которая возникла во время афганской войны.

Впрочем, ненависть террористов, радикалов-исламистов в разное время направлялась на разные страны — на США, Англию, Францию, Индию, Израиль, Россию. Важно другое: все эти страны в конце XX века, обладая ядерным оружием, высокоразвитыми технологиями, самолетами, ракетами, компьютерами, внезапно разбудили другую, варварскую, цивилизацию, разбудили средневековую дикость — и справляются с этой проблемой с неимоверным трудом. И уже эта дикость ставит под сомнение наши ценности, наш мир, само наше существование. Цивилизация как бы стоит в растерянности перед полевыми командирами, перед партизанской войной, перед захватом заложников, перед терактами: как с этим справляться? Мы еще не умеем бороться с этой бедой, которая как будто вылезла из глубокого исторического подполья. Из прошлых веков. Мы только учимся с ней бороться.

Причем все делают это по-своему. Израильтяне отвечают ударом на удар. Американцы, англичане создают огромную агентурную сеть, выслеживают, охотятся за главарями, одновременно стараясь во внешней политике, и в особенности в международной экономике, связать исламские страны цепью общих приоритетов. Французы в разгар борьбы с алжирскими повстанцами прибегли к массовым репрессиям, к депортации многих тысяч людей из страны и одновременно старались и стараются поддерживать дружеские связи со своими бывшими колониями.

Мы столкнулись с той же самой проблемой, и, как я уже говорил, совершенно неожиданно для себя. Теперь надо вспомнить, как все это начиналось. Честно вспомнить, невзирая на ошибки тех дней, невзирая на душевную боль, которая сопровождает эти воспоминания.

Летом 1994 года чеченской проблемой стали заниматься вплотную. Тогда во властных структурах имела хождение такая теория. Власть Дудаева на территории Чечни крайне непрочна. Новый режим в республике опирается на влияние тейпов (родов), и, хотя он поддерживается старейшинами, между тейпами идет страшная вражда, война за влияние и власть. Постоянно на территории Чечни возникают вооруженные конфликты — то в Грозном, то в Надтеречном районе. Производство остановлено, ничего не работает, не функционирует, народ измучен и уже по горло сыт дудаевскими обещаниями. Все хотят какой-то стабильности. Пришло время России вмешаться — с помощью новых антидудаевских сил внутри республики. События в Грузии показывают, что, когда лидер зарывается, начинает бесчинствовать, авторитетная национальная интеллигенция готова поддержать альтернативные, как правило, ориентированные на Россию, политические группы. Давайте создадим здесь, в Москве, где живет много очень авторитетных чеченцев, некий новый орган, который возглавит это движение. Есть немало подходящих кандидатур — Автурханов, Гаджиев, Завгаев.

Стадии плана были таковы. Постепенно осуществить плавный вброс в Чечню антидудаевских настроений и сил. Помочь деньгами, если надо — специалистами. Добиться, чтобы народ сам прогнал Дудаева. А если начнется вооруженный конфликт — не допускать кровопролития. Миротворческие усилия всегда пользуются поддержкой народа: это мы уже знали на опыте Таджикистана, Приднестровья.

И я согласился на этот план.

Был и еще один аргумент: если объявить войну преступности в каком-то одном месте и победить, это сможет переломить криминальную ситуацию в России. Начинать надо с Чечни. Нужно отнять у бандитов ощущение безнаказанности, нанести не точечный, а по-настоящему мощный удар по преступному миру, который оккупировал целую республику.

Существовала такая теория: мол, Ельцин пошел на обострение с Чечней ради укрепления своего авторитета, ради ужесточения режима президентской власти. Чушь! Бред! Я знал, что общество боится и не хочет войны. Главная особенность первой чеченской операции состоит как раз в том, что я пытался остановить разрастание военного конфликта, не сообразуясь с конкретной тактической выгодой. Но война не прекращалась, вспыхивала вновь. Выкручивалась из наших рук, вновь возникала, на новом витке, в новой форме.

Так было в Буденновске, в Красноармейске, в Грозном летом 1996 года.

Решение о начале военной операции принимал Совет безопасности. В прессе много писали: кто отдавал приказ? как? почему? — все покрыто мраком неизвестности. Ельцин, мол, ушел от ответственности. Снова вранье! Никогда в ходе чеченской кампании я не уходил от ответственности. Даже когда приказ отдавали другие, брал ее на себя. И несу ответственность за штурм Грозного, за бомбардировки и за их прекращение. А на Совете безопасности, где принимали решение о начале операции, действительно протокол не вели. У меня на столе лежали справки (таких справок, подготовленных разными ведомствами, было тогда десятки) с мотивировками, почему нужно начинать операцию. Были и другие аналитические материалы, говорившие о том, что вмешиваться в дела Чечни нельзя. Я изложил аргументы и сказал:

какие мнения «за» и «против»? Что нас ждет? И общая позиция была одна: мы не можем безучастно наблюдать, как отваливается кусок России, это станет началом распада страны.

Одним из тех, кто твердо верил в «молниеносный» характер военной операции, был Павел Сергеевич Грачев, министр обороны России с 1992 по 1996 год.

В этой связи не могу не сказать о нем несколько слов.

Павел Грачев — настоящий армейский генерал. Я говорил когда-то, что это «лучший министр обороны». Что я имел в виду? Дело в том, что в отличие от многих своих коллег Грачев всегда чурался политики. Это действительно была ценная его черта, которая гарантировала государству определенное спокойствие.

Грачев всегда стремился быть «человеком на своем месте». И действительно, это разная работа — руководить военным ведомством и руководить боевыми действиями: штурм Грозного в ночь на 1 января это подтвердил и навсегда врезался в нашу память. Сотни убитых, ожесточенное сопротивление боевиков.

Потом появились боевые генералы, которые нормально воевали под его началом, нормально вели кампанию. Но как же дорого стоила эта мешанина первых двух месяцев!

Чудовищная неподготовленность армии. Полный разлад в действиях силовых министерств. Жесточайшая обструкция, непонимание наших действий со стороны журналистов, резкая реакция общественного мнения. По своим последствиям этот «локальный» чеченский кризис, когда страна буквально взорвалась от жестоких нелепостей «молниеносной войны», можно сравнить и с 91-м и с 93-м годами.

Россия в тот момент простилась с еще одной, чрезвычайно опасной, но столь близкой и дорогой нам иллюзией — о мощи нашей армии. Ее выучке. Подготовленности к любым конфликтам. Ее непобедимости.

Что говорили тогда? Какая-то там Чечня... Ну сколько их там — пять, десять, двадцать тысяч... И наша армия — огромная, могучая, самая сильная.

Скоро выяснилось, что армия и ее командиры готовились совсем не к той войне. Известная ошибка генералов. Война оказалась тяжелой, страшной, кровавой.

Я помню, скольких усилий стоила мне встреча с Сергеем Адамовичем Ковалевым, который в первые дни военной операции принял сторону сепаратистов и потом приехал в Москву, чтобы рассказать на пресс-конференции о разрушениях и жертвах в Грозном.

Какие внутренние противоречия меня раздирали! Вот сидит передо мной достойный человек, демократ, правозащитник, уполномоченный президента по правам человека. Как объяснить ему, какими словами, что на карту поставлена сама государственность, сама жизнь России? Ведь все равно он моих аргументов не услышит.

Я выслушал его молча, взял доклад и поблагодарил за работу. Если бы в те дни — а дни были очень острые, когда каждый антивоенный репортаж по телевизору воспринимался моими помощниками как предательство, — мы пошли на чрезвычайные меры, на ограничения свободы слова, раскол был бы неминуем. И общество покатилось бы совсем по другому пути.

Усилием воли я заставил себя не обращать внимания на излишнюю, несправедливую критику. И постепенно в обществе возобладала здравая линия, линия середины.

Все поняли, что там воюет наша армия, наши люди. И военные занялись своим делом, а гражданские — своим. И раскола не случилось. Хотя кое-кто, возможно, на это рассчитывал.

Именно тогда, в 95-м, Россию поразила новая болезнь — тотальная «отрицаловка», полное неверие в себя, в свои силы. Мы, россияне, разлюбили сами себя. А это для нации — исторический тупик.

Почему так произошло? В основе этих комплексов — детская наивность, воспитанная в людях советской властью. Детская вера во всесилие государства. И когда государство допустило ошибку, когда президент, как обычный человек, оказался в плену неких стереотипов (в частности, стереотипа о мощи российской армии), истерика захлестнула общество с головой. Разрушительная, тотальная истерика. Ее результаты мы пожинаем до сих пор.

...Летом и осенью 1996 года судьба вновь свела меня еще с одним российским политиком в погонах (погоны он, правда, к тому времени снял, но образа его действий это не изменило, в душе он остался генералом).

Я говорю об Александре Лебеде.

Я до сих пор помню его мощный голос в августе 91-го, когда он говорил мне в кабинете Белого дома: один залп из БТРов — и вся начинка здания заполыхает, все ваши герои попрыгают из окон. Тогда этот офицер Советской Армии вызвал во мне интерес и симпатию.

Но с течением времени я стал понимать, что за рыкающим голосом и медвежьей повадкой, за какой-то утрированной мужественностью стоит глубокая неуверенность в себе армейского человека, вырванного из привычной среды. Лебедь очень дружил в свое время с Павлом Грачевым (потом их дорожки круто разошлись). Так вот, Грачев — типичный генерал, который не хочет выходить за рамки устава, рамки армейского этикета, привычной армейской жизни. Ему и там хорошо. Лебедь, его бывший подчиненный, тип совершенно противоположный. Это тип российского офицера, который оказался за бортом той грандиозной системы, в которой он всю жизнь был важной деталью, и вдруг к сорока годам понял, что жизнь началась заново.

Я к этой человеческой драме отношусь очень серьезно и чувствую вину перед уволившимися из армии офицерами, которым новая российская власть не дала того, что обещала, — квартир, интересной работы, устроенности. Но это разговор другой.

Так вот, генерал Лебедь в каком-то смысле концентрированное выражение этой судьбы, этой человеческой драмы, кризиса личности, отчаянного поиска себя в новых условиях. Человек ринулся в политику, как в атаку. Ему задавали вопросы о международном положении — он рычал в ответ, что негоже бегать за кредитами, как козел за морковкой. Сыпал шутками, поговорками. Демонстрировал, какой он крутой и несгибаемый мужик. Сбивал с ног, злил журналистов своим самоуверенным тоном. Но по крайней мере в нашей политике это был живой, искренний голос человека, а не игра. Так мне тогда казалось.

Я чувствовал, как мечется этот неординарный человек, как ему хочется былой определенности, четкости, ясности — и как ему плохо от того, что он ее не находит в своей новой жизни. Не только чувствовал, но и сочувствовал. Журналисты уловили эту мою симпатию, поспешили назначить Лебедя моим преемником.

...Никаким преемником он, конечно, не мог быть.

18 июня 1996 года в Кремле рано утром в присутствии журналистов я подписал указ о новом назначении. Лебедь стал секретарем Совета безопасности. Я предоставил генералу очень широкий круг полномочий: реформы в армии, безопасность страны, борьба с преступностью и коррупцией.

Но главным вопросом, конечно, оставалась Чечня. Перед выборами я пообещал закончить войну. Вся территория республики, включая ее горную часть, была под контролем наших войск. И тем не менее пожар конфликта по-прежнему горел, гибли люди.

Беда была в том, что никто не знал, как закончить войну. Нормальные переговоры пока ни к чему не приводили. Прошлые переговоры, 95-го года, завершились покушением на генерала Романова. Вести нынешние — с кем? о чем? на какой правовой базе?

Никто этого не знал. А Лебедь знал. В обстановке полной секретности он вылетел в Чечню, где ночью встретился с Масхадовым и Удуговым. Эффектно. По-генеральски.

14 августа, то есть уже на следующий день после этих переговоров, Лебедь подписал у меня указ об урегулировании кризиса в Чечне. Стратегическое руководство по всему комплексу чеченских проблем было возложено на Совет безопасности. И уже через две недели было подписано в Хасавюрте заявление Лебедя и Масхадова о принципах окончания войны.

Вот некоторые из них.

Вопрос о статусе Чечни откладывается до 2001 года. Полный вывод войск. Создание совместных комиссий. Сотрудничество. И так далее.

По сути, Россия признала легитимность самопровозглашенной Чеченской республики. Россия отказалась от своих прежних задач — установить контроль над территорией Чечни, восстановить российское законодательство, разоружить незаконную армию. Военные называли это решение предательством. Газеты — капитуляцией. Дума — авантюризмом. И тем не менее главное ощущение от тех дней: российское общество встретило это решение с огромным облегчением. Все устали от войны, от кровавой мясорубки. Все хотели мира.

...Мы еще не знали, что мира не будет. Не знали, чем обернется это быстрое и эффектное решение чеченской проблемы.

На пресс-конференции Лебедь заявил: «Нищая страна с полуразваленной экономикой и такими вооруженными силами не может позволить себе роскошь вести войну».

Я внимательно вслушивался в тон его речей.

На какое-то время у меня появилось ощущение, что пришел во власть очень сильный, мощный мужик и его энергия действительно ускорит решение наших болезненных проблем. Появилось даже сомнение, что, может быть, я его недооценивал — это и есть тот молодой политик, которого я искал и не находил.

«В чиновники не гожусь: у меня спина не гибкая... И правила, которые толкают страну в пропасть, это не для меня: я по ним не играл и играть не буду... За мной стоят 11 миллионов человек, и сыновья этих людей сегодня гибнут в этой безумной войне».

Еще Лебедь сказал такую странную фразу: «Меня послали в Чечню, чтобы я сломал себе шею».

То, что Лебедь не удовлетворится аппаратной ролью, я знал заранее. То, что проблему чеченского мира он будет решать в своем стиле, с эффектными речами, шумно, всячески подчеркивая свою особую позицию, — тоже догадывался. Весь вопрос был в том, как генерал поведет себя дальше.

...Замены в силовых министерствах я сделал еще до выборов. Непопулярные министры, отвечавшие за исход чеченской кампании, были уволены. Грачев в том числе.

Подмяв под себя Министерство обороны (по его требованию я уволил семь(!) заместителей Грачева и назначил министром генерала Игоря Родионова), Александр Иванович на этом не остановился. Начал атаку на Министерство внутренних дел, на министра Куликова (именно на нем, как на командующем внутренними войсками, весь последний год лежала основная тяжесть руководства боевыми действиями на территории Чечни). И здесь Лебедь искал заговор, путч (хоть крошечный), и здесь разоблачал врагов и диверсантов. Бодание Лебедя и Куликова перешло в открытую стадию. Лебедь говорил прямо: «Двое пернатых в одной берлоге не уживутся».

Десантники Лебедя арестовали двух сотрудников МВД, мужчину и женщину, и те сразу признались, что вели наблюдение за генералом.

Противостояние двух силовых структур всегда смертельно опасно для государства. Когда генералы воюют, могут пострадать мирные граждане, могут пострадать законность и порядок. Им, генералам, уже не до Конституции. Терпеть такое положение дальше было невозможно.

Наконец начались и шумные внешнеполитические заявления. Лебедь угрожал «экономическими санкциями» странам Европы в случае расширения НАТО на восток (что он при этом имел в виду, правда, никто так и не понял), заявлял, что советские ракеты, хоть и ржавые, находятся еще в полной боевой готовности, требовал вернуть России город Севастополь. Ни по одному из этих заявлений он, конечно, ни с кем не советовался.

Действия генерала вызывали столько ожесточенной критики, что не реагировать я уже не мог.

Не было друзей у Лебедя и среди гражданских. Его перепалка с Чубайсом также вышла далеко за рамки приличий. Лебедь открыто намекал на необходимость отставки главы администрации, Чубайс язвил по поводу умственных способностей и знаний генерала. Пресса со все возрастающим интересом следила, как развивается скандал вокруг нового секретаря Совета безопасности.

Все, что происходило в те месяцы в Кремле, было тесно связано с одним очень определенным обстоятельством — моей болезнью.

Лебедь не случайно так шумно громыхал в коридорах власти. Всем своим видом он показывал: президент плох, и я, генерал-политик, готов занять его место. Кроме меня, здесь достойных людей нет. Только я сумею в этот трудный момент говорить с народом.

Больше всего меня пугала абсолютная неспособность Александра Ивановича договариваться, искать союзников, принимать согласованные решения. Казалось, что это должно пройти, Лебедь обучаем, скоро сумеет направить свою энергию на поиск эффективного решения наших проблем в Чечне. Но после Хасавюртовского мира стало ясно: кропотливо заниматься всеми вопросами Чечни Лебедь не будет.

Я возложил ведение рабочей части переговоров с чеченцами на Черномырдина.

3 октября подписал указ, лишавший Лебедя достаточно серьезных рычагов влияния на военных. Руководство комиссией по высшим воинским званиям и должностям при президенте России было поручено Юрию Батурину, секретарю Совета обороны. Для тех, кто понимает менталитет российских генералов, смысл этого чисто аппаратного указа был очевиден. Лебедь уже больше не держал в своем кармане все самые большие звездочки на самых больших погонах государства. Он больше не мог манипулировать генералами так, как хотел.

И Лебедь быстро понял, что я имел в виду. Почти в тот же день он попросился приехать ко мне в Барвиху. До моей операции оставалось тогда чуть больше месяца.

«Борис Николаевич, ваше решение ошибочно. Совет обороны — не тот орган, который может руководить высшими должностными назначениями в армии. Во главе его сейчас гражданское лицо. Армия этого не поймет».

Я объяснил Лебедю, что мое решение не обсуждается. «Вам нужно браться за дело. Более настойчиво работать с премьером и другими. Нельзя со всеми рассориться в нашем аппарате», — сказал я.

Лебедь насупился, сказал, что в таком случае уйдет в отставку.

Он повернулся и вышел своей тяжелой генеральской походкой, я же поймал себя на мысли: а ведь этот решительный человек совсем не так решителен и крут, каким хочет казаться. Для меня, столько лет проработавшего в большой политике, на разных руководящих должностях, это было очевидно по некоторым интонациям и деталям его поведения. Впрочем, может быть, я ошибаюсь? Посмотрим...

Я стал ждать. Рапорта об отставке не последовало. 7 октября Лебедь поехал в Брюссель, на заседание штаб-квартиры НАТО. Давал шумные, скандальные пресс-конференции, делал ошарашивающие заявления.

А я тем временем поручил Администрации Президента подготовить его отставку.

Вопрос этот был вовсе не так прост, как может показаться теперь, по прошествии времени. Авторитет Лебедя в вооруженных силах и в других силовых структурах был огромен. Рейтинг доверия среди населения приближался к тридцати процентам. Самый высокий рейтинг среди политиков. Но главное, Лебедь, как я уже говорил, имел почти карманное Министерство обороны во главе с его ставленником Игорем Родионовым, впоследствии ярым сторонником коммунистической оппозиции.

В моей администрации, между прочим, абсолютно серьезно обсуждали наихудший сценарий: высадка в Москве десантников, захват зданий силовых министерств и прочее. Десантники — самый мобильный и хорошо обученный род сухопутных войск — Лебедя вообще боготворили. Говорили, что он до сих пор может выполнить все десантные нормативы — пробежать, подтянуться, спрыгнуть с парашютом, выстрелить по мишени короткими очередями и попасть.

Я этим разговорам значения не придавал. Мне было ясно, что ни при каких обстоятельствах Лебедь ни на что подобное не решится. В глазах у него я прочитал совершенно неожиданное выражение — троечника, который забыл выученный урок и не знает, что делать.

...И все-таки сомнения по поводу его отставки у меня были. Тот ли сейчас момент, когда можно так обострять внутриполитическую ситуацию? Впереди — моя операция.

Но с другой стороны, а если что-то со мной случится? Не хотелось, чтобы Лебедь в момент операции находился в Кремле. Неуправляемый, с огромными амбициями, раздираемый внутренними противоречиями и... слабый политик. Вот это последнее — самое страшное. Сильный будет грести под себя, но хотя бы удержит ситуацию. А Лебедь? Для того чтобы по-мальчишески что-то доказать самому себе, он не остановится ни перед чем. Этот человек не должен получить даже мизерный шанс управлять страной.

Сам Лебедь тоже чувствовал приближение отставки.

Находясь в нервозном состоянии, он однажды приехал в Горки без всякого предупреждения.

Его не пускали — встречи ему я не назначал. Он долго стоял у ворот, рычал на охрану. Стал звонить по городскому телефону: всем кричал в трубку, что ему не дают встретиться с президентом! И не дает не кто иной, как Чубайс — главный враг общества.

Кстати, с его легкой руки Чубайса в прессе стали называть «регентом»: мол, президент тяжело болен, всем руководит «регент» Чубайс. Регент — понятие из монархической практики, к нашим реалиям отношения не имеющее. Но оно пошло гулять и в Думе, и в Совете Федерации, приобретая опасный оттенок политического ярлыка.

Лебедь стоял у ворот, охрана волновалась. Признаться, забавное было ощущение, впервые возникшее у меня за многие годы: как будто кто-то ломится к тебе в дверь. Хоть милицию вызывай.

Но милицию вызывать не пришлось. Лебедь уехал, видимо, уже обдумал какой-то новый план действий.

Ситуация накалилась до предела. Премьер-министр был вынужден срочно созвать совещание с силовыми министрами.

Лебедь намеренно не был приглашен Черномырдиным. Министры больше не могли терпеть выходки секретаря Совбеза и собирались выступить с единой позицией — Лебедя держать внутри власти невозможно. Но Лебедь узнал об этом совещании и все-таки вломился на заседание. Началась перепалка. Лебедь скандалил. Министры молчали... Жесткий отпор дал только Куликов.

Это уже настолько перешло все возможные рамки приличий и здравого смысла, что в тот же день я был вынужден подписать указ о его отставке.

Наверное, Лебедя увольнять надо было раньше. Но... как ни странно, Александр Иванович чем-то напомнил мне меня самого. Только в карикатурном виде. Как будто глядишься в мутное зеркало.

Лег в больницу с тяжелым сердцем (и в прямом, и в переносном смысле). И к Лебедю отношение у меня осталось странное, двойственное. С одной стороны, я ему благодарен за то, что он взял на себя публичную ответственность и установил быстрый мир в Чечне. И хотя этот мир оказался недолговечен, плохо скроен, но и продолжать войну не было у меня ни морального права, ни политического ресурса.

Увы, генерал Лебедь оказался очень шумным, но очень слабым политиком. Может быть, на наше счастье.

Впрочем, сегодня он уже не генерал, а губернатор. Хочу верить, эта школа жизни его чему-то научит. Ведь человек он все-таки яркий, неординарный...

Я боюсь, что, выстраивая в этой главе такую «генеральскую формулу», обижу многих честных военных.

Многие генералы знают, как высоко я ценил и ценю их заслуги перед Отечеством. И как доверял им. Но и не писать о другой, менее приятной для меня истории отношений я не могу. Слишком часто, как мне кажется, на этом отрезке истории, в 1993—1996 годах, страна зависела от решений генералов, от их публичного и закулисного поведения. Россия лоб в лоб столкнулась с генеральской логикой и генеральским апломбом. Наверное, есть в этом и моя вина.

...С особенным сожалением я вспоминаю еще одного генерала, который сыграл особую роль в моей личной истории. Долгие годы он был мне близок и по-человечески, и по-товарищески, и я долгие годы считал его своим единомышленником. Я говорю о генерале Коржакове, начальнике охраны президента.

В книге Александра Васильевича, говорят, много неправды, грязи. Но я ее читать не стал, не смог пересилить брезгливость. Знаю одно: он, который десять лет окружал меня заботой, клялся в преданности, закрывал в прямом смысле своим телом, делил со мной все трудности, неустанно искал, разоблачал и выводил на чистую воду моих врагов (вот в этом усердии, кстати, и кроется корень нашего расхождения), в самый тяжелый момент моей жизни решил подставить мне подножку...

Почему это случилось?

За несколько лет перескочив из майоров «девятки» (службы охраны) в генеральский чин, приобретя несвойственные для этой должности функции, создав мощную силовую структуру, пристроив в ФСБ своего друга Барсукова, который до этого прямого отношения к контрразведчикам не имел, Коржаков решил забрать себе столько власти, сколько переварить уже не мог. И это его внутренне сломало. Для того чтобы стать настоящим политиком, нужны совсем другие качества, а не умение выслеживать врагов и делить всех на «своих» и «чужих». В том, что Коржаков стал влиять на назначение людей и в правительство, и в администрацию, и в силовые министерства, конечно, виноват целиком я. Коржаков был для меня человеком из моего прошлого, из прошлого, где были громкие победы и поражения, громкая слава, где меня возносило вверх и бросало вниз со скоростью невероятной. И с этим прошлым мне было очень тяжело расставаться.

...Но все-таки расставаться было надо.

Когда рухнул всесильный КГБ, в нашем политическом пространстве проступила невиданная доселе политическая свобода. Люди в погонах пользовались ею каждый по-своему. То, что в начале 90-х годов существовала реальная угроза военного путча, гражданской войны, для меня, как я уже говорил, очевидно. Что же помешало такому развитию событий?

Помешала, как ни странно, внутренняя устойчивость общества. Молодая демократия быстро выработала внутренний иммунитет к генеральским «вирусам»: фрондерству, популизму, желанию командовать всеми и сразу. Свобода слова и политические институты новой России создали, говоря серьезно, реальный противовес этой угрозе.

С каждым годом, как мне кажется, все менее опасным становится влияние генералов на политику.

Поэтому когда у нас говорят: в России нет демократии, не создано институтов гражданского общества, правовых механизмов, — я к такому радикализму отношусь с большим сомнением, хотя, наверное, это все произносится из лучших побуждений.

Оглянитесь на нашу недавнюю историю — и вы сами все поймете.

Когда-то, в 93-м, а может быть, еще раньше, в 91-м, я задумался: что-то не так в некоторых наших генералах. Чего-то важного им недостает: может, благородства, интеллигентности, какого-то внутреннего стержня. А ведь армия — индикатор общества. Особенно в России. Здесь армия — просто лакмусовая бумажка. Я ждал появления нового, не похожего на других генерала. А вернее сказать, похожего на тех генералов, о которых я в юности читал в книжках. Я ждал...

Прошло время, и такой генерал появился.

И с его приходом всему обществу вдруг стал очевиден настоящий, мужественный и высокопрофессиональный облик наших военных.

Звали этого «генерала»... полковник Владимир Путин. Но это уже другая история.

ЧУБАЙС, ИЛИ КОМАНДА-97

7 января 1997 года я лег в больницу с воспалением легких, а 17-го Дума уже поставила на повестку дня вопрос об отставке президента по состоянию здоровья.

Такое известие вызвало в обществе новую волну тревожных ожиданий.

В каком случае считать президента недееспособным, прописано в Конституции нечетко. Пользуясь этим, коммунисты в Думе пытались провести закон о медицинской комиссии, которая ставила бы президенту жесткие рамки: вот столько дней он может быть на бюллетене, а столько не может. Эти болезни ему позволительны, а эти нет. Чуть ли не

На Совете безопасности.

Верховному Главнокомандующему рапортуют казаки...

...и моряки.

«Многие генералы знают, как высоко я ценил и ценю их заслуги перед Отечеством».

«Мы не можем безучастно наблюдать,
как отваливается кусок России...»

«Государство должно оставаться сильным всегда».

◄ У могилы Неизвестного солдата.
С министром обороны маршалом Игорем Сергеевым.

С Анатолием Чубайсом.

5 сентября 1997 года состоялся «круглый стол» в Кремле
представителями крупного бизнеса, банковских групп.

С Борисом Немцовым.

С Сергеем Кириенко.

◀ С Виктором Черномырдиным.

Работа с документами не прекращается...

...практически никогда.

определенные медицинские процедуры я должен проходить в определенные сроки! Чуть ли не анализы сдавать под руководством коммунистической Думы.

Никакие здравые аргументы на левых депутатов не действовали. Депутаты из правых фракций приводили массу примеров: в такой-то стране президент лег на операцию, в такой-то долгие годы ездил в коляске, в такой-то был неизлечимо болен раком. Но нигде парламент не обсуждал этот вопрос столь цинично!

Если президент чувствует, что «не тянет», он сам поставит вопрос о досрочных выборах. Обязательный осмотр состояния его здоровья возможен, на мой взгляд, только до выборов. Иначе появляется огромное поле для интриг, нечистоплотной игры, политической нестабильности.

Логично? По-моему, да.

Но у Думы — совсем другая логика. Коммунисты начиная с 91-го, даже раньше, с 90-го года, были одержимы одной идеей: устранить Ельцина.

Вот и сейчас, в начале 97-го, ярко-красная часть Думы шла проторенным путем. Жаждала крови. Моей крови.

Выражение, как говорится, фигуральное. Но человеку, которому не так давно пилили грудную клетку, этот черный юмор не совсем по душе.

17 января. Голосование в Думе о состоянии моего здоровья. Депутаты фракции «Наш дом — Россия» покинули зал заседаний. Фракция «Яблоко» предложение коммуниста Илюхина не поддержала. Аграрии разделились.

Предложение не принято.

Что я чувствовал в этот момент, в конце января?

Конечно, злился на себя, на лечащих врачей. Это же надо, не уберечься после такой операции! Ведь все так удачно сложилось... Сердце сразу заработало. Я так быстро встал, пошел, так быстро восстановился. Насколько легче стало дышать. Вышел на работу с опережением графика. И вот — на тебе! То ли поторопился с выходом, то ли вирус подхватил какой-то. То ли в бане переохладился. Не подумал, что организм-то ослабленный. Нельзя было рисковать. И — вылетел из активной жизни еще на полтора месяца.

Тяжелая вещь — послеоперационная пневмония. При подготовке к операции я похудел на 26 килограммов. А тут еще сильный жар, слабость. Тело как будто не мое, легкое, почти прозрачное. Мысли уплывают.

Как будто заново рождаешься.

Кстати, вот это важно. Я — уже другой «я». Другой Борис Ельцин. Много переживший, можно сказать, вернувшийся с того света. Я уже не могу, как раньше, решать проблемы путем перенапряжения всех физических сил. Резких, лобовых политических столкновений. Теперь это не для меня.

Несколько дней держалась температура под сорок. Медленно-медленно пошла вниз. Врачи волновались, что могут быть осложнения. Не пойдет ли воспалительный процесс дальше.

Стал приходить в себя уже ко дню рождения. За окном февраль. Зима пошла на убыль.

23 февраля я впервые вышел на публику.

Старый кремлевский ритуал — возложение венков к могиле Неизвестного солдата. Именно сюда моим указом перенесен пост номер один. Раньше он был у Мавзолея, на Красной площади. Перед склепом с мумией вождя мирового пролетариата чеканили шаг кремлевские гвардейцы, сменяя друг друга каждый час. Сегодня они здесь, у символической могилы всех наших солдат, погибших за Родину.

Я подхожу к группе журналистов. Давно знакомые лица. Они ждут моих слов. Им очень важно, что же я сейчас скажу, после столь долгого отсутствия.

Про Думу: «Со мной очень трудно так... разговаривать. Я могу и сдачи дать».

Первые слова давались с трудом. И все-таки в привычной роли я почувствовал себя гораздо лучше. Никто не должен считать, что Ельцин сдулся, как воздушный шарик.

...Но какое-то раздражение висит в воздухе. Общество ждет поступков, ждет чего-то серьезного. Протокольные появления перед телекамерами этого ощущения не снимают. Люди ждут появления привычного Ельцина.

6 марта 1997 года. Ежегодное послание президента Федеральному Собранию. Мраморный зал Кремля — прохладный простор, огромное количество людей, сотни журналистов, в зале — депутаты, сенаторы, вся политическая элита.

Ежегодное послание президента — документ огромной политической важности, концепция развития страны. Текст этого послания готовился очень долго. Я придавал ему большое значение. Впервые после выборов я обращался к Федеральному Собранию, к нации с важнейшим документом, со своей программой действий.

Кроме того, я впервые появлялся после столь долгого отсутствия, вызванного операцией, для принципиального публичного выступления.

Как все получится?

Далеко не все в зале хотели видеть выздоровевшего Ельцина. Один мой вид их уже раздражал. Был и глухой ропот, и какие-то выкрики. Но я не обращал на это внимания.

Коммунисты всегда в своем репертуаре. Важно не это. Важно, что я снова во весь голос говорю со страной.

«Порядок во власти — порядок в стране» — так озаглавлено послание. Главная его мысль — страной должна управлять власть, а не обстоятельства. Необходимо наводить порядок. Прежде всего — во власти. И я его наведу.

Правительство оказалось не способно работать без президентского окрика. Большинство обещаний, которые давались людям, и прежде всего по социальным вопросам, не выполнены. В связи с этим изменятся структура и состав правительства, в него придут компетентные и энергичные люди.

Пороком законотворчества стало принятие законов, которые служат узкогрупповым интересам. Большинству депутатов ясно, что это наносит ущерб России, но все же такие законы проходят.

Сказал я с трибуны и о том, как получил из Федерального Собрания письмо о необходимости строительства парламентского комплекса стоимостью в 10 триллионов рублей. Этих денег хватило бы, чтобы вернуть долги всем учителям и врачам страны.

Кстати, Егор Строев и Геннадий Селезнев сразу же после выступления отмежевались от этого письма, были крайне смущены, сказали, что проект этот недоработан и попал ко мне случайно.

Полчаса выступления.

С каждым новым словом мне становится легче. Я снова обретаю себя.

Я уже почти уверен, что нашел тот самый сильный политический ход, о котором думал все эти месяцы. Почти уверен. Осталось чуть-чуть...

Той же зимой я услышал слова патриарха Алексия. Выступая с речью, обращенной ко всем православным в честь Рождества, он вдруг резко отвлекся на политику и назвал невыплату зарплат и пенсий неожиданным словом — «грех».

Поначалу это слово меня резануло. С его святейшеством у меня всегда были самые человеческие, самые теплые отношения.

И слово «грех» для меня прозвучало как колокол. Проблема, беда, экономические трудности. А тут вдруг прямо и резко — «грех». Сразу вопрос: чей грех? Мой?

Пока валялся с пневмонией, все время думал про это: скорее, скорее надо, чтобы пришел во власть второй эшелон политиков. Если сейчас не выпустить на политическую арену других людей, потом будет поздно.

Грех не в том, что в стране идут реформы. Грех в том, что идут они слишком медленно!

...24 февраля, в первый раз после болезни, встретился с Черномырдиным в Кремле.

Я тогда произнес всего лишь несколько фраз: социальную сферу считаю кризисной, невыплаты зарплат — это застарелая болезнь правительства. И по ответу (хотя внешне все необходимые слова были сказаны, все обещания, какие надо, даны) почувствовал, как Черномырдин устал. От постоянного напряжения, от неразрешимости накопившихся проблем.

Мы с ним долгие годы шли рядом, психологически очень привыкли друг к другу.

Черномырдин никогда не высовывался, не стремился играть свою игру. В этом была его сила. За моей спиной все эти годы стоял исключительно порядочный, добросовестный и преданный человек. Черномырдин старался дистанцироваться от закулисных кремлевских игр. Занимался только экономикой, но если было надо — и в 93-м, и в начале чеченской войны, и во время событий в Буденновске, — решительно поддерживал меня. Наверное, когда-то раньше, на каком-то этапе, я не дал ему раскрыться как самостоятельному политику. Наверное, не дал... Но жалеть об этом сейчас было уже поздно. Со своей по-русски крупной фигурой, добродушной ослепительной улыбкой, мужицким юмором и смекалкой Черномырдин успел за эти годы примелькаться, врасти корнями в политический ландшафт. Это был незаменимый премьер... эпохи политических кризисов. Но мне казалось, что после выборов 96-го наступала новая эпоха. Эпоха строительства.

Очень хотелось помочь Черномырдину сделать наконец такое правительство, которое добьется подъема в экономике. Кончилась чеченская война, отнимавшая много сил, кончились выборы, одни и другие. Необходим был прорыв, страна устала от ожидания, от неопределенности, от отсутствия серьезных попыток изменить ситуацию к лучшему.

Упрекать Черномырдина персонально в том, что экономика буксует, я не мог. Но и не видеть того, что происходит в стране, тоже не мог.

Все прежние производственные ресурсы — неэффективная промышленность, коллективное сельское хозяйство — категорически не вписывались в новую жизнь. Черномырдин опирался в основном на так называемый директорский корпус, не видя и не понимая того, что только новые менеджеры, с новым мышлением, могли вытянуть из болота нашу экономику. В результате образовался замкнутый круг: российские инвесторы не хотели вкладывать деньги в обветшавшее производство. Это, в свою очередь, резко суживало возможности развития экономики, в том числе и банковскую деятельность. И реальные рыночные отношения сосредоточились на очень узком экономическом пространстве.

Тем не менее благодаря внутренним и внешним займам, торговле сырьем и металлом, благодаря громадному внутреннему потребительскому рынку и внезапно появившемуся классу торговцев, мелких, средних, крупных, которые создавали рабочие места, страна достигла так называемой стабилизации. Но в нашем случае стабилизация — не стабильность.

Стабилизация — это фиксированный кризис.

Правительство Черномырдина, созданное сразу после июльских выборов 96-го, работало более полугода. Но, к сожалению, профессиональные, исполнительные люди, подобранные Виктором Степановичем на ключевые посты, смотрели порой совершенно в разные стороны.

...Это было правительство смелых проектов, благих пожеланий, хороших намерений. Но трудно было назвать его командой единомышленников, связанных единой концепцией, общим планом реформ. По советским стандартам — добротное, мыслящее, вполне интеллигентное правительство. Но в сегодняшнюю экономику, требующую серьезных преобразований, оно вписаться так и не смогло.

Рос снежный ком долговых обязательств, дефицит бюджета, тотальная задолженность всех и всем. При этом государство не могло выкупить продукцию даже у оборонных предприятий, рабочие оставались без зарплаты, местные бюджеты — без необходимых отчислений для врачей и учителей, для медицины и помощи старикам.

Честно говоря, не оправдала себя и идея привлечь в правительство представителей банковских кругов. Владимир Потанин, занявший летом 1996 года пост первого вице-премьера по экономике, должен был регулировать отношения между бизнесом и государством, устанавливать давно ожидаемые «длинные правила игры», то есть правила на долгую перспективу. Это был первый человек из большого бизнеса, который перешел на государственную работу. Такого прецедента еще не существовало, а вот сейчас этой практикой уже никого не удивишь, все уже забыли, как тяжело было первому. Никто не знал, как совместить на одном рабочем столе, в одной голове и задачи государственного управления, и интересы огромных частных предприятий, которые тоже были вписаны в государственную экономику тысячью нитей, тысячью взаимосвязей.

Потанин проявлял большое мужество и упорство. Там, у себя дома, в банке, он принимал решение, и через сутки оно уже было реализовано. Здесь же, в тяжелой государственной машине, на согласование уходили месяцы. За счет своих средств он нанимал высококлассных, дорогостоящих специалистов, которые готовили необходимые правительству документы: проекты законов, постановления, инструкции. Он мучительно отвыкал от своего способа решать проблемы, от своей методики, даже от бытовых привычек. Например, пришлось перейти на казенную «белодомовскую» еду. В чем-то ему даже пошли навстречу, например, разрешили ездить на той машине, к которой он привык, и взять на службу ту охрану, с которой работал в банке.

У Черномырдина отношения с Потаниным не сложились, он считал, что первый вице-премьер слишком активно защищает интересы своего ОНЭКСИМбанка.

В конце концов Черномырдин настоял, чтобы Потанин был уволен.

Чем дальше шло время, тем яснее становилось, что первое черномырдинское правительство, сформированное им летом 96-го, решить экономические и социальные проблемы, навалившиеся на страну, не сможет. Говоря близким и понятным мне в тот момент языком, больному нужна решительная хирургическая операция.

Уже в начале марта мы договорились с Виктором Степановичем, что глава президентской администрации Чубайс возвращается в кабинет министров. 17 марта был подписан указ о его назначении первым вице-премьером. Чубайс рвался обратно в экономику, на посту главы администрации он работал хорошо, но всегда говорил: «Это не мое».

Правда, мне казалось, что одного возвращения Чубайса в правительство — мало...

И я решил найти для Черномырдина еще одного заместителя. Яркую политическую фигуру. На эту роль вполне годился Борис Немцов.

Идея была хорошая: подпереть Черномырдина с двух сторон, расшевелить, показать ему, что резерв — вот он, на подходе. Нарушить наш с ним чересчур привычный, надоевший обществу политический баланс. Как тогда кто-то сказал, поменять картинку.

И картинку поменять в итоге удалось. Привычный Чубайс при привычном Черномырдине — одна картинка. Два молодых, по-хорошему наглых и агрессивных «вице», мгновенно замыкающих Черномырдина в систему высокого напряжения, постоянного позитивного давления, — совсем другая.

Нижегородский губернатор Немцов — фигура достаточно популярная. И у себя на Волге, и вообще в России. Он обещал самим своим появлением обеспечить правительству совершенно другой ресурс доверия. И совсем другой политический климат в стране.

Кстати, никто из молодых категорически не хотел идти ни в правительство, ни в Кремль. Все активно сопротивлялись.

...Снова вернусь на несколько месяцев назад, к лету 96-го.

Чубайс сразу после второго тура выборов, практически на следующий день, сказал: все, спасибо, у меня много дел в бизнесе, есть очень интересные предложения, возвращаться снова во власть я не хочу. Как говорится, спасибо за доверие. А я думал пригласить его работать главой Администрации Президента.

Тогда возникла другая неожиданная идея — предложить этот пост Игорю Малашенко, руководителю телекомпании НТВ. Он тоже вежливо, но твердо отказался. Наверное, сыграли тут свою роль и его семейные обстоятельства: жена только что родила, Игорь поехал в Лондон, находился при ней неотлучно. Уговаривать я не хотел, но попросил его связаться со мной по телефону. Кстати, именно тогда Малашенко сказал запомнившиеся мне слова: «Борис Николаевич, я буду вам помогать...»

Я вновь вернулся к кандидатуре Чубайса. Он и сам прекрасно понимал: если мы сохраним борьбу разных групп внутри Кремля, как это было при первом помощнике Илюшине, главе администрации Филатове, начальнике службы охраны Коржакове, ничего изменить в стране не удастся. Нужна жесткая вертикаль, идущая непосредственно от президента, а не от кого-то, кто претендует на влияние...

Чубайс понимал, но продолжал колебаться.

Наконец я привел последний аргумент: ложусь на операцию и должен быть абсолютно уверен, что здесь во время моего отсутствия не случится никаких ЧП. Анатолий Борисович понял: аргумент действительно последний. И согласился.

...Кстати, еще один человек из нового поколения политиков, который отказался от моего приглашения пойти на работу в правительство, — это Григорий Явлинский. Чубайс, возглавляя аналитическую группу предвыборного штаба, вел с ним активные переговоры. Возможно, согласись в тот момент Григорий Алексеевич поддержать меня во втором туре, перешагни он свою осторожность в выборе союзников — и вся история наших реформ пошла бы по-другому. Но идеально белый политический воротничок оказался дороже. А ведь была возможность у него еще тогда показать всем своим оппонентам, как надо «жить по совести». Я премьерским местом торговать не хотел. Но программу Явлинского рассматривать был готов.

...Труднее же всего оказалось с Борисом Немцовым.

«А зачем я вам в Москве? — спрашивал он Чубайса в своей немножко развязной манере весной 97-го. — Лучше я буду помогать вам в Нижнем».

И что бы ему ни говорили про реформы, он твердил свое: «А в Нижнем кто реформы будет проводить?»

Чубайс почти кричал на Бориса: «Раз ты такой умный, нас критикуешь, так возьми на себя хоть часть ответственности». Но Немцов спокойно уехал домой. Ну и упертый характер...

Пожалуй, на мой похож.

Тогда родилась идея, чтобы уговаривать Немцова в Нижний поехала Таня. Она поняла смысловой подтекст, который мне было не обязательно произносить по слогам: это ваша команда молодых нахалов, вы и договаривайтесь между собой.

Ни самолеты, ни поезда в Нижний Новгород в тот час уже не ходили.

«Папа, я поеду на машине». Валентин Юмашев стал звонить Немцову — хотя бы предупредить его, что Татьяна уже в пути.

Говорят, Борис Ефимович не поверил или не придал значения — все-таки семь часов, на ночь глядя по нашим дорогам ехать решится не каждый — и был потрясен, когда поздно ночью раздался Танин звонок. «Татьяна Борисовна, вы где?» — «Я в кремле». — «В каком кремле?» — «В вашем, нижегородском...»

Увидев дочь президента в своем кабинете, Немцов наконец понял, что это — не шутка. Они долго разговаривали. На следующий день он дал согласие.

Однако тогда же, в начале марта 97-го, возникла новая проблема: после перехода Чубайса из администрации в правительство нужно было в течение считанных дней подыскать ему замену.

...И я решил поговорить с Валентином Юмашевым.

«Борис Николаевич, — сказал он, — во-первых, я не обладаю достаточным политическим весом. Во-вторых, я никогда не был в публичной политике, все знают, что я ваш друг, друг вашей семьи, назначение будет выглядеть странно...»

Я внимательно его выслушал и сказал, что подумаю. Думать долго было нельзя: указ о назначении Чубайса в правительство был уже подписан.

Тем не менее за Валентина я волновался. Он, конечно, талантливый журналист, аналитик замечательный. Рядом со мной с восемьдесят седьмого года. Работать готов сутками. Но аппарат администрации — это огромное ведомство со своими традициями, порядками. Достаточно бюрократическое ведомство.

Юмашев сопротивлялся тихо, не так шумно, как Немцов или Чубайс. Но очень упорно. Расставаться с любимой свободой не хотел. Его, насколько я понял, прижали к стене Таня и Анатолий Борисович. Сказали, хватит давать советы со стороны. Нечестно.

У каждого из молодых политиков, которые вместе потом составили достаточно дружную команду, были свои причины для отказа. Чубайсу психологически трудно было возвращаться во власть после скандальной отставки 95-го года. Немцов и ставший еще одним вице-премьером Олег Сысуев, мэр Самары, — оба не хотели расставаться со своей столь удачной региональной «стартовой площадкой», не хотели торопиться с переездом в Москву и по личным, и по карьерным соображениям. Валентин Юмашев не хотел быть публичным политиком. Но была и еще одна составляющая в процессе создания команды, я бы сказал, поколенческая черта. Все эти люди, выросшие в 70-е, возмужавшие в 80-е годы, даже представить себе не могли, что когда-нибудь взлетят так высоко. Власть всегда казалась им прерогативой совершенно другого слоя людей: седых и лысых дядек с большими животами, партийных бонз, прошедших многолетнюю школу партработы в ЦК КПСС или обкомах. И перестройка не смогла изменить в них этого отношения — ведь Горбачев вовсе не торопился расставаться с прежним аппаратом. Срабатывал и старый советский комплекс интеллигента, человека умственного труда — руководить кем-либо и чем-либо могут только люди с толстой кожей и нервами-веревками. Я убеждал как мог, что это не так. Но, даже окончательно расставшись с прежними комплексами, «молодая команда Ельцина» внутренне не смогла избавиться от этого ощущения психологического дискомфорта. Я помню, как Валентин Юмашев однажды пошутил: «Знаете, Борис Николаевич, все-таки это какая-то не моя жизнь. Я себя чувствую как герой из повести Марка Твена «Принц и нищий», которому дали государственную печать. Я ей колоть орехи, конечно, не буду, но желание такое есть...»

Команда-97 — это не просто министры, вице-премьеры, большие руководители. За несколько месяцев жесткой, тяжелой, напряженной работы они превратились в настоящих единомышленников.

Иногда по воскресеньям они устраивали на даче у Юмашева что-то вроде пикника с шашлыками, песнями у костра. Про политику и экономику пытались не говорить, ее было более чем достаточно в будни. Сысуев с Юмашевым в две гитары пели бардовские песни — Окуджаву, Визбора, Городницкого... «Атланты держат небо на каменных руках...» Пели и, видимо, где-то в подсознании сами себя ощущали этими атлантами. Чубайс, как настоящий романтик, знал слова абсолютно всех песен. Но поскольку со слухом у него было не очень, он их не пел, а так, под музыку декламировал. А жена Чубайса, Маша, красивая и строгая, вообще все эти песни терпеть не могла и досиживала у костра только из любви к мужу.

Московские жены давали советы женам приезжим, как лучше наладить быт в Москве, в какую школу отдать детей, как решать свалившиеся на них проблемы — в общем, делились своими женскими секретами.

Максим Бойко, вице-премьер, отвечающий за приватизацию, обычно не успевал дождаться, пока поджарится шашлык. У него только что родился ребенок, и он рвался домой, к жене. А Борис Немцов приезжал вместе со всей семьей, привозил свою очаровательную тринадцатилетнюю дочь Жанну. У нее в Москве еще не было подруг, она только переехала из Нижнего, и, чтобы ей не было грустно, папа брал ее всюду с собой.

Они мне с удовольствием и подробно рассказывали о своих воскресных встречах. Приглашали, говорили, давайте с нами, попоем, посидим, отдохнем. Но я не хотел мешать им в единственный выходной. Со мной у них будет возможность встретиться и на неделе.

Мотором команды-97 был Анатолий Чубайс. Он привел в правительство много новых людей, и все они были собраны в единый интеллектуальный и волевой кулак его стараниями. Он добился жесткой командной дисциплины. Он генерировал идеи.

Неформальным связующим звеном между мной и чубайсовскими ребятами стала Таня.

Я был в курсе всех их идей, всех споров, всех нюансов позиций. При этом наблюдал весь этот процесс со стороны. И мне очень нравилась команда, которую я патронировал и которой искренне симпатизировал. Нравилась своей молодой энергией и жаждой результата.

...Кстати, хотя Черномырдин и принял участие в кампании по уговариванию Немцова, внутренне он отнесся к этому делу весьма настороженно. Чубайса он хорошо знал, Немцова — нет.

И в свое телевизионное обращение по поводу прихода в правительство молодых реформаторов я вписал такую фразу: «Не бойтесь, Виктор Степанович, они не будут вас подсиживать!»

Он разволновался, стал звонить спичрайтерам: откуда взялась эта фраза? Они тоже были поражены — в окончательном согласованном тексте ее не было. Конечно, я же сам вписал ее от руки непосредственно перед выступлением, несмотря на все возражения помощников. Виктор Степанович заподозрил в этом какую-то кремлевскую интригу, а зря. Мне действительно очень хотелось донести до него эту простую мысль: не бойтесь, Виктор Степанович! Просто не бойтесь, и все!

И постепенно Черномырдин принял эту позицию. Он понял: без этих дерзких, неуживчивых, порой неприятных молодых людей рывок не совершить. Экономика, застрявшая между несформировавшимся рынком и перманентным политическим кризисом, нуждается в коренных преобразованиях, в абсолютно новых подходах.

Я понимал, что правительство это может быть неустойчивым, подверженным разным бурям и страстям. Но нужно было рисковать, идти в наступление на тотальное экономическое болото. Молодая команда была готова. Они ждали только моего сигнала для осуществления своих грандиозных планов. Кто из них выживет в правительстве, кто выстоит в будущих передрягах, я еще не знал. Не знал, кто сохранит свой ресурс, а с кем, возможно, придется расстаться. Верил в их напор, в их страстное желание победить.

Начало работы правительства молодых реформаторов было воспринято всем обществом с огромной надеждой. И акулы бизнеса, и бабушки в деревнях внимательно вслушивались в то, что говорят «этот рыжий и этот кучерявый». По социологическим опросам, Немцов, который всегда умел говорить просто и живо, с прибаутками и анекдотами, в политических рейтингах быстро догнал и перегнал и Лебедя, и Лужкова, и даже Зюганова. Он опережал лидера коммунистов даже в сельской местности. «Боря Немцов даже в деревне на Зюганова наступает!» — веселился Чубайс.

Я обратил внимание, что на совместных встречах — я, Черномырдин, Немцов и Чубайс — два первых вице-премьера ведут себя по-разному. Чубайс говорил корректно, предельно сдержанно, старался выглядеть солидно и проявить с Черномырдиным полную солидарность двух понимающих в экономике людей.

Немцов никаких правил не признавал. Его слегка нагловатая интонация коробила Черномырдина. Он нервничал и непонимающе смотрел в мою сторону. Взгляд его красноречиво говорил: «Думаю, что Борис Ефимович не прав».

Встречи в таком составе мы проводили регулярно, почти каждую неделю. Если я был в отпуске, Немцов или Чубайс приезжали прямо в мою резиденцию вместе с командой своих специалистов, знакомили с проектами очередных решений.

Я пытался понять, как в них сочетаются юношеский задор и взрослое осознание своей цели. Чубайс с Немцовым отлично дополняли друг друга, казались тогда абсолютно непробиваемым тандемом.

В то время мы подготовили несколько здравых, давно назревших указов и постановлений правительства. Например, о конкурсе среди частных фирм, которые осуществляют госпоставки. Будь то лекарства для больниц или продукты для армии. Теперь такой госзаказ можно было получить, только представив на конкурс качественные характеристики и цену своего изделия. И побеждал тот, кто предлагал государству лучшие условия. Сразу был перекрыт один из основных каналов для злоупотреблений.

Вообще эту задачу — отсечь от казны прилипал, сделать финансовые потоки прозрачными, а решения правительства невыгодными для принятия «теневых» решений, двойной бухгалтерии — обновленное правительство ставило во главу угла.

Напор, с которым начали работу молодые реформаторы, как тогда их прозвали газетчики, был ошеломляющим. Естественно, не могло обойтись и без каких-то проколов. Знаменитые белые штаны, совсем непротокольные, в которых Борис Немцов вышел встречать президента Азербайджана Гейдара Алиева, навсегда останутся в истории новой российской дипломатии.

Еще один эпизод, также связанный с Борисом Немцовым, — пересаживание чиновников на отечественные автомашины. Конечно, он исходил из самых благих побуждений. Зачем тратить деньги из российского бюджета на поддержку немецких или итальянских автогигантов, зачем приобретать для чиновников «ауди» или «фиаты», если можно купить наши «Волги» и «Москвичи». Как позже мне рассказывал Борис Ефимович, эта идея у него родилась спонтанно. Когда он приехал к себе домой в Нижний, увидел родную «Волгу», а рядом какие-то импортные «мерседесы» и «БМВ», то понял: если мы своим личным примером не поможем отечественному автомобилестроению, ему уже ничто не поможет.

Чиновники были в шоке. Они не хотели пересаживаться на постоянно ломающиеся автомобили. И чиновников можно было понять. Наши машины зимой не заводились от холода, летом перегревались от жары. Красивая идея вот-вот могла умереть. Немцов, который сам пересел с «мерседеса» на «Волгу», пришел ко мне за поддержкой. Я сказал, что поддержу и словом, и делом.

В тот момент я готовил радиообращение на тему «Покупайте российское». О том, что есть отечественные товары, которыми мы можем гордиться. И что государство должно делать все от него зависящее, чтобы помогать российским предприятиям, выпускающим качественную продукцию. Попросил спичрайтеров вставить фразу про инициативу Немцова, сказать о том, что бюджетные деньги — в случае если отечественная промышленность выпускает товары, аналогичные импортным, — будут тратиться на наши, российские, изделия.

После этого я сказал начальнику своей охраны, что вместо «мерседеса» буду ездить на нашем «ЗИЛе». Правда, когда вышел на крылечко Кремля и увидел до боли знакомую машину, про себя чертыхнулся. С давних политбюровских времен не любил эти особые «ЗИЛы», которые даже в народе прозвали «членовозы», потому что они возили только членов Политбюро. Но делать было нечего, молодых надо было поддерживать.

Ну а Борины коллеги в администрации и правительстве продолжали саботировать его начинание. К тому же личным примером он не мог вдохновить своих друзей. Его машина ломалась, ее приходилось постоянно менять. Апофеозом этой истории стал момент, когда в жару «Волга» первого вице-премьера перегрелась прямо на шоссе. Он вышел на дорогу, а мимо него проносились улюлюкающие водители. Немцова в тот момент знала вся страна. Он стоял грустный у дымящейся от перегрева машины. Идея не задалась.

Я же честно проездил какое-то время на «ЗИЛе». Потом решил не мучиться и с облегчением пересел на «мерседес».

Жалко, одним словом, что ничего из этого не вышло. Идея-то хорошая. Автомобили пока плохие...

В 97-м году в экономике наконец наметилась тенденция к росту. Пусть первая, неустойчивая, но это была победа. Чубайсовская команда очень четко формулировала свои цели:

это были так называемые семь главных дел правительства. В глазах всего общества программа молодых экономистов была сформулирована предельно четко и ясно. Принятие Налогового кодекса и вступление его в силу с 1 января 1999 года — хватит платить непосильные налоги. Сокращение бюджетного дефицита, принятие Бюджетного кодекса — хватит жить не по средствам. Формирование эффективных собственников через приватизацию и процедуру банкротств — хватит терпеть скрытую безработицу, хватит попустительствовать воровству на бывших госпредприятиях. Начало реформы пенсионного обеспечения — без нее мы никогда не сможем добиться обеспеченной старости. Снижение темпа роста цен — не указом, а через экономические механизмы. Снижение доходности по государственным ценным бумагам — к сожалению, не было выполнено в 97-м, а быть может, это предотвратило бы последовавший кризис. Земельная реформа — вот он, камень преткновения для всех российских реформаторов!

Еще один важный проект вел Борис Немцов. Назывался он скучно — реформирование жилищно-коммунальной системы, но касался практически любого человека и был чрезвычайно важен для становления нормальной экономики страны. Дело в том, что с социалистических времен тепло, газ, электричество, которые поступают людям в дома, дотируются государством. Откуда берутся деньги? На предприятия «вешаются» невыносимые налоги, и из них идут дотации на ЖКХ. Из-за этого российские предприятия неконкурентоспособны. Идея была простой: дотации оставить только для малоимущих — пенсионеров, многодетных семей и т.д., для всех остальных граждан медленно, но твердо поднимать цены на содержание жилья.

Другой важнейший проект — им занимался Олег Сысуев — реформирование социальной сферы. В наследство от советского прошлого нам досталась очень широко распространенная, но бедная и совершенно обезличенная система социальных дотаций. Правительство готовило переход от системы социальной помощи всем без разбору (даже тем, кто в ней не нуждался) к системе адресной социальной поддержки действительно нуждающихся.

Увы, многие из этих «главных дел» так и остались нереализованными. По многим причинам. Основная — бешеное сопротивление левой Думы. Коммунистических депутатов, контролирующих парламент, гораздо больше устраивала ситуация тотальной бедности, когда государство распределяло, когда человек мог только униженно что-то выпрашивать для себя у власти.

Когда люди бедные и неустроенные, они всегда будут голосовать за коммунистов. Сильные и свободные — никогда.

К сожалению, практически все программы правительства требовали изменений в законодательстве, а значит, поддержки Думы. И здесь я Чубайсу ничем не мог помочь. В Думе нас ожидало жесткое блокирование всех инициатив.

Однако то, что было в силах нового правительства, они пытались делать. В Белом доме появилось много молодых, новых лиц. Чубайс привел свою испытанную команду молодых экономистов: Кудрина, Игнатьева, Бойко и других. Многие работают в правительстве до сих пор.

Немцов привез из Нижнего Новгорода своих молодых менеджеров: Бревнова, Савельева и других. Среди них был и Сергей Кириенко. Всем им было едва за тридцать. Отслеживая их судьбы, я сейчас ясно вижу: далеко не все они выдержали испытание большими должностями, огромной ответственностью, некоторые ушли с этих должностей со скандалом.

Но тогда все были полны надежд... В том числе и я.

Я надеялся, что уже во второй половине 1997-го — начале 1998-го мы все почувствуем, как что-то меняется в стране.

И тут случилось то, чего я никак не ожидал. Грянула война банков.

...Настоящая информационная война.

Именно тогда я впервые узнал, что это такое. Аукцион по «Связьинвесту» заполнил все первые полосы газет. ОРТ и НТВ каждый день выдавали какие-то малопонятные бюллетени типа: «Смерть врагам и конкурентам». На дикторов было жалко смотреть. Они сидели в экранах испуганные, таращили глаза на телесуфлер, стараясь ничего не перепутать в этом наборе слов.

Сначала я не обращал на это внимания. Аукционы — обычная практика. В них всегда есть победители и проигравшие, всегда есть недовольные. Но тут происходило что-то из ряда вон выходящее. С несколько бледным видом, но твердо мои помощники убеждали меня, что ничего особенного не происходит. Конкурентная борьба — нормально. Борьба двух групп за влияние — классика бизнеса.

«Да, но почему у нас вся пресса поделена на два лагеря? Почему у нас в программе «Время» каждый день говорят про этот «Связьинвест»?» — спрашивал я.

Настала пора разобраться с разгоравшимся конфликтом.

...Наиболее заинтересованным лицом в покупке акций «Связьинвеста» был Владимир Гусинский. Он долго договаривался с участниками проекта внутри правительства. Договаривался с военными, ФСБ, ФАПСИ, боролся за то, чтобы военные частоты сделать гражданскими, хотел создать с помощью западных инвестиций мощную современную компанию по производству и обслуживанию средств связи и телекоммуникаций.

Гусинский с полным основанием претендовал на покупку акций «Связьинвеста».

«Если мы ему дадим какие-то преимущества, аукцион будет не аукционом, а подтасовкой, издевательством над самой идеей аукциона! — убеждал меня Чубайс. — Есть другие финансовые группы, другие инвесторы, которые тоже с полным правом претендуют на «Связьинвест». Для нас должен быть единственный критерий оценки победителя: кто больше заплатил, тот и выиграл».

Аргументы Чубайса были абсолютно железные, красиво, логически выстроенные. Энергия в отстаивании своей позиции, как всегда, огромная.

Позднее, посмотрев книгу Анатолия Борисовича «Приватизация в России», я понял суть конфликта, понял, в чем был не прав или не совсем прав первый вице-премьер.

Такую сложную и неустойчивую систему, как российская экономика, нельзя было столь резко бросать «из огня да в полымя».

Переход от первого этапа «приватизации по Чубайсу», когда при продаже госсобственности государство вынуждено было давать скидку отечественным банкам и компаниям, ко второму, когда заработали реальные рыночные механизмы, произошел практически мгновенно, почти без предупреждений и сигнальных флажков. Участники аукционов, привыкшие к старым схемам, как будто лбом уперлись в неожиданно возникшую стену.

«Может быть, начнем не со «Связьинвеста», раз он вызывает такую бурю споров?» — спрашивали тогда многие у Анатолия Борисовича. Но он стоял на своем. Доказывал, что только таким образом российская экономика оживет.

«Борис Николаевич, без инвестиций, причем без зарубежных инвестиций, без создания компаний с зарубежным капиталом мы бюджет не наполним, социальные проблемы не решим, и главное — не будет рывка, которого вы ждете. А они к нам придут, если будут уверены в прозрачности, честности проводимых в России аукционов по продаже госсобственности.

Если государство меняет правила игры, банки должны подчиниться. Наши же банкиры считают себя полными хозяевами в стране. Они и после выборов хотят продолжать стричь купоны. Надо однажды обломать им зубы! Иначе ничего не сможем добиться, если этого не сделаем», — говорил Чубайс.

Время показало: он оказался заложником этой борьбы. Он вынужден был, искренне не желая этого, использовать одни финансовые группы в борьбе с другими, играл на противоречиях внутри деловой элиты. Не сумел сохранить дистанцию. В результате новые правила игры Чубайс использовал как политическую дубинку.

Особенную ярость вызывало у него отчаянное сопротивление Гусинского и Березовского. А ведь эти два бизнесмена были именно теми людьми, которые в феврале 96-го предложили Чубайсу возглавить предвыборный штаб, вместе с ним создали мощную команду интеллектуалов, которая способствовала общей победе на президентских выборах. «Ничего страшного, Борис Николаевич, — говорил Чубайс. — Как тогда они к вам приползли, потому что некуда было деваться, так и теперь приползут». Рыночник по мировоззрению, он был абсолютным большевиком по темпераменту, по подходу. Это меня смущало.

И еще. Смущала необратимость последствий такого скандала внутри одной, по большому счету, команды.

Каждая новая оголтелая статья против Чубайса и Немцова, каждый новый телевизионный пасквиль вызывали во мне приступы глубочайшего раздражения. «Неужели они не понимают, что таким силовым напором на президента они ничего не добьются?» — думал я, раскрывая очередную порцию утренних газет. Попытка вновь что-то переделить, используя для этого огромные информационные ресурсы, вызывала большую тревогу.

Возвращаясь к тому периоду, я теперь достаточно ясно вижу причины заставшей нас врасплох банковской войны. Младореформаторы пытались преодолеть несоответствие наших законов реальной экономической ситуации — одним рывком. Резко поменять правила, как я уже говорил выше.

Но недаром же существует общий принцип — новые экономические правила всегда вводят с отложенным действием. Новые налоги, новые тарифы, новые ставки — их объявляют заранее, чтобы рынок успел к ним адаптироваться, и вводят через какое-то время. Но хотелось быстро. Хотелось немедленно.

Другая сторона вопроса состояла в том, что финансовые капиталы за время выборов превратились в политические. Банкиры стали пытаться прямо и непосредственно влиять на власть, управлять страной из-за спины политиков. Только-только мы ушли от угрозы путча, коммунистического реванша, только-только у нас появились нормальные институты гражданского общества, как вдруг — новый опасный вызов.

В сегодняшней России, да и в мире, слово «олигарх» применительно к представителям нашего бизнеса звучит непременно с криминальным оттенком. Между тем к криминалу эти люди не имеют ровно никакого отношения. Это не воровские бароны и не главы мафиозных кланов. Это представители крупного капитала, которые вступили с государством в тесные и сложные взаимоотношения. Именно это привлекает к ним пристальное внимание общества, именно это заставляет и журналистов, и правоохранительные органы изучать их жизнь и деятельность почти под микроскопом. На самом деле влияние крупного капитала на власть неизбежно практически в любой стране. Весь вопрос в том, какие формы приобретает это влияние.

Попытаюсь объяснить, как я видел эти процессы.

Когда Россия, став независимым государством, приступила к экономическим преобразованиям, в первую очередь нужно было решить две важнейшие задачи: отпустить цены, то есть ввести реальный рынок, насильно, жестко, как приказали сажать картошку при Петре I. И второе — создать частную собственность. Значительная часть государственной собственности должна была стать частной. Это было и политической, и экономической задачей одновременно. Без этого никакие реформы не возможны вообще. Делать это нужно было быстро. Делать во что бы то ни стало — пусть даже с ошибками, под свист недовольных (при любом разделе собственности обязательно бывают недовольные) — создавать класс собственников.

Даже если новый собственник бывшего государственного предприятия оказывается слабым, он все равно в конце концов вынужден перепродать свою собственность другому, более умелому и рачительному хозяину, что и происходило у нас.

Говорят, что наша собственность была при продаже недооценена. Мол, продали ее за бесценок. Создавали искусственные барьеры, чтобы не пустить на аукционы западный капитал.

Да, абсолютно правильно. Продали за так называемый бесценок, относительный, конечно, — за сотни миллионов долларов. Конечно, если бы эти компании — нефтяные, металлургические, химические и т.д. — находились в Западной Европе или в Америке, они стоили бы на порядок или даже на порядки дороже.

Верно и другое. Западные деньги на наш рынок действительно приходили очень сложно. Но иначе в России не появились бы свои российские капиталисты, свои российские собственники. Ясно, что всего через пять лет после крушения социализма конкурировать с западным капиталом отечественные бизнесмены не могли.

Но даже и тех денег (относительно небольших), которые были заплачены за приватизированные предприятия, в России тоже не было. Откуда же деньги взялись? Это были кредиты, которые смогли занять российские предприниматели на западном финансовом рынке. То есть опять-таки западные деньги.

Возникает вопрос: почему же наши предприниматели не могли в кредит взять больше денег, тогда ведь и государство смогло бы продать свои предприятия дороже? А причина простая: больше никто не давал. Именно столько, сколько смогли заплатить российские бизнесмены, столько и стоило на тот момент данное предприятие. Ни больше и ни меньше.

Обращаю внимание, что основной этап приватизации практически закончился к 96-му году. Только единицы предприятий были приватизированы после 96-го. В том числе и знаменитый «Связьинвест».

Запад боялся вкладывать большие деньги в Россию, боялся одалживать большие деньги российским бизнесменам. Наши же предприниматели — рисковали. Рисковали крупно. Понятно, что, если бы выборы 96-го года выиграли коммунисты, первое, что они сделали бы, — национализировали всю собственность. Поэтому, заплатив сотни миллионов долларов, отечественные бизнесмены были кровно, в буквальном смысле, заинтересованы в стабильности власти, ее преемственности.

Вот она — эта точка отсчета. Вот ответ на вопрос: почему власть и бизнес оказались рядом?

В марте 96-го года бизнесмены сами предложили оказать помощь моему предвыборному штабу. Никто их об этом не просил, обязательств перед ними никаких не было. Они пришли не Ельцина защищать, а себя, свой бизнес, свои потраченные сотни миллионов долларов, которые им надо вскоре возвращать.

...Теперь о стоимости предприятий. Капитализация купленных у государства приватизированных предприятий, как я уже говорил, была на порядок меньше, чем если бы это предприятие находилось в другой, более стабильной стране. Значит, в чем был заинтересован наш бизнесмен в первую очередь? В политической стабильности. Чем стабильнее общество, тем выше стоимость, капитализация предприятия, тем богаче предприниматель. Если общество нестабильно или впереди выборы с непредсказуемым исходом — предприятие может вообще ничего не стоить. Что и случилось перед выборами 96-го года. Поэтому бизнесмены готовы были вкладывать любые деньги в политическую стабильность, в политику. Отсюда их сверхактивное участие в политических процессах России.

После выборов весь российский рынок — капитализация всех наших предприятий — увеличился в несколько раз. Так мировой рынок отреагировал на политическую стабильность в России. Стоимость всех крупных компаний, купленных за сотни миллионов, сразу перевалила за миллиард.

Так что те, кто пытается представить российских олигархов как примитивных отмывателей денег или тех, кто дает взятки, наживаясь на приватизации, мыслят очень плоско. Или, пользуясь терминологией сыщиков, идут по ложному следу.

Тем не менее настало время, когда привычка олигархов влиять на политику, на власть, на общество стала небезобидной для страны. Необходимо было ввести этот процесс в какие-то четкие рамки. Аукцион по «Связьинвесту» был одной из первых таких попыток.

Я не сразу осознал масштабы этого явления и всю его опасность. Да, в политику вступили большие деньги. Именно эти «политические» деньги представляют сейчас серьезную угрозу для развития России. Уже не коммунисты, не гражданская война или смута, не местный сепаратизм, не наши доморощенные наполеоны в генеральских погонах — а большие деньги, которые пожирают друг друга и заодно сносят всю политическую конструкцию, выстроенную с таким трудом.

Финансовая элита пыталась управлять государственными делами по-разному: одни банки брали в оборот московских чиновников, мэрию, другие работали с губернаторами, третьи — как Березовский или Гусинский — бросали все ресурсы на создание мощных телекомпаний, печатных холдингов, то есть, по сути, пытались монополизировать СМИ. Помню, какая битва разгорелась за обладание старейшей газетой России — «Известиями». Представители двух конкурирующих компаний буквально гонялись за сотрудниками редакции, чтобы первыми скупить акции. Некоторые журналисты начали работать на новых собственников сначала неохотно, а потом уже с упорством и страстью, достойными лучшего применения.

Новые, неожиданно возникшие в тихих банковских офисах нелегитимные центры власти, центры влияния на политику, грозили сильно изменить всю конфигурацию гражданского общества. Страна еще никогда не сталкивалась с подобной ситуацией. Демократические ценности нельзя продавать и покупать, но из-за привычки влиять на политику всеми способами многие посчитали, что именно так можно и нужно делать.

Все это было довольно горько осознавать...

Еще до аукциона по «Связьинвесту» Валентин Юмашев по моей просьбе встретился с Потаниным и Гусинским. Владимир Потанин после ухода из правительства считал себя свободным от моральных обязательств перед коллегами и сражался за новый бизнес всеми возможными способами.

Юмашев предложил им решить проблему мирно, без информационной войны и без подкладывания бомб под правительство: «В конце концов, вы можете договориться между собой. Вложить деньги в «Связьинвест» пятьдесят на пятьдесят. Драка, которую вы ведете, убийственна для вас, а главное, для всех остальных».

Однако его предложение, как говорится, не нашло понимания.

На аукционе 25 июля 1997 года были вскрыты два конверта. Оба инвестора привлекли иностранных партнеров.

С одной стороны были испанцы, с другой — известный предприниматель Джордж Сорос.

В конверте Гусинского была означена сумма меньшая, чем в конверте Потанина. И эта разница стоила нам двух жесточайших правительственных кризисов и, возможно, одного финансового.

Жестокая борьба без правил внутри деловой элиты расшатывала не только экономику, она цепляла и политику, нарушала устойчивость всей системы.

Один из моих помощников тогда сказал: «Не удивлюсь, если через год у нас будет во главе администрации какой-нибудь генерал, а правительство возглавит коммунист». Этот прогноз показался мне чересчур мрачным. Кто бы мог предположить, что через год во главе администрации действительно окажется генерал Николай Бордюжа, а премьер-министром будет явно тяготеющий к коммунистам Евгений Примаков!

Позднее я узнал, что Гусинский и Березовский пытались доказать Чубайсу, что банк Потанина, пользующийся, по сути дела, государственными деньгами, деньгами таможни, так же как в случае с «Норильским никелем», поставлен правительством в заведомо более выигрышные условия. Но им в ответ звучало: а «Сибнефть» Березовского? А НТВ Гусинского — кто ему выделил престижный метровый диапазон, кто дал льготы на сигнал, разве не государство? Спор был бесконечным.

Я жестко выступил против пересмотра итогов аукциона, хотя эту идею поддерживали многие. На Чубайса были нацелены не только журналистские перья и речи воинственных депутатов. За пересмотр аукционов по «Связьинвесту» и «Норильскому никелю» выступил министр внутренних дел Куликов, и даже Черномырдин выразил ряд серьезных сомнений. Словом, в борьбу удалось вовлечь самые разные политические силы, все пытались использовать эту ситуацию в своих интересах.

Я счел своим долгом публично заявить о поддержке правительства. «Споры закончены», — сказал я журналистам по поводу итогов аукциона. И настоял на том, что экономический блок правительства имеет в этом вопросе приоритет перед всеми остальными. «Связьинвест» остался у Потанина.

Однако чувство тревоги не покидало. Яростный тон прессы, взаимные нападки, почти оскорбления не оставляли иллюзий — после окончания аукциона война между правительством и финансовой элитой страны не только не закончилась, но вступила в новую фазу. Необходимо открытое вмешательство президента, мое прямое давление на обе конфликтующие стороны. И я решил встретиться с банкирами.

15 сентября этот «круглый стол» в Кремле состоялся. Присутствовали на нем Фридман (Альфа-банк), Смоленский («СБС-Агро»), Гусинский («Мост-банк»), Ходорковский («МЕНАТЕП»), Виноградов («Инкомбанк»), Потанин (ОНЭКСИМбанк).

Мне казалось, что момент для встречи благоприятный. Обстановка кремлевских залов действует на человека безотказно. Он чувствует, что пришел в гости к государству, а не к доброму дедушке. Банкиры напряженно слушали, некоторые записывали. Мысль у меня была простая: если вы думаете и дальше стричь купоны с казны, ничего не получится. Если мы хотим выжить, роль государства надо укреплять. Во всех сферах. Отделять бизнес от государства. Не бояться финансового контроля со стороны правительства.

Банкиры были как будто полностью согласны. Они говорили в один голос, что этот конфликт всем осточертел. Что они готовы играть по новым правилам. Но эти правила должны быть «длинными», они не могут меняться каждый месяц, каждый квартал. «Давайте действовать согласованно, давайте прекращать давление на правительство». — «Да, конечно, Борис Николаевич». После встречи все расходились вроде бы очень довольные друг другом.

Однако я чувствовал, что на самом деле они не стали моими союзниками. Я уперся в стену.

Интересно, что Потанин был как под стеклянным колпаком — меня не покидало неуловимое чувство, что он отдельно от всех остальных. После встречи в зале стояла какая-то непривычная тишина. Я много раз проводил подобные совещания. Сотни раз. И всегда добивался хоть какого-то нужного результата. Самые разные люди вынуждены были уступить, в чем-то пойти на компромисс. Я им не давал иного выхода. А тут — за обещаниями, за улыбками — вот эта тишина. Похоже, ни одна из сторон не считает себя виноватой. Нет поля для компромисса. Нет конкретных уступок ни с той ни с другой стороны.

Чубайс и Немцов решили действовать на опережение.

4 ноября они приехали ко мне в Горки.

Начал Чубайс: «Борис Николаевич, готовится мощный накат на правительство. Это будет большой политический кризис». — «Я знаю». — «По этому поводу мы к вам и пришли. Все нити кризиса в руках Березовского и Гусинского. Информационную войну надо кончать. Если вы уберете Березовского из Совета безопасности, он моментально потеряет свой вес, его мнение никого не будет интересовать, конфликт закончится».

Я смотрел на них и вспоминал, как всего год назад Анатолий Борисович приходил ко мне и убеждал в том, что Березовского надо назначить заместителем секретаря Совета безопасности. Он говорил, как важно таких умных, пусть даже и сложных, неординарных людей, как Березовский, приглашать работать во власть. Я тогда с ним согласился.

И что произошло за год? Березовский поглупел? Или во власти уже не нужны умные люди? Вопросы бессмысленные. Не стал я напоминать Чубайсу тот наш разговор. Я понимал, что он сам его хорошо помнит.

А вице-премьеры продолжали убеждать меня, что Березовского необходимо увольнять из Совбеза. Человек, который путает бизнес с политикой, не может занимать эту должность. Приводили примеры, говорили, что Березовский подрывает авторитет власти в стране. Это недопустимо.

На эту встречу я вызвал и Юмашева. Он тоже внимательно слушал, не спорил. Потом упрямо сказал, что сейчас против отставки, поскольку это не успокоит, а еще больше обострит конфликт.

Я помедлил.

«Ваша позиция ясна, Валентин Борисович. Спасибо. Готовьте указ».

Почему тогда, в ноябре, я уволил Березовского? Объяснить свои мотивы будет, наверное, сложнее, чем кажется на первый взгляд.

...Я никогда не любил и не люблю Бориса Абрамовича. Не любил за самоуверенный тон, за скандальную репутацию, за то, что ему приписывают особое влияние на Кремль, которого никогда не было. Не любил, но всегда стремился держать его где-то рядом, чтобы... не потерять. Парадокс? Наверное, да. Но для того, кто профессионально занимается политикой или управлением, — нет. Мы, представители этой профессии, порой вынуждены использовать людей, к которым не испытываем особо теплых чувств. Вынуждены использовать их талант, профессиональные и деловые качества. Так было и с Борисом Абрамовичем.

Да, Березовский — несомненный союзник. Причем давний, проверенный союзник президента и демократических реформ вообще. Но союзник тяжелый...

Как он сам сказал в телеинтервью: «Я видел Ельцина всего несколько раз в жизни». И это правда, несколько беглых встреч, несколько коротких разговоров, всегда официальных. При этом Березовский в глазах людей — моя вечная тень. За любым действием Кремля всегда видят «руку Березовского». Что бы я ни сделал, кого бы ни назначил или ни снял, всегда говорят одно и то же: Березовский! Кто создает этот таинственный ореол, эту репутацию «серого кардинала»? Он же сам и создает...

Да, я знаю, что в своем клубе в офисе «ЛогоВАЗа» Березовский собирает влиятельных людей, руководителей средств массовой информации, политиков, банкиров. Разговор всегда интересный, мыслит Борис Абрамович неожиданно, хлестко — дай Бог каждому. В этих кулуарах рождаются смелые идеи, как бы каждый раз заново расставляются фигуры на политической доске. Наверное, это создает определенный имидж, прибавляет авторитет и вес его словам. Но ведь на этом все и заканчивается! Нет механизмов, посредством которых Березовский мог бы оказывать влияние на президента.

Но стоит ситуации обостриться, как Борис Абрамович уже на телеэкране: «я лично резко против... я считаю... я уверен...» Каждый раз эфирного времени ему дают немало. И народ думает: так вот кто у нас управляет страной!

Словом, Чубайс и Немцов дали мне повод избавиться от надоевшей порядком «тени» — Березовского.

И вместе с тем было такое чувство, что Чубайс кладет голову под топор. Интуиция не обманула — до новой атаки на правительство младореформаторов оставались считанные дни.

Реакция Березовского и Гусинского не заставила себя долго ждать. Их сильные информационные команды на ОРТ и НТВ сделали все, чтобы в глазах общества Анатолий Борисович оказался с ярлыком плута и проходимца. Лишь немногие в стране знали, что в реальности Чубайс пострадал только за свои принципы, которые отстаивал с энергией и убежденностью, достойными «самого либерального большевика».

События развивались быстро. Информация о не написанной еще книге «Приватизация в России» легла на стол министру внутренних дел Анатолию Куликову. Копия договора на книгу спокойно лежала в издательском доме «Сегодня». Ее авторы — Чубайс, Бойко, Мостовой и Казаков (первый заместитель главы администрации) — должны были получить в качестве гонорара по 90 тысяч долларов. Пресса кричала: взятка, подкуп! Казакова я потребовал уволить сразу. Потом пришла очередь всех остальных.

Анатолий Борисович написал мне письмо, суть которого была в том, что книга вполне реальная (и она действительно через некоторое время появилась в книжных магазинах), договор составлен по закону. Но он все же считает себя виноватым: не подумал о реакции общества на высокий гонорар. Принял на себя моральную ответственность за случившееся. Письменная форма, выбранная им для общения, не была случайной. Наши встречи с Чубайсом стали происходить значительно реже.

«Книжный скандал» был тяжелейшим ударом. И для меня, и для правительства.

По сути дела, разом ушла вся чубайсовская команда — и из Администрации Президента, и из Белого дома. Чубайс лишился поста министра финансов. Но остался вице-премьером. Немцов был уволен с поста министра топлива и энергетики, тоже сохранив за собой пост вице-премьера.

...В этот момент произошло незаметное на общем фоне событие: Сергей Кириенко, недавно приехавший из Нижнего Новгорода, был назначен министром топлива и энергетики вместо Бориса Немцова.

А мне настала пора задуматься о политическом явлении, которое называлось «Анатолий Чубайс».

...Он фантастически, за считанные дни, недели, месяцы, умел наживать себе непримиримых врагов. Невозможно было это объяснить рационально — ни чертами характера, ни его участием в приватизации, которая была для всего постсоветского общества буквально как красная тряпка. Дальнейшая его карьера показала, что, каким бы мирным делом Чубайс ни занимался (электричеством, например), он везде сумеет ввязаться в драку. Но вот парадокс: именно за это Чубайса и уважали. Ненавидели, боялись — и все-таки уважали. Его «полоскали» со всех флангов — он был самой желанной мишенью и для коммунистов, и для либеральных журналистов, и для какой-то части интеллигенции, и для некоторых бизнесменов. Но в этом напоре, в этой его одержимости своими идеями была для меня и... притягательность. Я никогда не мог забыть, какая абсолютная и отчасти зловещая тишина воцарялась в зале заседаний во время выступлений Чубайса. По себе знаю: политик не может быть удобен для всех, не может быть благостно принят всеми. Если это политик настоящий, крупный — он всегда вызывает чью-то отчаянную ярость. Чубайс легко совмещал в себе и взрослый напор, и юношескую энергию. Я смотрел на него, и мне казалось, что он не просто одиозный «рыжий», набивший всем и вся оскомину либеральный экономист. Он — представитель того поколения, которое придет после меня. Придет обязательно.

Всю осень и зиму 1997/98 года Виктор Степанович при встречах говорил мне: «Что-то случилось с Чубайсом, Борис Николаевич. Это какой-то другой человек. Нетерпимый, ничего не желает слушать. Работать стало очень сложно. Это он у вас в Кремле стал таким. У меня в правительстве он таким не был».

Я еще и еще раз пытался проанализировать эти слова, понять, что происходит с правительством. Мысли были совсем невеселые.

Связка Черномырдин—Чубайс, на которую я так рассчитывал, трещала по всем швам. Это проявилось во время «книжного скандала» особенно ярко. Премьер-министр отстранился от конфликта.

...Последней опорой Чубайса был, в сущности, я. Больше никаких резервов у Анатолия Борисовича не оставалось.

Изоляция молодых реформаторов от политической и деловой элиты, пожалуй что и от общества в целом, становилась все больше и больше.

«Книжное дело» было той самой арбузной коркой, на которой поскользнулась команда молодых реформаторов. Это было обидно и нелепо.

Чем больше было на меня давление общественного мнения, прессы, банкиров, тем яснее я понимал: Чубайса не отдам! Просто потому, что не имею права поддаваться грубому шантажу, наглому давлению. Обязан сопротивляться просто для сохранения в обществе стабильности.

Да, Чубайса (я уже принял это решение) необходимо будет убрать из правительства. Но когда это сделать и как, это будет МОЕ решение. А не чье-то.

Но несмотря на это, положение было печальное, политический ресурс Чубайса в значительной степени оказался исчерпан. Я понимал, что восстановить свой авторитет он сможет очень не скоро. Тем не менее зализывать раны не было времени.

«Экономическая атака» должна была продолжаться без пауз и остановок.

КИРИЕНКО

Весной 98-го года я принял окончательное решение: во главе правительства должен стоять другой человек. С Виктором Степановичем надо расставаться.

Главная сила Черномырдина — его уникальная способность к компромиссам. Может помирить всех со всеми, ни одна конфликтная ситуация для него не страшна. Но вот в чем дело: главный компромисс, на котором Черномырдин и «просидел» все эти годы — компромисс между рыночными отношениями и советским директорским корпусом, — сейчас уже невозможен. Он себя исчерпал, этот компромисс. Нужно двигаться дальше.

Ну и еще одно, уже из области чистой политики. Черномырдин не сможет удержать страну после моего ухода в 2000 году. Для этого нужен человек более сильный и молодой.

Вот это соображение — главное.

В последние месяцы 97-го особенно обострились отношения Чубайса с министром внутренних дел Анатолием Куликовым. Он был активным противником приватизации, да и всей либеральной экономики. Не раз выступал на заседаниях правительства не просто с критикой экономических реформ, но и с открытыми обвинениями: мол, политика молодых реформаторов способствует злоупотреблениям, разваливает страну, плодит нищих и преступников и так далее. Анатолий Борисович отвечал ему так же резко.

И в какой-то момент я понял, что с этим все более и более разраставшимся конфликтом надо кончать. Силовой министр, взявший старт в своей карьере во время чеченских событий, совсем не устраивал меня в роли главного спасителя экономики. С такими методами и с такой экономической идеологией можно было далеко зайти. С другой стороны, постепенно выдыхался и Чубайс. Лишенный министерства финансов, он оставался идеологом реформ, но уже не мог быть их мотором. А мне был необходим именно мотор. Так созрела идея: отправляя в отставку правительство Черномырдина, вместе с ним отправить в отставку и обоих вице-премьеров — и Чубайса, и Куликова. Уравновесить две крайности, убрать из раствора оба химических элемента, которые грозили взорвать всю лабораторию.

В своей политической жизни мне не раз приходилось применять подобные тактические жертвы и рокировки. Смена кадров при Ельцине стала для газетчиков притчей во языцех. Но позволю себе напомнить маленькую деталь: ни одному советскому руководителю не приходилось работать в условиях жесткой парламентской обструкции, в условиях абсолютной, двухсотпроцентной открытости в прессе и в условиях волнообразного политического кризиса. Да, чтобы сохранить статус-кво, мне приходилось то и дело вводить новые фигуры, кого-то менять, кем-то жертвовать.

Однако любая жертва, любая отставка, любая смена политической конфигурации не может быть случайной или только тактической. В каждом моем ходе я обязан иметь в виду общую стратегию, главную задачу.

В связи с отставкой Черномырдина я размышлял о том, кто же доведет до конца экономические реформы, начатые еще Гайдаром. Кто наконец добьется прорыва в сфере инвестиций, в бюджетной сфере, налоговой, земельной? Кто станет мотором молодой команды в правительстве?

Кстати, я до сих пор не разочаровался в Гайдаре, до сих пор уверен в точности своего тогдашнего выбора, выбора 91-го года. И отпуск потребительских цен, и весь проект либерализации, названный «шоковой терапией», считаю правильным. Да, Россия переживала шок с большим трудом. И в этой новой жизни далеко не все нашли себя и многие до сих пор ищут. Но для меня в первую очередь было важно, что мы разом отказались от пут коммунистической экономики.

Разумеется, реформы были далеко не идеальны, часто шли в неверном темпе, и конечно, не было в то время нормальной властной вертикали для реализации сложнейших экономических преобразований. Директорский корпус затаился и «ушел в партизаны». И тем не менее Гайдар сделал самое главное — научил всех, от министра до грузчика, мыслить по-рыночному, считать деньги. И я уверен, что дай мы его команде поработать еще год — и экономика рванула бы вперед, начались бы нормальные процессы в промышленности, пошли бы те самые западные инвестиции, о которых так мечтало любое наше правительство.

...Сегодня, когда во взрослую жизнь идет поколение, которое попросту не помнит бытовых подробностей конца 80-х годов, ругать экономические реформы Гайдара стало легко. Я был кандидатом в члены Политбюро, руководителем огромной Москвы и прекрасно помню и знаю, в каком отчаянном положении находилась страна в недавнем прошлом, о котором так любят рассуждать коммунисты.

Да, все предприятия работали, но что толку?

В магазинах, даже московских, было хоть шаром покати. Сахар, табак и другие необходимые продукты покупали по талонам. Страна быстро-быстро проедала гуманитарную помощь, которую нам предоставили страны Запада, напомню, на сотни миллионов долларов! Скрытая инфляция была гораздо мощнее нынешней — открытой.

Мы в Политбюро всерьез обсуждали вопрос о возможности вскрыть военные склады и пустить на рынок «стратегический военный запас» — крупы, мясные консервы и так далее. И вряд ли можно забыть еще одну картину того времени — очереди, очереди, очереди... За всем.

Переход к свободной торговле и отпуску цен разом наполнил товарный рынок. Но эта экономическая программа требовала консолидированных усилий всего общества, всех слоев населения, всех политических движений! Именно так произошло в восточноевропейских странах. Именно так произошло в огромном Китае, потому что там реформы проводили по решению компартии и никто, ни один человек, не мог ее ослушаться.

...В нашем случае все было иначе. Никакой гайдаровский закон не мог пройти через Верховный Совет, ни одна болезненная для населения реформа не обходилась без жесточайшей политической обструкции. Вместо общих усилий и терпения мы встретили глухое недовольство, а потом и очень жесткое сопротивление. Вот такова была цена политической свободы, которая вовсе не означала автоматически свободную в полном смысле экономику. Напротив, экономическая свобода и политическая очень часто приходили в противоречие друг с другом.

Разогнать Верховный Совет, который тогда остро мешал реформам, в 91-м или 92-м году, сразу после серьезнейших политических потрясений, распада Союза, было невозможно. Правительство реформаторов не могло работать вместе с коммунистическим парламентом. И я вынужден был проститься с правительством Гайдара.

Гайдар передал реформы в руки Черномырдину.

Началась совсем другая эпоха — медленного, осторожного, достаточно противоречивого реформирования экономики. Тем не менее итоги этой эпохи нельзя однозначно определять как топтание на месте. Заработали банковская и кредитная системы, началась приватизация, появился рынок товаров и услуг, появился класс первых российских бизнесменов.

Для нашей страны, где десятилетиями люди боялись ослушаться вышестоящую инстанцию, где забыли об инициативе и конкуренции, это была настоящая революция не только в экономике, политике, но и в сознании.

Пять лет премьерства Черномырдина — огромный исторический срок. Это были очень насыщенные годы. Только одних денежных реформ за эти годы прошло у нас несколько. Случались крупные политические кризисы. Были большие проекты, большие надежды.

Были и большие поражения... Не удалось преодолеть монополизм в экономике, спад производства, не удалось преодолеть гнилую систему взаимозачетов, способствующую коррупции и воровству. Не удалось инвестировать крупные средства в промышленность. А главное — не удалось по-настоящему улучшить жизнь людей.

В субботу, 21 марта 98-го, Виктор Степанович приехал ко мне в Горки. Разговор был обычный и невеселый: долги по зарплате, тяжелая ситуация с выполнением бюджета. Сделав паузу, я вдохнул побольше воздуха и сказал: «Виктор Степанович, я недоволен вашей работой». — «В каком смысле, Борис Николаевич?»

Черномырдин посмотрел на меня обреченным взглядом старого, все понимающего, опытного аппаратчика: «Я подумаю, Борис Николаевич». Высокая и тяжелая дверь за ним медленно затворилась.

Справедлив ли я к тому, кто уходит? Каждый раз этот вопрос — наиболее для меня мучительный. Каждый раз, при любой отставке. Объявлять об этом, пожалуй, самая неприятная часть моей работы. Тот, с кем ты расстаешься, вроде бы умом понимает, что ничего тут личного нет, что мне так же тяжело, как и ему, если даже не больше, что смотреть в глаза и произносить: вы должны уйти — это тяжелейший стресс. Умом понимает, но обида... она сильнее. Ведь я каждый раз остаюсь. А кто-то — уходит.

Отправлять в отставку умных, преданных, честных людей — тяжелейший крест президента.

Но есть и другая сторона медали. Еще несколько лет назад политическая сцена новой России была пустой и голой. Давая шанс политику занять премьерское или вице-премьерское кресло, я сразу делаю его имя известным, его поступки значимыми и его фигуру — в чем-то знаковой. Забегая вперед, могу с уверенностью сказать: Гайдар, Черномырдин, Кириенко, Примаков, Степашин, Чубайс и другие вышли на политическую сцену благодаря именно тем неожиданным, порой раздражающим кадровым решениям, которые в свое время вызывали такой резонанс, столько критики и споров.

Иногда я думаю даже так: а ведь другого способа ввести в политику новых людей у меня просто и не было!

Однако с Черномырдиным — особый, возможно, самый трудный для меня случай. Виктор Степанович много раз спасал, выручал меня. Но предаваться жалости сейчас... не имею морального права. Передать власть я обязан в другие руки. В чьи? Пока еще не знаю. Думаю.

Как бы это точнее сформулировать... Черномырдин очень сильный человек, главная сила которого — в умении приспосабливаться к реалиям жизни. На переходном этапе реформ, полном сложных и противоречивых обстоятельств, качество действительно очень важное.

Для тяжелых условий России умение приспосабливаться, может быть, исторически вообще черта самая ценная. Корневая. Но... мы-то живем уже в другое время. И у следующего президента, как мне казалось, должно появиться иное мышление, иной взгляд на мир.

...Между тем Черномырдин, как раз незадолго до нашего разговора, поверил в свою дальнейшую политическую перспективу.

Позиции молодых реформаторов окончательно подорваны. Избавляться в этот момент от надежного премьера, который не раз выручал меня в кризисных ситуациях, — полное безумие. Но так складывается, что именно в этот момент я должен с ним расстаться!

Много писали о моей якобы усилившейся «ревности» к Черномырдину. Вроде бы его слишком тепло приняли в США, как будущего президента, и я «взревновал».

...Никогда не испытывал ревности к сильным людям, которые работали рядом. Напротив, всегда искал их — агрессивных, ярких, решительных — и находил.

На самом деле все было с точностью до наоборот. Если бы я действительно верил в то, что Черномырдин сможет стать будущим президентом, провести болезненные и непопулярные реформы в социальной сфере, добиться экономического прорыва, я бы обязательно отдал в его руки часть президентских полномочий, изо всех сил помогал ему готовиться к выборам.

Но я видел, что Черномырдин выборы не выиграет. Сказываются политический опыт вечных компромиссов, шаблоны осторожного управления, усталость людей от привычных лиц в политике.

...К отставке Черномырдина я готовился исподволь, тщательно. Искал кандидатуру нового премьера. Под разными предлогами (как правило, обсуждение какой-то конкретной проблемы) в течение трех месяцев встречался с теми сильными фигурами, которые могли бы придать новый импульс реформам — просто по своей человеческой энергии, менталитету.

За рамки этого процесса я заранее вывел знакомые лица известных политиков: Явлинского, Лужкова. Мне не хотелось, чтобы на место Черномырдина приходил человек с грузом долгов и обязательств перед своей партией или перед «своей» частью политической элиты. Я хотел найти премьера, свободного от групповщины, от прежней своей политической логики.

Значит, премьер будет, как сейчас говорят, «техническим», или, точнее, технократическим. Чистый управленец, экономист. Кто же у меня на примете?

...В правительстве есть два очень сильных хозяйственника.

Николай Аксененко, министр путей сообщения. Первый из госмонополистов, кто провел крутое реформирование своей отрасли, сумел сделать мощный рывок к рыночным отношениям. Очень существенно, что он в наиболее болезненной социальной сфере сделал самые важные и точные шаги — снял с баланса все бывшие железнодорожные больницы, поликлиники, санатории. Это сразу сбросило огромные гири долгов с железнодорожных компаний. Людям вовремя начали платить реальную зарплату. И второе — отказался от взаимозачетов, по крайней мере твердо шел к тому, чтобы его компании работали с живыми деньгами, нормально развивались и не давали тем самым никому под видом списания долгов класть в карман заработанные средства.

Владимир Булгак. Его работа — связь. В этой отрасли есть компании по-настоящему высокотехнологичные, мощные, шагнувшие на мировой рынок. Эта отрасль наиболее успешная с точки зрения экономики. Может быть, он?

Но вот какое сомнение по поводу этих фигур. Не станут ли «крепкие хозяйственники», работая на месте председателя правительства, лоббировать лишь свою отрасль и зажимать остальные? У Виктора Степановича был такой грех: он почти открыто симпатизировал «Газпрому», который создавал практически своими руками.

Яркий круг настольной лампы. В кабинете темно. Уже довольно поздно. Все спят. А я никак не могу принять окончательное решение. Беру ручку и вычеркиваю две фамилии — Аксененко и Булгака.

Кто же из претендентов остался?

Сергей Дубинин, председатель Центробанка. Во время нашего «прикидочного» разговора в Кремле я, наверное, впервые за долгое время обсуждал с ним так подробно не только банковскую деятельность, но и более широкий круг вопросов: проблемы экономики, политическую ситуацию в стране. Дубинин — глубокий специалист, интересный, своеобразный человек. Но Центробанк — такой финансовый инструмент, где от конкретного руководителя зависит слишком многое. Не хочу создавать новые проблемы в этой болезненной сфере. Кроме того, сложилось впечатление, что у Дубинина во время кризисных ситуаций проявляется излишняя вспыльчивость, нет устойчивости в характере.

Андрей Николаев, бывший начальник Федеральной пограничной службы. Из породы генералов-интеллигентов. Но есть тот же грех и у Николаева — излишняя вспыльчивость в характере. Написал прошение об отставке, надеясь, что я его не подпишу. Хотел таким образом разрешить свой конфликт с другими силовиками. Но я подписал прошение Николаева — не люблю, когда на меня вот так давят.

Нет. Тоже нет.

Остаются еще двое.

Борис Федоров. У него вроде есть все: опыт, знания, твердость, решительность. С другой стороны, все экономисты гайдаровского призыва (а Федоров еще при Гайдаре успел поработать) слишком политизированы и амбициозны. Один из них, Чубайс, только что ушел из правительства. Нет, в этом решении не будет логики. Не будет и новизны. Опять перебор старых фигур, не хочу.

Остается Сергей Кириенко. Я шел к его кандидатуре методом исключения. Но теперь ясно вижу: не зря он с самого начала казался мне наиболее перспективным. Это будет неожиданное назначение.

Сергей приехал из Нижнего Новгорода вместе с Борисом Немцовым. Они друзья. Несколько месяцев проработал первым заместителем министра топливно-энергетического комплекса. Лишь недавно назначен министром. Тридцать пять лет. В разговоре с Сергеем меня поразил стиль его мышления — ровный, жесткий, абсолютно последовательный. Очень цепкий и работоспособный ум. Внимательные глаза за круглыми стеклами очков. Предельная корректность, отсутствие эмоций. Выдержанность во всем.

Есть в нем что-то от отличника-аспиранта. Но это не Гайдар, кабинетный ученый и революционный демократ. Это другое поколение, другая косточка — менеджер, директор, молодой управляющий.

Главные плюсы — абсолютно свободен от влияния любых политических или финансовых групп. В силу своей молодости не будет бояться никаких столкновений, никаких неприятных последствий. Настоящий технократический премьер! То, что нужно сейчас стране...

Риск? Да. Но риск оправданный. Если мы не продолжим трудные, болезненные реформы в налоговой, земельной, социальной сферах, если не примем грамотные законы, страна будет топтаться на месте. В стране так и будет невнятная, противоречивая экономика.

Я больше не имею права ждать. Итак, Кириенко.

Все мои нынешние оппоненты — начиная от коммунистов и кончая олигархами — не ожидают подобного хода.

Я даю еще один шанс «второму эшелону» молодой команды, при этом укрепляя и обновляя ее. Вместе с Кириенко наверняка придут новые люди.

Некий ресурс доверия еще есть в настроениях людей, прессы, общественности, и Кириенко может вызвать надежды, положительные эмоции. Это сейчас очень важно.

Последний аргумент, пожалуй, оказался решающим. Сейчас всем нужна некая новая фигура. Не лоббирующая интересы одних в противовес другим. Не пришедшая из какого-то лагеря. Не примелькавшаяся в московских эшелонах власти. Чистая фигура.

Кириенко — именно такой.

Вечером 21 марта, в ту же субботу, когда мы встречались с Виктором Степановичем, я попросил приехать Валентина Юмашева и Сергея Ястржембского. Объявил им, что решил сегодня отправить Черномырдина в отставку. Вместе с ним отправляю в отставку Чубайса и Куликова. Попросил Сергея Ястржембского, моего пресс-секретаря, подготовить всю публичную сторону этих отставок, а Юмашева — указы. Сергей сидел с округлившимися глазами, растерянный. Заметно волновался и Валентин. Для моей молодой администрации это был первый серьезный правительственный кризис.

Оба, и Юмашев, и Ястржембский, попросили меня перенести отставку с субботы на понедельник. Объяснения были довольно простые: выходные, страна отдыхает, многие на даче. В субботу или воскресенье создавать в стране кризисную атмосферу, а отставка Черномырдина — это серьезный политический кризис, вряд ли целесообразно.

Не люблю медлить с реализацией принятого решения. И вот почему. Политика — очень тонкая вещь. И механизм принятия решений требует от политика особой, почти хирургической, точности. Принятое решение не терпит пауз. Любая утечка информации — и решение перестает быть сильным и неожиданным ходом, превращается во что-то прямо противоположное. Начинает работать мощный фактор давления извне, быстро меняются и обстоятельства.

Все-таки Валентин и Сергей убедили меня — отставка в глазах общества должна выглядеть спокойным, рабочим моментом, а не чем-то пугающим. Надо подождать до начала рабочей недели.

«Борис Николаевич, на кого будем готовить второй указ?» — осторожно спросил в конце беседы Юмашев. («Кто заменит Черномырдина?» — означал этот вопрос.)

Повисла небольшая пауза. Двое знающих стратегически важную информацию — это уже много. Трое — чересчур много.

«Я вам отвечу в воскресенье, — сказал я. — Встретимся еще раз завтра, во второй половине дня».

Вечером в воскресенье я вызвал Юмашева: «Готовьте указ на Сергея Кириенко».

Ночью проснулся. Пошел в кабинет — думать.

Господи, Черномырдин со мной с 92-го года! Помню, как трудно и тяжело мы вместе добивались политической и экономической стабильности в жизни страны. Черномырдин всегда стремился «разгрузить» меня, взять на свои плечи побольше ответственности...

Ночью все сомнения острее. Вся окончательность принятого решения отчетливее. Преданный, надежный, прошедший огонь, воду и медные трубы премьер сможет выстоять в самой критической ситуации. Может быть, я сделал ошибку?

...Опасность политического одиночества — вот откуда «синдром отставки» в жизни любого политика, тем более президента. Любой верный союзник в политике — на вес золота. И отправлять его в отставку действительно опасно. Да, Черномырдин — верный. Но вся логика жизни заставляет с ним расстаться.

Кстати, вот еще один вопрос: до конца ли, насколько точно я рассчитал политический риск?

Ведь в этот момент я расставался с двумя наиболее сильными и верными своими союзниками — Черномырдиным и Чубайсом. И оказывался, таким образом, почти в полной политической изоляции. Об этой изоляции, об одиночестве Ельцина потом будет немало сказано и написано.

...У меня с риском свои, особые отношения. Это не значит, что я ничего не боюсь или реагирую на опасность не так, как другие люди. Отнюдь нет. Точно так же — холодом в груди, некоторым шоковым отупением, сердцебиением (что в тот момент мне было очень некстати).

Но в каждом новом пришествии опасности есть один момент, который можно и нужно четко уловить: самоосознание. Мысль сама начинает работать, как бы на автомате, сама ищет выход. И находит, порой совершенно неожиданно!

Риск, в том числе и политический, идет рука об руку с расчетом. Наиболее точный расчет рождается порой в самой экстремальной ситуации. Так было и здесь.

...Каждая ночная секунда все тяжелей и тяжелей. Как же заставить себя спать? Ведь все уже сделано. Все решено...

Понедельник, 23 марта. Кремль. Вращается маятник настольных часов, равнодушно блестят полированные поверхности. А у меня внутри — огромное напряжение.

Назначили встречу с Кириенко на 7 утра. До встречи с Черномырдиным. Государственный человек должен уметь вставать рано.

«Если поручите, Борис Николаевич, я готов», — почти сразу сказал он. Потом уже пошел куда-то приходить в себя, осмысливать, но мое первое ощущение от его слов было хорошим — боец!

8 утра. Встреча с Черномырдиным.

Расставание было очень тяжелым. Узнав об отставке, Виктор Степанович совсем расстроился. Ну что я мог ему сказать? Как объяснить то главное, что не давало мне покоя все эти месяцы, — нам нужно другое поколение, Виктор Степанович! Другое поколение!

Я не стал все это обсуждать. Сказал, что двухтысячный год не за горами, что поручаю ему сосредоточиться на будущих выборах. Надо уже сейчас начинать работать. Черномырдин растерялся еще больше. Видно было, что морально не готов к отставке. Лицо отражало смесь гнева и подавленности.

Верный, порядочный, честный, умный Виктор Степанович.

Но — не президент 2000 года.

Каким-то шестым чувством догадывался: не последняя отставка. Нет, далеко не последняя. Но почему-то даже это не портило настроения. Было четкое ощущение, что сделал тяжелую работу. Сделал что-то важное.

Впервые во главе страны — молодой тридцатипятилетний человек. Впервые — дан полноценный, мощный шанс совсем другому поколению политиков. Впервые — возглавить правительство пришел руководитель, понимающий экономику так, как это нужно сегодня, сейчас.

Все впервые.

Я испытывал необыкновенный подъем духа, огромный оптимизм, был полон надежд.

В России уже есть молодое правительство. То самое, о котором мечтал год назад. Все сбылось. Сбылось почти неожиданно, может быть, даже вопреки всей логике событий, — но сбылось...

«БЕЗ ГАЛСТУКОВ»

Отставка Черномырдина и назначение Кириенко почти совпали по времени со знаменитой «встречей без галстуков» лидеров трех государств: Ельцина, Коля, Ширака. Она состоялась 26 марта 1998 года, в четверг.

Сейчас только Жак Ширак остается на посту президента Франции. Мы с Гельмутом Колем ушли, причем ушли примерно в одно время.

Правление Коля было отмечено эпохальным, историческим событием — объединением двух послевоенных Германий, а мое — падением коммунизма, распадом советской империи, сменой политического строя.

И все-таки ушли мы по-разному. Коль, находившийся у власти уже пятнадцать лет, снова пошел на выборы, надеясь сохранить за собой пост главы государства. Я знаю, что многие советовали Гельмуту не делать этого. Несмотря на огромное уважение к лидеру, добившемуся объединения, Германия уже психологически устала от Коля. Но он не послушал и проиграл.

На примере Коля мне еще раз пришлось задуматься о том, что умение уйти — это тоже часть нашей президентской работы, часть политики.

Большая политика — это прежде всего удел сильных, волевых людей. В конце концов, без воли к власти нет и не может быть руководителя государства. Власть держит человека, захватывает его целиком. Это не проявление какого-то инстинкта, лишь со стороны кажется, что власть — сладкая вещь, на самом деле уже после нескольких лет правления многие из нас, я уверен, испытывают полное эмоциональное опустошение. Нет, дело не в инстинкте. Захватывают борьба с обстоятельствами, политическая логика и тактика, захватывает огромная напряженная работа, требующая от человека всех физических и душевных сил.

...Да, моменты такой самоотдачи дано пережить не каждому человеку.

Этим и притягивает власть.

Вопреки расхожему мнению я никогда за нее не держался, всегда был готов уйти сам. И в 1996 году, и в 1999-м этот вопрос — уходить или не уходить — стоял для меня совершенно по-другому: что я оставлю после себя, какое наследство, какое завещание?

Не раз и не два, и до, и после 1996 года, я заводил со своими ближайшими помощниками разговор о досрочной отставке, приводил аргументы: я устал, страна устала от меня. И видел, снова и снова убеждался, что альтернативы пока нет.

Нельзя уходить, если есть опасность, что демократический процесс, процесс реформ может быть остановлен, а страна отброшена назад.

Кто может выдвинуться из когорты новых политиков на роль общенационального лидера? Кто готов взять на себя ответственность за страну с переходной, кризисной экономикой, левым парламентом, неотработанными механизмами гражданского общества?

Бросать Россию в таком положении в новый водоворот политических страстей я просто не имею права.

Видит Бог, я был абсолютно искренен.

Возвращаюсь к нашей «встрече без галстуков». Идею я высказал еще в Страсбурге, в 97-м году, когда в кулуарах форума мы стояли втроем с Шираком и Колем, отвечая на вопросы журналистов. Там же договорились о встрече.

Первоначально я хотел провести «встречу без галстуков» в Екатеринбурге, у себя на родине. Пройти пешком через границу Европы и Азии. Показать, где кончается на самом деле географическая Европа. Похвастаться перед друзьями могучим Уралом. Это был символический, красивый план. Однако согласовать планы всех троих лидеров, хотя бы на два-три дня, было трудно, а откладывать встречу очень не хотелось.

Поэтому встречу перенесли в Москву, в подмосковный пансионат «Бор». Ширак и Коль прилетели почти за полночь, а улетели на следующий день. Встреча получилась короткая, но очень запоминающаяся.

...Коль и Ширак для меня не просто коллеги. Не просто партнеры.

Все мы трое — дети войны. Люди одного поколения и одного склада — открытые, прямые, откровенные. С самого начала испытывали друг к другу искреннюю симпатию.

Наша российская пресса отозвалась о встрече очень тепло. Жак Ширак назвал ее «мировой премьерой». Да и самым строгим наблюдателям было очевидно, что происходит нечто необычное. Западная пресса писала и о том, что «дипломатия без галстуков», неофициальный стол переговоров отнюдь не угрожают атлантической солидарности.

Действительно, дисциплина внутри НАТО железная. И я уверен, что Коль с Шираком согласовали наши трехсторонние контакты с американцами. Те отреагировали довольно спокойно.

...Но мало кто знает, что вокруг «встречи без галстуков» все-таки были скрытые интриги. И еще какие!

Первыми забеспокоились англичане. По различным дипломатическим каналам они стали посылать сигналы в наш МИД, что тоже готовы принять участие. С одной стороны, я обрадовался. С другой... Во-первых, не хотелось расширять заранее установленный регламент, во-вторых, присутствие недавно избранного Тони Блэра разрушало наш и психологический, и политический комфорт, специфический фон встречи. Англия и США — стальной стержень НАТО. Особые контакты Германии, Франции и России — некий элемент свободы внутри атлантической заданности.

Элемент свободы, без которого порой становится очень душно...

Но самое главное — Блэр для меня человек другого поколения, другой формации. При нем встреча станет чересчур официальной. А весь ее смысл — личное дружеское общение трех лидеров. Человеческий фактор.

Короче говоря, мы послали внешнеполитическому ведомству Великобритании ответный сигнал: сначала «встреча без галстуков» должна быть опробована в этом формате. А там посмотрим.

Позднее, в ходе подготовки встречи, был проявлен осторожный интерес со стороны Италии и других европейских стран. Но мы продолжали готовить встречу в трехстороннем варианте.

Я предложил Шираку и Колю обсудить концепцию «большой Европы». «Большая Европа», то есть Европа до Урала, — как пространство для совершенно новой европейской политики. Не для политики блоков, альянсов. А для строительства действительно новых связей, человеческих контактов внутри «большой Европы». Вот перечень международных программ, которые мы обсуждали: транспортный самолет XXI века (на базе Ан-70); транспортный коридор Лондон — Париж (с туннелем под Ла-Маншем) — Берлин —

Варшава — Минск — Москва, с перспективой на Екатеринбург и Сибирь, включающий в себя автомобильную и железную дороги с высокоскоростным движением; создание команд быстрого реагирования по борьбе с техногенными и природными катастрофами; обмен студентами и аспирантами вузов России, Франции, Германии, создание общего франко-германо-российского университета; обеспечение взаимного признания национальных дипломов трех стран. Мы договорились провести крупную выставку «Москва — Берлин — Париж». Силами наших ученых подготовить учебник «История Европы XX века». Историю без идеологических перегородок и стен.

Все мы понимали: наша тройка, по большому счету, призвана уравновесить перекос, который произошел в Европе после приближения границ НАТО к России. Коль сказал буквально следующее: «Франция и Германия несут особую ответственность за политику ЕС и хотят сделать все, чтобы ни у кого — в мире или в Москве — не возникло впечатления, что происходящие в Европе процессы ведут к изоляции России». Я во время первой же встречи с журналистами акцентировал мою идею «большой Европы»: «Белых пятен в Европе больше нет. Есть только общий мир на континенте. На нашем континенте».

В самой атмосфере встречи витала главная мысль, ради которой она и затевалась: нужно что-то противопоставить американскому напору, какую-то волю к сотрудничеству, самостоятельную европейскую волю...

Тогда я был окрылен, мне казалось, что перед Европой открылась новая, свежая перспектива. Лица Коля и Ширака были совсем не такими, как на официальных саммитах и конференциях, я чувствовал в их глазах огромное понимание.

Сейчас, спустя два года, ясно, что мы уже тогда по-разному подходили к самой задаче «тройки». Они — как гаранты внутриевропейской стабильности — хотели предупредить какие-то мои резкие шаги и заявления в отношении НАТО; я же мечтал создать пусть пока чисто гуманитарную, но ощутимую ось: Москва — Берлин — Париж.

...Я никогда не забывал о том, какое огромное значение имеют для России все эти неформальные встречи. Все-таки наша страна без году неделя стала полноправным членом «восьмерки». Стала полноценным участником международного диалога. Каждый саммит, каждая встреча лидеров восьми стран были для нас серьезным, настоящим экзаменом.

Поэтому любая помощь, любая поддержка моих друзей была чрезвычайно важна. Я чувствовал, как с каждым новым саммитом позиции России крепли, становились прочнее. В этом мне помогали и мой политический опыт, и неформальные связи.

Можно со мной спорить, не соглашаться — мол, практическая дипломатия значит гораздо больше, чем какая-то там психология. Но только тот, кто бывал на этих встречах в верхах, знает, как много зависит от атмосферы, от общения людей. И какая мощная основа для безопасности, для доверия закладывается этой «дипломатией без галстуков», «дипломатией дружбы».

Был талисман нашей «тройки без галстуков» — созданный уральскими мастерами сувенир: золотой ключ с навинченным на него земным шаром, на котором выпукло светились столицы трех государств, и тремя серебряными ковшиками. Нужно было отвинтить глобус и раздать ковшики в знак дружбы. Начал отвинчивать — ничего не получается. Позвал Ястржембского. Все смеются. Отвинтили с грехом пополам, раздали ладьи-ковшики. И тут я показываю гостям и журналистам ключ — он-то один! А где еще два? Что делать в такой ситуации? Коль всегда меня хорошо понимал. Вот и сейчас он по-своему, по-колевски, широко улыбнулся: «Все понятно, Борис, ключ остается у тебя. Ключ у России. Но принадлежит он всем нам».

Мне очень хотелось сделать лидерам двух стран и какой-то, так сказать, духовный подарок, оставить в памяти яркую, запоминающуюся картинку. И к счастью, это получилось! Талантливая тринадцатилетняя девочка по имени Пелагея (имя-то какое замечательное, как из старой сказки) по моей просьбе спела гостям русские песни. Голос у нее оказался такой легкий и звонкий, а сама девочка такая непосредственная, что Коль с Шираком были очарованы этим прекрасным, чистым пением. А Жак так растрогался, что даже пригласил ее с выступлениями в Париж. Пелагея пела в ярком национальном костюме. Это была настоящая, живая, улыбчивая, обаятельная Россия. Девочке этой я до сих пор благодарен за участие в «большой политике». Не каждый дипломат оказывал мне во время крупных международных встреч столь неоценимую помощь.

Англоязычный мир отреагировал на саммит «тройки» с некоторой ревностью. Британская пресса писала, что трехсторонняя встреча стала шагом к «почти не замаскированному антиамериканскому блоку в Европе». Но в целом реакция была очень хорошей, все понимали перспективность такого неформального общения.

Международный протокол всегда был для меня каким-то камнем преткновения. Я довольно часто нарушал установленные правила. Просто из чувства внутренней свободы, из-за того, что на меня давила тень прежней, советской, дипломатии. Но, нарушая протокол, я всегда четко осознавал и его значение — многовековой опыт говорит о том, что главы государств обязаны вести себя не просто как приятели, а как гаранты национальных интересов, как полномочные представители своих стран. Как совместить мое стремление к полной искренности, свободе — и заданный, жесткий протокол?

Порой мои заявления звучали на первый взгляд неоправданно резко, и моим пресс-секретарям, сначала Сергею Ястржембскому, затем Дмитрию Якушкину, приходилось нелегко. Но эти заявления всегда существовали в контексте конкретных договоренностей, очень трудных переговоров с другими руководителями «большой восьмерки». И они были нужны там. А пресса далеко не всегда понимала этот контекст и упрекала меня в недипломатичности.

Мне кажется, я с самого начала своей работы президентом шел по этому пути. Не боялся показаться именно таким, какой я есть. И это почти всегда приносило результат.

...Кстати, с огромным удовольствием вспоминаю, как в конце сентября 1997 года, во время визита Жака Ширака в Россию, мы с женой пригласили его... в ресторан. Обычно в программу визита входит торжественный обед в Кремле, а тут получилось по-другому. Захотелось показать Жаку что-нибудь такое, что придется по сердцу французу, — обычный частный ресторан, куда может прийти любой хорошо зарабатывающий человек, бизнесмен, представитель среднего класса, и хорошо посидеть. Как в Париже.

Таких мест сейчас в Москве сотни, и дорогих, и дешевых, но одно дело знать это в теории, а другое — увидеть самому, как выглядит нормальный русский ресторан.

Остановились, между прочим, на ближайшем от нашей дачи подмосковном ресторане «Царская охота». В этом вопросе самым компетентным оказался Сергей Ястржембский, он долго думал, перебирал в уме заведения, где бывал по долгу службы и для души, и сказал: «Для вас с президентом Шираком лучше всего подходит «Охота». Самый модный сейчас русский ресторан».

Сергей не ошибся. Ресторан оказался очень оригинальным: деревянный интерьер, на стенах висят ружья, медвежьи шкуры, охотничьи трофеи.

Между прочим, для меня поход в ресторан был своеобразным событием. Никак не мог вспомнить, когда же я был в нормальном ресторане, а не на официальном приеме, не в резиденции, в последний раз? И не вспомнил. Может быть, лет тридцать назад, в Свердловске?

Для президента ходить в ресторан — это вообще экзотика. Сидеть рядом с обычными людьми. По соображениям безопасности, по целому ряду других причин этого почти никогда не бывает.

Так мы с Шираком благополучно сломали эту традицию. И заодно создали новую. Через год во Франции уже он повел меня в маленький уютный французский ресторанчик.

Кстати, про обычных людей я не оговорился. Всех, кто заранее записался на этот вечер (а уж хозяин ресторана наверняка предупредил постоянных клиентов, кто приедет), охрана спокойно пускала в зал, который вовсе не был закрыт в тот вечер «на спецобслуживание». Мы сидели за столом ввосьмером: Жак с женой Бернадетт и дочерью Клод, я с Наиной и Таней и два переводчика. Мне очень понравилась переводчица Ширака — маленькая брюнетка, настоящая француженка, с мгновенной реакцией и прекрасным знанием русского языка. Кстати, Ширак слывет русофилом, живо интересуется всем российским. Больше того, когда-то в молодости увлекался Пушкиным, декламировал его стихи!

...Стол был выбран удачно — мы сидели немного на отшибе, и никто нас не беспокоил.

Из напитков Шираку особенно понравилась фирменная водка «Юрий Долгорукий». Мы оживленно разговаривали, смеялись, рассказывали Жаку и Бернадетт про русские традиции, русскую еду. Заплатил за ужин, конечно, я, по праву хозяина. Журналистов и фотокорреспондентов не было, только личные операторы, поэтому вечер был спокойный.

...А уж о наших неформальных встречах с Гельмутом Колем, о нашей рыбалке, походах в русскую баню можно рассказывать очень долго. Честно говоря, мы с Гельмутом довольно часто забывали, тем более в такой обстановке, о дипломатии и вовсю подшучивали друг над другом, как старые друзья.

А потом подуло холодным ветром. Анализируя этот мощный откат, который произошел буквально в течение одного года, я могу назвать сразу несколько причин, которые повлияли на позицию Запада.

В августе грянул финансовый обвал. Осенняя лихорадка с назначением премьера тоже не могла не сказаться. И вторую встречу «большой тройки» пришлось отложить на неопределенный срок. А затем грянул и косовский кризис.

...На финансовый кризис в России западноевропейские лидеры отреагировали с большим сочувствием, постоянно звонили, предлагали техническую помощь специалистов, выступали со словами поддержки и понимания. И тем не менее дефолт, отказ платить по долгам — для международной политики вещь болезненная.

Война в Югославии позволила американцам вернуть североатлантическую солидарность в нужное им русло. Другой вопрос — чего это стоило Европе, во что вылилось такое «единение на крови».

...Но ничто не проходит зря. Я глубоко убежден, что нынешние лидеры вернутся к идее «большой Европы». К гуманитарному строительству новой европейской цивилизации — вместе с Россией.

Вернутся к «дипломатии без галстуков», по-своему подхватят эти традиции.

Пройдет время, и это обязательно случится.

...Но вернусь на полгода назад. В 97-й.

1 ноября 1997 года в окрестностях Красноярска мы с премьер-министром Японии Рютаро Хасимото ловили рыбу.

У этой «встречи без галстуков» был совершенно другой, особый, подтекст. Мы не случайно выбрали именно Красноярск — город между Москвой и Токио. И не случайно далеко удалились от глаз посторонних, от глаз журналистов в том числе. Можно было подумать, что это почти туристический слет двух лидеров на великой сибирской реке. На самом же деле на этой встрече решалось многое. Болезненная проблема южнокурильских островов давно стояла между Японией и Россией, практически тормозила наше сотрудничество. А главное — эта проблема не давала нам подписать договор о мире между нашими странами в течение всех послевоенных десятилетий.

Выудить из Енисея мы с Рю хотели не только рыбу, но и мир. Настоящий мир, основанный на четких договоренностях.

Тогдашний красноярский губернатор Зубов подготовил для президентской и премьерской рыбалки два великолепных домика, где нашим делегациям предстояло прожить сутки. Называлось это место «Сосны». И вот оттуда-то, в сырую неласковую погоду, наш катер отплыл от пристани.

Рю в яркой желтой походной куртке-пуховике был похож на фотокорреспондента. Он, как и положено настоящему японцу, непрерывно фотографировал. Наконец премьер Японии убрал свою камеру, улыбнулся. Несмотря на дождь, холод, пронизывающий ветер, наша природа — прекрасные леса, гладь реки, чистейший воздух — произвела на Хасимото огромное впечатление.

Он улыбался, смеялся, шутил. Никто еще не знал, какие казусы ждут нас на этой рыбалке.

Рыбная ловля, как нам сказали, «подготовлена» в нескольких километрах от самой резиденции. Сильный ветер пробирал до костей, температура плюс два градуса. На берегу стояла наспех сколоченная беседка, увешанная шкурами, чтобы там можно было укрыться от дождя и ветра. И еще несколько палаток, откуда доносился запах ухи. Я подумал: если уху уже готовят, зачем же рыбу ловить?

Сама заводь представляла собой несколько искусственных бассейнов, огороженных камнями. Река здесь делает поворот, и течение не такое сильное, объясняют мне. Ладно, поглядим. Огромные длинные удилища уже приготовлены, лежат. Тоже мне не очень понравилось: а подойти самому, а забросить?

Хасимото подошел, дернул и страшно обрадовался: у него на крючке уже висела рыбка. Так сказать, сюрприз гостю. В нашей комедии «Бриллиантовая рука» такая же ситуация.

Я смотрю на Рю удивленно: что, уже поймал? А сам про себя улыбаюсь.

Но самое интересное было потом. Енисей — своенравная могучая река. Ему такая рыбалка не понравилась. Из-за ветра река раскачалась, разволновалась, мгновенно снесла все эти искусственные загородки. Рыба ушла. Я это сразу понял. Но продолжал ловить.

Лил дождь, хлестал ветер, а мы с Хасимото стояли у наших «бассейнов» и держали удочки. И я не знаю, что ему сказать, и он не знает. Так продолжалось около часа, пока мы совсем не окоченели.

Согреться можно было только водкой, что мне в тот момент было категорически нельзя. И отогрелся после этой рыбалки далеко не сразу. А вот Хасимото, прихлебывая уху, опять улыбался. Шкуры, водка и желтая куртка надежно защищали его от ветра.

Наиболее сложную часть переговоров мы провели тоже в экзотической обстановке — на катере.

И мне, и Хасимото ситуация была совершенно понятна. Без мирного договора наши страны существовать больше не могут. Он должен наконец появиться, как появилось Хельсинкское соглашение 1975 года, давшее зеленый свет разрядке напряженности, как объединение Германии. Но для любого японца эта проблема увязана с вопросом о «северных территориях». Они впитали его, так сказать, с молоком матери. В этом вопросе японцы пойти на уступки не могут. Но и мы не можем пойти на уступки, поскольку территориальная целостность России — в основе Конституции. И я, как гарант, обязан стоять на страже Основного Закона страны. Также понятно, что ни парламент, ни общественное мнение никогда не согласятся на добровольный и односторонний пересмотр послевоенных границ.

Тупик.

Но не может, не должно быть тупиков в международной политике!

Заключить мирный договор с Японией для нас крайне важно. Ведь в перспективе это крупнейшие японские инвестиции в сибирскую промышленность, в энергетику, в железные дороги. По сути, начало экономического возрождения России уже не с запада, а с востока. А с другой стороны, Южные Курилы — это территория, на которой живут многие поколения россиян. Вот и решай такой геополитический ребус!

Проблема «северных территорий» обсуждалась давно. Японцы предлагали самые разные варианты: совместное владение, освоение, аренда на 99 лет и так далее. В основе всех этих предложений был один важный, но абсолютно неприемлемый для нас элемент: японцы считали, что это их острова. Я в какой-то момент переговоров подумал: а не разрубить ли этот гордиев узел одним ударом? Был один юридический вариант, при котором японцы могли пользоваться островами, не ущемляя нашей территориальной целостности.

Но от этого варианта, подумав, категорически отказался. Время секретных протоколов все-таки уже в прошлом. Ничего хорошего от возрождения этой практики не будет.

Однако и разъезжаться без результата ни мне, ни Хасимото не хотелось.

Мы пошли по другому пути.

Предложили Японии не увязывать проблему территорий с экономическим сотрудничеством. Японцы назвали этот подход «тремя новыми принципами»: доверие, взаимная выгода и долговременная перспектива.

Доверие началось прямо здесь, на берегу Енисея, где мы стали называть друг друга на ты: Рю и Борис. Наши личные отношения поднялись на «качественно новый уровень», как расшифровали журналисты. А мы и в самом деле стали лучше чувствовать и понимать друг друга. И мне, и Хасимото очень хотелось оставить своим странам в наследство хотя бы перспективу мирного договора.

На пресс-конференции мы рассказали о некоторых конкретных наших решениях — например, о совместном рыболовстве и банковских гарантиях японских инвестиций — и заявили, что приложим все усилия, чтобы мирный договор между Россией и Японией был заключен до 2000 года.

К сожалению, мы с Хасимото не успели выполнить свое обещание. Но начиная именно с Красноярска климат в наших отношениях с Японией заметно изменился к лучшему.

На прощание Рю сделал мне подарок — костюмчик для моего только что родившегося внука, Ваньки.

Я с огромным удовольствием привез его в Москву.

В перечне моих официальных и рабочих визитов совершенно особое место занимает визит в Ватикан. Папа Иоанн Павел Второй — одна из последних легенд XX века, загадочная, великая личность. После революции, то есть в течение почти целого века, у нашей страны не было с Ватиканом дипломатических отношений. Восстановлены они были только в 1990 году, в том числе и благодаря папе римскому. Он за свою долгую, более чем двадцатилетнюю жизнь на Святом престоле разговаривал, наверное, с сотнями президентов и премьеров. Но мне почему-то кажется — нашу беседу он запомнил.

Во-первых, мы разговаривали на русском...

Папа жил в послевоенной Польше, и русский язык, конечно, не забыл. Мне было интересно, как он осторожно подбирает слова, как строит речь. Сначала показалось, что этот согбенный, сухой старик чувствует себя совсем неважно. Но вдруг он бросил ясный, светлый взгляд исподлобья, и я поразился, сколько живого ума в его глазах. Я сказал папе, что мне бы лично очень хотелось, чтобы когда-нибудь он приехал в Москву. Хотя я понимал, что фраза рискованная, здесь многое зависит от позиции Русской православной церкви. Но и не сказать этого не мог — реформаторские усилия папы, его миссионерская деятельность лично во мне вызывают глубокое уважение. Предыдущие папы римские никогда не признавали грехов своих предшественников. Нынешний глава Святого престола впервые в истории признал: церковь совершала грехи в прошлом, и среди них — «разрыв единства христиан», «религиозные войны», «суды инквизиции», «дело Галилея». Разрыв христианских церквей стоит на первом месте.

Есть у римской церкви и признанные папой грехи в современной истории, и среди них — «безмолвие перед тоталитаризмом».

Сам папа всегда боролся с коммунизмом (может быть, благодаря этому и стал первым в новейшей истории папой-неитальянцем). И это тоже мне близко, понятно в нем. Нравится и то, насколько папа разносторонний человек: философ, спортсмен, актер, поэт и драматург, политический деятель.

Но самое интересное лично для меня: каким образом папа сумел внести в железные каноны римско-католической церкви, в ее размеренную жизнь свою неуспокоенность, страсть к реформированию, свою глубокую индивидуальность? Наверное, в этом и есть его загадка.

Я с удовольствием подарил папе сборник его стихов, переведенный и изданный в России. Он поблагодарил, пожелал мне здоровья и неожиданно спросил: можно ли познакомить его со всей российской делегацией? Я сказал: конечно, можно. Честно говоря, такого случая за всю мою долгую практику не припомню: в огромном зале Ватикана стояли все, кто приехал со мной в Италию, — водители, охрана, официанты, парикмахер, советники, переводчики...

Всего около тридцати человек. С каждым папа поздоровался, каждому подарил сувенир на память — четки, каждому заглянул в глаза.

Это был жест священника. Священника не по службе, а по призванию, по душе.

По контрасту с нашими раскованными, неформальными «встречами без галстуков» я довольно часто вспоминал один из самых ответственных для меня (как раз в отношении протокола) государственных визитов: визит в Москву Ее Величества королевы Великобритании Елизаветы Второй и Его Королевского Высочества принца Филиппа, герцога Эдинбургского, в 1994 году.

Для нашей прессы, нашей политической элиты даже сами эти пышные титулы были настолько внове, был настолько непривычен и королевский церемониал, и точный до малейших деталей протокол, что на лицах видавших виды кремлевских чиновников в те дни была написана некоторая растерянность.

И причины для этого были. Например, не все умели носить смокинги. И не все имели их в своем гардеробе. «Служебные» смокинги, из гардероба МИДа, быстро кончились. Кое-кто даже отправился в театральные реквизиторские, но там довольно быстро убедились, что театральная одежда и настоящая не имеют ничего общего.

...На самом деле встреча королевы в России вовсе не была только экзотикой. Королева Британии совершает официальный визит в страну один-единственный раз. Больше того, за долгие столетия царствования королевского дома

Виндзоров нога британского монарха еще ни разу не ступала на российскую землю. После революции это стало невозможным еще и потому, что расстрелянная царская семья Романовых — это родственники Виндзоров. Королева не могла посетить страну, не раскаявшуюся после того кровавого расстрела. После всех ужасов сталинских лет. Но настали годы покаяния. Покаяния перед памятью всех невинно убиенных в годы революции, в годы гражданской войны и репрессий.

И вот первый и последний визит королевы в Россию стал историческим признанием того факта, что наша страна окончательно вошла в содружество цивилизованных наций.

Я понимал это. Понимал, что статус королевы в Великобритании настолько высок, что рассматривать этот визит надо прежде всего как исторический символ.

...Но ведь королева и ее супруг принц Филипп — живые люди. Очень хотелось, чтобы дни, проведенные в России, стали для них по-настоящему теплыми, праздничными.

Вместе мы смотрели в Большом театре «Жизель». Королева Елизавета была в Лондоне на этом спектакле больше сорока лет назад — во время первых мировых гастролей Большого. И в главной роли тогда танцевала легендарная Галина Уланова.

Сейчас главную роль исполняла ученица Галины Сергеевны — солистка Большого Надежда Грачева. Мне показалось, королева Елизавета видит в этом балете нечто большее, чем танец, — ведь это воспоминание о молодости, напоминание о тех образах и впечатлениях, которые иногда нас сопровождают целую жизнь.

Запомнилась и корона, в которой Елизавета была в театральной ложе, — настоящий, не потерявший своей силы, отнюдь не музейный символ британской монархии.

Вообще, помимо посещения исторических памятников и святынь России (Кремля, питерского Эрмитажа, соборов и дворцов, Пискаревского мемориала), у королевы Елизаветы была возможность увидеть нашу жизнь и совсем с другой, не церемониальной, точки зрения. Например, Ее Величество пригласили на репетицию школьного драматического кружка в московскую двадцатую школу, известную своими «английскими традициями», где в это время ставили «Гамлета» на языке автора. Она пообщалась с московскими ребятами, а они увидели настоящую королеву. Повезло, по-моему, всем — и королеве, и детям.

А мне до сих пор помнится оставшийся после этого визита королевский подарок.

Это была простая коробка из полированного дерева. Я открыл ее, и повеяло какой-то детской сказкой — в коробке оказалось множество выдвижных ящичков. В ящичках — пакетики с семенами. Целая коллекция семян из королевского сада. Настоящий английский подарок!

Наина, Лена и Таня долго потом изучали эти семена экзотических цветов, выращивали их в теплице, высаживали в грунт. Конечно, у нас в России далеко не все растения из королевской коллекции, привезенные когда-то из далеких южных колоний, могут расти. Некоторые, к большому сожалению, так и не прижились.

Но многие цветы растут до сих пор. Растут и радуют глаз. Королевская семья навсегда оставила память — в нашем семейном саду.

Когда-то роль церковных иерархов, коронованных особ была в политике определяющей. Сегодня это, конечно, экзотика. Или — исключение из правил.

Одно из таких ярких исключений — испанский король Хуан Карлос Первый.

Его биография — яркий парадокс политической истории XX века. Диктатор Франко, человек крайне правых взглядов, решил восстановить монархию в своей стране, чтобы навсегда утвердить традиции франкизма в Испании. Для этого он (по договоренности с отцом Хуана Карлоса, графом Барселонским) привез наследника, тогда еще десятилетнего мальчика, учиться в Испанию. В 1969 году Хуан Карлос был возведен Франко на престол. Но молодой король отнюдь не воспринял ненависти генерала к республиканскому, демократическому устройству общества. Напротив, Хуан Карлос стал гарантом испанских реформ. После смерти Франко в 1975 году он провел всеобщую амнистию, реабилитировал политические партии, сменил главу правительства и, наконец, в 1981 году предотвратил военный переворот. Испания стала демократической страной. И до сих пор благодарна за это королю. Именно его твердая позиция служит надежным амортизатором разнообразных политических кризисов.

Мне было очень интересно встречаться с королем и его очаровательной супругой Софией (кстати, дочерью последнего короля Греции) в 1994 году в Мадриде и в 1997 году в Москве. Это замечательная пара — красивые, абсолютно демократичные, чрезвычайно живые люди. Наина говорила с королевой Софией об искусстве, мы с королем — об охоте. Он, как и я, заядлый охотник.

Вообще этот визит в Испанию в 94-м году запомнился удивительно доброй атмосферой. Возможно, у меня это было связано еще и с личным впечатлением: во время визита я встретился в Барселоне с хирургом, который буквально спас меня, сделав сложнейшую операцию после авиакатастрофы. Было очень приятно вновь увидеть этого улыбчивого человека... Наверное, я проникся к испанцам каким-то особым чувством именно благодаря этой «неформальной встрече» в госпитале, где мне оперировали позвоночник и уберегли от полного паралича. Это чувство сопровождало меня всю поездку. И когда король и королева представляли нам музей Прадо с его великолепной живописью, рассказывали о Гойе, Веласкесе, я видел в короле не только монарха, я видел простого симпатичного человека, который благодаря своей необычной судьбе стал душой всей Испании, любимцем всех испанцев. И немножко позавидовал королю — ведь он может дистанцироваться от ежедневной политики, от сиюминутных страстей и скандалов, которые неминуемо сопровождают публичную деятельность.

Помню, я смотрел на короля и думал: нет, не зря человечество не хочет расставаться с институтом монархии, хотя уже входит в новое, третье тысячелетие. Что-то в этом есть. По крайней мере для Испании, мучительно выбиравшейся из тоталитарной системы, король стал настоящим спасением.

...Очень интересными были наши неформальные встречи с председателем Китайской Народной Республики Цзян Цзэминем.

Китай после долгих лет «охлаждения» постепенно становится одним из наших главных стратегических партнеров в мире. Это страна с мощной развивающейся экономикой, при этом выступающая за многополярный мир, за плюралистический подход к решению сложных международных проблем. Китай — сильная держава в военно-политическом плане. Однако при этом давно прошли времена, когда коммунистический Китай был в полной изоляции от мира, существовал как потенциальная угроза азиатской безопасности. Сегодня Китай, который сохранил все свое своеобразие, сохранил оставшиеся со времен Мао традиции управления, — это уже другая страна, современная, динамичная, мобильная.

И очень важный союзник России.

Поэтому, когда в 97-м году начались «встречи без галстуков», китайская сторона предложила очередную встречу на высшем уровне в Москве превратить в неформальный диалог. Это и для нас, и для китайцев было трудно. Образ прежнего Китая, в наглухо застегнутом полувоенном френче, витал где-то в воздухе. Мы с Цзян Цзэминем, который, кстати говоря, неплохо говорит по-русски, пытались настроить наших помощников на неформальный лад.

А вот следующая встреча, в Китае, прошла удивительно тепло. Сильно помог в этом наш посол в Китае Игорь Алексеевич Рогачев. Человек, влюбленный в Китай, который буквально живет этой страной, знает ее досконально. Быть может, это единственный посол в Пекине, которого китайцы узнают на улицах, здороваются с ним.

Так вот, Рогачев вспомнил, что Цзян Цзэминь очень любит петь русские песни, особенно две — «Есть на Волге утес» и «Подмосковные вечера». И он действительно запел, неожиданно и душевно. Огромный торжественный зал приемов мгновенно преобразился, стало теплее на сердце. Помню, Борис Немцов, который очень любит различные импровизации, решил тоже спеть русскую песню. Начал петь... и дал петуха. «Борис Ефимович, тренируйтесь, надо лучше готовиться к международным встречам на высшем уровне», — сказал я ему.

RUSSIAN
FEDERATIO

«Встреча без галстуков».
«Я предложил Шираку и Колю
обсудить концепцию "большой Европы"».
1998 год.

С Жаком Шираком.

С Гельмутом Колем.

С Биллом Клинтоном.

С Тони Блэром.

«Талантливая 13-летняя девочка Пелагея спела гостям русские песни. Коль и Ширак были очарованы этим прекрасным, чистым пением».

С папой римским Иоанном Павлом Вторым. ►

«Королева Великобритании
совершает официальный визит
в страну один-единственный раз».

За здоровье Ее Величества!
С королевой Великобритании Елизаветой Второй.

Китай — стратегический партнер России. С Цзян Цзэминем.

1997 год. «Встреча без галстуков» с премьер-министром Японии Рютаро Хасимото.

С королем Испании Хуаном Карлосом Первым и королевой Софией.

Denver

«Большая восьмерка» за работой...

... и в короткие минуты отдыха.

«Мы с Биллом сидим в знаменитых плетеных креслах и смотрим вдаль... Два президента. Два человека».

...А уже во время нашей последней встречи, в 99-м, Рогачев сам сел за рояль, подыграл и негромко подпел председателю Китайской Народной Республики. Я вспомнил наши первые неформальные саммиты и подумал про себя: вот теперь это действительно «встреча без галстуков»!

Пекин — огромный, веселый, бодрый город. В нем такая кипучая жизнь, всегда столько необычных зрительных впечатлений, все настолько непривычно, что иногда можно и растеряться.

Перед самым отлетом в Москву именно это произошло с Таней. Она встала рано утром, чтобы помочь мне собраться. Накинула халат и пошла в мой номер. Вернулась к себе и обнаружила, что ее чемоданчика с одеждой нет. Кинулась искать. Оказывается, Наина отправила чемоданчик в аэропорт вместе с другими вещами.

Так Таня оказалась в Пекине, за час до вылета, без всякой верхней одежды. Что делать? Мои женщины звонили куда-то, бегали по этажу в поисках хоть какой-то подходящей Тане экипировки, а я... хохотал от души и никак не мог остановиться.

«Папа, ну что ты смеешься! Как я поеду?» — сердилась дочь.

Но в самолете, когда Таня в каком-то чужом, не по размеру, наряде села рядом со мной в кресло... начала смеяться сама.

Я вспоминаю это и думаю, что здесь, в Китае, во время всех наших визитов мы чувствовали себя легко, свободно, увозили из Пекина только самые радостные, добрые эмоции.

Хорошо помню семейный ужин с Цзян Цзэминем и его супругой. Мы были втроем — я, Наина и Таня. Поразила традиционная китайская живопись, которая украшала столовую, — фантастически красивые по цвету, по яркости картины во всю стену. Особенно понравилась одна из них — цветущая слива. Как живая, слива протягивала ко мне свои ветви. Я все смотрел на нее, не мог оторваться.

Кстати, одну из китайских картин — красные маки на белом фоне — я увез из Китая в качестве подарка. Это до сих пор моя самая любимая картина, она висит у нас в доме.

Женщины обсуждали любимую тему: китайскую кухню. Готовят там действительно вкусно. Я же обожаю китайский чай. Цзян Цзэминь на каждой нашей встрече обязательно дарил мне традиционные кружки для заварки с плотно закрывающейся крышкой и набор длиннолистового «императорского» чая. Кроме чая, пили еще и желтое китайское вино: крошечная рюмка с тягучей жидкостью ставится в горячую воду, и только после этого нужно сделать глоток.

...Я считаю, у китайцев на земле особая миссия — они живут в стране с непрерывной культурой, непрерывной историей. Много тысячелетий хранят свои традиции, свою национальную философию.

Очень остро я это почувствовал, когда Цзян Цзэминь пригласил меня в свою резиденцию и привел в «Беседку луны» — воздушное сооружение на берегу канала. Там стояли два кресла. И ничего больше. Это специальное место для созерцания высшего природного начала.

Мы сели в кресла и стали... созерцать свою прошедшую длинную жизнь. Вспомнили прошлое, 50-е годы, когда он работал в Москве, на ЗИЛе. Проходил там студенческую практику. Вспомнили те времена, полуголодные, веселые, когда любимым деликатесом и для китайцев, и для русских была сгущенка. Сгущенное молоко с сахаром в синих банках, невыносимо сладкое, но казавшееся тогда почти волшебным лакомством. Как же много прошло времени. Сколько политических эпох пролетело. Сколько конфликтов пронеслось над нашим земным шариком. Сколько лидеров взошло на политическую сцену и сошло с нее. А сгущенку до сих пор помним.

Я рассказал, как любит сладкое мой младший внук, Ванька, и Цзян Цзэминь неожиданно оживился, рассказал мне историю про своего внука. Внук у него уже большой, живет и учится в школе в другом городе. Однажды позвонил руководителю Китая, своему деду, с необычной просьбой: «Дед, реши задачу по алгебре, не получается!» Руководитель Китая разволновался, не хотелось сплоховать перед любимым внуком, записал условие задачи и попросил перезвонить через пять минут. Первой мыслью у деда, наверное, было обратиться в академию наук. Но потом решил, что все-таки справится с задачей. И справился-таки! Наверное, не каждый международный успех Китая приносил Цзян Цзэминю такое удовлетворение, как та решенная задачка...

23 ноября 98-го года китайский лидер посетил меня в больнице. Это был визит друга. Я никогда не проводил международных встреч в ЦКБ, но для Цзян Цзэминя сделал исключение. Нам очень важно было встретиться, согласовать позиции.

А в конце 99-го я вновь посетил с визитом Пекин.

...Обратите внимание на время. Я уже принял решение, что ухожу в отставку. Еще никто не знает об этом.

И именно в Китай я совершаю свой последний визит в качестве главы государства. Это — далеко не случайное совпадение.

Китай всегда поддерживал нашу концепцию многополюсного мира. Больше того, российско-китайский диалог, возникший в последние годы, — один из немногих пока реальных рычагов, с помощью которых эта концепция претворяется в жизнь.

Наше стратегическое партнерство с Китаем в Азии — мощный, я бы сказал, стальной стержень сдерживания конфликтов. Сегодня, когда границы государств СНГ с Афганистаном и Пакистаном подчас становятся «горячими точками», когда то и дело вспыхивают локальные конфликты с участием талибов и исламских экстремистов, военное сотрудничество с Китаем приобретает совсем новый смысл, новое качество. Нам очень важно заручиться поддержкой Китая в установлении системы коллективной безопасности в этом регионе. Если мы позволим сейчас очагу напряженности разрастись, это больно ударит по всему миру, по всей современной цивилизации.

Торговля с Китаем — один из важнейших вопросов экономического развития России. От космических и оборонных технологий до простых бытовых предметов, которые валом идут через границу. Все это дает работу и средства к существанию миллионам простых людей. Очень важно сделать эту торговлю цивилизованной, помочь ей прочными государственными гарантиями, поддержать.

Есть множество вопросов, где совместная позиция Китая и России может изменить международную ситуацию к лучшему — это и отношения государств в Южной Азии (Индия, Пакистан), и корейский вопрос, и другие проблемы. Но для меня самым важным на переговорах с Цзян Цзэминем было вот что: его понимание общей ситуации в мире.

А она сейчас совсем не похожа на черно-белую схему противостояния, как это было еще пятнадцать лет назад. Сами сложные процессы современного мира — глобализация экономики, развитие информационных технологий, интенсивный диалог по правам человека — подталкивают нас к новому пониманию мироустройства. Кто будет задавать тон в определении мировой стратегии, кто будет «писать» правила игры для всех стран, кто сможет решать международные проблемы с учетом интересов всех наций?

У нас с Китаем общее понимание этой задачи: нельзя безоговорочно отдавать все кнопки на «пульте» мирового развития только в одни руки. Нельзя делать ставку только на одну систему обеспечения мировой безопасности — американскую. Нельзя ради демократических ценностей, которые отстаивают США, прибегать к авторитарным средствам достижения этой цели. Но нельзя и скатываться обратно в болото «холодной войны». Нужен постоянный диалог равноправных партнеров.

На наших переговорах с Цзян Цзэминем мы последовательно, шаг за шагом пытались сблизить наши позиции, пытались выработать новое понимание многополюсного, сложного мира без чьего-либо диктата.

Лед в отношениях между нашими странами давно растаял. Освободилось русло реки — широкой реки доверия, человеческих контактов.

За это я благодарен нашим «встречам без галстуков».

«ВОСЬМЕРКА» И ЕЕ ЛИДЕРЫ

Бирмингем. Англия. 1998 год. Саммит «восьмерки».

Идет обсуждение. Неожиданно Тони Блэр захлопывает папку и объявляет: «Так. Шестнадцать часов. На стадион я уже, конечно, не успеваю, но хоть по телевизору футбол посмотрю. А вы не в курсе? Сегодня же «Арсенал» — «Ньюкасл»! Финал Кубка Англии».

Полное понимание аудитории. Премьер-министры Италии, Канады, Японии, президенты США, России и Франции, канцлер Германии — все дружно встают и, переговариваясь на ходу, идут к телевизору.

В тот день мы, кажется, так и не успели закончить наш разговор. Футбол оказался важнее.

До сих пор улыбаюсь, когда вспоминаю, как во время матча премьер Италии Романо Проди подтрунивал над Тони Блэром: «Смотри, Тони! Какой у этого игрока замечательный англосаксонский нос!» А дело в том, что сейчас в сильнейших клубах английской лиги тон задают итальянцы. Но Тони только отшучивался.

А за его спиной продолжал молчаливо сидеть шерпа — так называют на саммитах помощника руководителя страны. Обычно это специалист по экономическим вопросам. Он тоже, кстати, смотрел футбол.

Я специально начал рассказ о саммитах «восьмерки» с этой картинки, чтобы читатель почувствовал дух нашего клуба. Ведь «восьмерка» — это и есть клуб. Клуб неформального общения руководителей восьми самых сильных, промышленно развитых стран мира.

Парадокс, но именно этот клубный дух, раскованный дружеский стиль и есть тот «регламент», который старательно (если не сказать — жестко) поддерживается лидерами всех стран. Лидеры меняются, а стиль остается. Ведь именно ради этого общения и создавалась «восьмерка» в 1975 году, когда она была еще «шестеркой».

...Несколько руководителей самых влиятельных стран мира собирались у камина на полдня и разговаривали по душам. И вскоре стало ясно ради чего. Эти клубные встречи понемногу, год за годом стали важнейшим инструментом мировой политики. Именно в силу своего свободного духа, своей раскованности они давали возможность лидерам обсудить привычные или новые проблемы в несколько иной плоскости — сблизить позиции вне рамок международного протокола.

Обычные международные визиты, на которых подписываются совместные или двусторонние документы, очень строгая вещь. График таких поездок согласовывается МИДом за полгода, примерно в те же сроки составляется программа поездки. Готовится масса документов — справок, текстов выступлений, проектов... Все расписано заранее, регламентировано.

Однако мир развивается слишком быстро, чтобы целиком зависеть от такого «долгоиграющего» механизма решения своих проблем.

В связи с этим когда-то и родился формат «восьмерки»: плотный, компактный и... закрытый. Минимальная делегация. Абсолютно свободный разговор. Ничего с этих встреч не выносится на обсуждение широкой общественности. Следует только общее короткое коммюнике.

Теперь о том, как в этот клуб пригласили Россию. И почему пригласили.

О том, что «семерка» должна стать «восьмеркой», говорил еще М. С. Горбачев в бытность президентом СССР. Но только в 90-е годы Россию стали приглашать на саммиты. Сначала как «специального» гостя. Финансово-экономические вопросы оставались для нас закрытыми. Я чувствовал, что формат «семь плюс один» многих здесь устраивает. Это давало возможность и приблизить к себе Россию, и в то же время дать ей почувствовать себя школьником на экзамене. Для нашей страны это было неприемлемо. Я считал, что раз Россию пригласили, то никакого двойного стандарта здесь быть не может. Или мы члены клуба, или нет.

В 1997 году в американском Денвере Россия впервые получила полноправный статус. Теперь наша делегация принимала участие почти во всех заседаниях.

Думаю, здесь сыграла роль наша жесткая позиция по отношению к расширению НАТО на восток, высказанная мной за несколько месяцев до этого на российско-американской встрече в Хельсинки. На весь мир я заявил, что это — ошибка, которая приведет к сползанию в новую конфронтацию Востока и Запада. И к сожалению, оказался прав.

Кстати, на двустороннем саммите в Хельсинки в марте 97-го, очень драматичном по внутреннему напряжению, была одна запоминающаяся подробность: Клинтон передвигался там в инвалидной коляске. Он незадолго до саммита поскользнулся на ступеньках и порвал сухожилие.

А для меня это была крайне важная поездка не только из-за дискуссии по НАТО.

Совсем недавно я перенес операцию на сердце. Все ожидали увидеть ослабевшего Ельцина и пышущего здоровьем Клинтона. И вдруг президент США оказался в коляске. Помню, я прокатил его несколько метров. Кадры эти обошли весь мир. Многие вспоминали Ялтинскую конференцию 1945 года и великого президента США Рузвельта, который тоже передвигался на коляске.

Клинтону, по-моему, было немного неудобно, что я решил его слегка прокатить, но он улыбался. Картинка получилась символичная: не здоровая Америка везет в коляске больную Россию, а наоборот. Россия помогает Америке.

Билл Клинтон — знаковая фигура в истории США. Именно при нем экономика Америки достигла впечатляющего результата: непрерывного подъема на протяжении всех последних лет. США стали державой-лидером. Клинтон привел страну в новую компьютерную эру — с огромным интеллектуальным потенциалом, в качестве безусловного технологического лидера.

Казалось бы, у себя в стране Билл должен был стать национальным героем, ведь он практически выполнил все те задачи, которые до него не удавалось выполнить никому; он буквально воплотил в жизнь политическое завещание всех американских президентов второй половины XX века — добиться экономического расцвета, но при этом дать социальные гарантии неимущим слоям общества. Клинтон выполнил все это! О чем еще можно мечтать? К чему стремиться?

...Но вот парадокс — американцев больше интересуют не все эти безусловные завоевания, а его история с Моникой Левински.

К концу второго президентского срока рейтинг Билла Клинтона упал — ниже некуда.

Впервые в XX веке президент США подвергся процедуре импичмента. К счастью, отстранение от должности не состоялось. Но допросы президента, его показания стали достоянием общественности.

...Такова цена власти.

Каждый твой шаг, каждое слово общество рассматривает сквозь гигантскую лупу. Не дай Бог ошибиться! Сделать какой-то неточный или неправильный поступок. Человеку на этом посту не могут простить ничего. Никаких ошибок, никаких скандалов.

Между тем общество выбирает на главную роль в государственной иерархии не машину, а живого человека, с живыми реакциями и способностью к самостоятельным действиям. Но вряд ли кто-то из избирателей отдает себе отчет в том, что обратная сторона этой внутренней независимости и самостоятельности — ошибки. Обычные человеческие ошибки.

С другой стороны, скандал вокруг Клинтона еще раз подчеркнул простую вещь: соблюдение морально-этических норм является первейшей заповедью политика. Простым людям невыносима сама мысль о том, что тот, кто управляет ими, может находиться под властью каких-то случайных факторов.

Человек, идущий на президентские выборы, всегда должен помнить об этом. Вот и получается: не совершать ошибок живой человек не может, но и допускать их тоже как бы не имеет права!

Биллу Клинтону хотелось, чтобы американцы не узнали о скандале с Моникой Левински. Позднее он убедился в том, что сделать это невозможно. Американская мораль (а вместе с ней и правосудие) не простила ему именно колебаний и сомнений.

Сравнивать американский и российский импичмент практически невозможно. Это две совершенно разные истории.

Но то, что они совпали по времени, я рассматриваю как некий знак судьбы. Как некое предупреждение обществу: агрессивное морализаторство, которое разыгрывается как политическая карта, может послужить очень мощным разрушительным фактором.

Именно разрушительным, а не созидательным.

Наш левый парламент вменял в вину российскому президенту прежде всего развал Советского Союза. Но за дымовой завесой идеологии было то же самое сведение счетов, что и в случае с Клинтоном. Мне, как и Биллу, политический истеблишмент, вернее, левая его часть, не смог простить жесткости, решительности, в конце концов, простить упорного движения к намеченной цели. Клинтон настолько затмил своих политических конкурентов, что им не оставалось ничего, кроме как играть на другом политическом поле — поле разоблачений и провокаций. То же самое я могу сказать и о нашем российском импичменте.

Проиграв и первые, и вторые выборы, коммунисты начали искать любые способы уничтожить президента, любые возможности сместить его с поста. В ход пошло все: распад СССР был объявлен заговором, ошибки первой чеченской кампании — преступлением, трудности в экономике — «геноцидом русского народа». Каждый мой шаг, каждое слово, все проблемы со здоровьем, начиная с операции на сердце и кончая бронхитом, становились поводом для крупного политического скандала, для обструкции в Думе.

...И тем не менее, я думаю, история все поставит на свои места. Всем воздаст по заслугам.

И мой импичмент, и импичмент Клинтона в какой-то мере стали поворотным моментом для общественного развития и у нас в стране, и в США.

Казалось бы, совершенно разные страны, совершенно разная политическая культура, общественная мораль, разная история. Но общие закономерности проявляют себя даже в столь непохожих ситуациях.

На пороге нового века, нового тысячелетия современное общество становится максимально открытым и прозрачным благодаря гласности, свободе слова, массовым коммуникациям. Глава государства просто обязан, если хочет сохранить свой пост и вести эффективную политику, ответить на любой вызов. Должен прямо и честно ответить на любой вопрос. Даже если общественное мнение пытается вмешаться в его личную жизнь. Президент обязан проявить мужество и достоинство даже в этих болезненных столкновениях. И мне кажется, Билл в конечном итоге именно это и сделал.

...Но я сейчас хочу сказать о другом.

Я помню наши первые встречи с Клинтоном. Меня совершенно поразил этот молодой, вечно улыбающийся человек — мощный, энергичный, красивый. Клинтон был для меня олицетворением нового поколения в политике. Будущего без войн, без конфронтаций, без угрюмой борьбы систем и идеологий.

Я понимал, что и для Клинтона важен личный, человеческий контакт со мной: именно с моими политическими шагами, на его взгляд, связано падение коммунизма, главной угрозы Америке в XX веке. Билл был готов идти навстречу; ни один американский президент до этого (и как говорит Билл, вряд ли случится такое и в будущем) не приезжал столько раз в Москву, не проводил столь интенсивные переговоры с руководством нашей страны, не способствовал оказанию нам такой масштабной помощи — и экономической, и политической.

Порой нам с Биллом казалось, что в наших встречах закладывается какой-то новый миропорядок, новое будущее для всей планеты.

Нет, это не были иллюзии. Но жизнь оказалась куда сложнее.

Выяснилось, что далеко не все демократические институты сразу прививаются в России. Что адаптация общества к демократическим ценностям идет трудней и болезненней, чем казалось когда-то, в начале 90-х.

Стало понятно, что отнюдь не все сложные конфликтные ситуации, возникающие в мире, Россия и Америка воспринимают одинаково. Что у нас вполне могут быть разные интересы, и подходить к этому нужно трезво. Что помощь международных финансовых институтов сама по себе не способна создать у нас в стране условия для экономического подъема.

...После иллюзий начала 90-х каждое такое открытие повергало российское общество почти в шок.

Потом прошла эйфория и у американцев в отношении России — постепенно с помощью целенаправленной информационной политики в глазах рядового обывателя нас превратили в страну бандитов и коррупционеров. Здесь объединили усилия и те, кто в США был недоволен «пророссийской» политикой Белого дома, и те, кто в России разыгрывал свою карту против Кремля.

Завоевания российско-американского диалога были в некотором смысле утеряны.

Но, на мой взгляд, откат этот — временный и не идет ни в какое сравнение с тем, какой гигантский шаг вперед был сделан в эпоху контактов «Билла и Бориса». Это был шаг воистину исторический. Были созданы такие механизмы российско-американского взаимодействия, которые никакие скандалы, никакие интриги, никакая конъюнктура не способны разрушить.

Америка и Россия перестали быть потенциальными врагами. Они превратились в потенциальных друзей.

Ну а дальше — дальше все зависит от будущих президентов. И от простых людей. От россиян и американцев.

...В конце 96-го года наша разведка прислала на мое имя донесение-шифрограмму, посвященное триумфальному успеху на выборах Билла Клинтона — его только что переизбрали президентом на второй срок. В шифрограмме был прогноз: каким образом республиканцы будут решать возникшие у них крупные политические проблемы. Поскольку известно, говорилось в шифрограмме, что Клинтон проявляет особое расположение к красивым девушкам, в ближайшее время противники Клинтона планируют внедрить в его окружение юную провокаторшу, которая должна затем затеять крупный скандал, способный подорвать репутацию президента.

Помнится, я покачал головой: вот это нравы! Но в данном случае счел этот прогноз слишком экзотическим. Мне казалось, что, если что-то подобное и возникнет, Билл, с его чувством реальности и обладая таким аппаратом помощников, сумеет вовремя разгадать коварный замысел.

Во время нашей последней встречи я хотел было подарить Биллу текст этой шифрограммы — на память. Но потом решил не травмировать человека — он и так слишком много пережил во время этой истории.

...Америка. Май 97-го. Удушающая, почти сорокаградусная жара. Кавалькада черных лимузинов. Денверцы не избалованы подобными зрелищами. На шоссе пробки, и люди выходят из машин на дорогу. Они залезают на крыши своих автомобилей и оттуда глазеют на нас. Похоже, что наши «ЗИЛы» вызывают у них полный восторг. Они визжат и машут руками — это же их 50-е годы! Мода на огромные мощные автомобили, практически танки на колесах.

Фоном этой встречи был огромный ажиотаж в прессе. «Семерка» превратилась в «восьмерку»! Россия принята в элитный клуб государств! Что происходит?!

У нас в стране, в наших газетах раздавались другие, скептические, голоса: зачем нам «восьмерка», что мы будем с ней обсуждать, у нас же совсем другие проблемы! Писали и о том, что вступление России в клуб никого не должно вводить в заблуждение: это всего лишь большой аванс.

Да, конечно, аванс. Экономика остальных семи стран — на подъеме. Наша только выбирается из кризиса. Вот и в Денвере нас не пригласили на совещание министров финансов по корректировке курсов валют — обсуждать нам тут нечего, рубль, к сожалению, по-прежнему слаб. Сидеть и слушать, как американцы с японцами обсуждают, поднимать ли иену по отношению к доллару, нам пока бессмысленно. Но...

Но я читал эти статьи и думал: когда же мы, русские, начнем к самим себе относиться нормально? Ведь абсолютно очевидно: в «восьмерку» просто так, из-за политической конъюнктуры не принимают. Россия — одна из наиболее влиятельных стран мира. У нее уникальное сочетание природных запасов, высоких технологий, огромного внутреннего рынка, высококвалифицированных людских ресурсов, динамичного общества. Вот почему мы здесь, в «восьмерке». При чем же тут разговоры о «бедных родственниках»?

Нет, восьмым лишним в клубе я себя никогда не воспринимал. Напротив, все больше чувствовал: нас уважают по-настоящему.

Технически работа «восьмерки» происходит следующим образом. Стол переговоров. За ним сидят первые лица, руководители государств. Шерпа сидит у каждого за спиной. У него в распоряжении прямой телефон, который связывает его со штабом. В штабе специалисты из министерств финансов, иностранных дел, обороны, разведки. Моим шерпой на встречах «восьмерки» последние годы был Александр Лившиц.

Начинается дискуссия. Обычно она идет по кругу. У каждого лидера — своя тема. А дальше — обсуждение. Передо мной лежат заготовки по «моей» теме. Но ситуация может поменяться мгновенно. Шерпа обязан реагировать в течение секунд: получить из штаба информацию, быстро передать ее мне, предложить различные варианты решения возникшей проблемы.

Иногда Лившицу приходилось очень несладко. На саммите в Кёльне, например, был драматический эпизод. Шерпа Гельмута Коля принес информацию, что именно в тот момент, пока шел саммит, Пакистан взорвал ядерное устройство. Лившиц немедленно связался с начальником Генштаба Квашниным. В течение минуты получил информацию: наша разведка подтвердила, что взрыв был. А у Клинтона оказалась более точная информация: взрыва пока не было. Состоялась лишь имитация, демонстрация взрыва, чтобы запугать соседей. Настоящий взрыв произошел на несколько дней позже.

Александр Лившиц, мой экономический советник, сугубо гражданский человек, таким образом, оказался заложником неточной информации. Ему тогда крепко досталось от меня, хотя на самом-то деле ему пришлось отдуваться за наши силовые ведомства.

Вопросы, обсуждаемые на саммите «восьмерки», я бы разделил на три группы.

Первая группа. Экономические и финансовые. Здесь наши стратегические цели ясны: добиться снятия с России всех ограничений, окончательного признания ее государством с рыночной экономикой, вступления во Всемирную торговую организацию, Парижский клуб.

Ведь складывается парадоксальная ситуация. С одной стороны, нам выделяют кредиты, поддерживают нашу финансовую стабильность. С другой стороны, возводят протекционистские барьеры на пути нашего экспорта. Мы давно могли бы зарабатывать на мировом рынке немалые деньги, есть у нас такие статьи экспорта — высококачественная сталь, другие металлы, уран, некоторые технологии, наконец, наш экспорт на огромный рынок вооружений. Стоит нам заключить большой контракт, например, в космической отрасли с третьей страной, и тут же начинается тихое, незаметное, а порой и открытое давление американцев на правительство этой страны. Стоило нам проникнуть на рынок оружия Латинской Америки, начать продавать вертолеты и самолеты, — американские посольства стали проводить брифинги, организовывать кампанию в местной прессе.

Да, в некоторых областях мы уже давно конкуренты. И давно пора это признать.

Однако я убежден, что все эти ограничения — дело временное. Так же как временным является спад нашей промышленности, не вечны и последствия финансового кризиса. Постоянные переговоры с «восьмеркой» обязательно принесут свои плоды.

Второй круг вопросов — безопасность, текущая политика.

Здесь я хочу вспомнить внеочередной саммит по ядерной безопасности, который прошел в начале 1996 года в Москве. Это был первый саммит, который проходил в России. И хотя он был внеочередным, сам факт его проведения у нас был необычайно важным в политическом смысле. Я уже писал, как трудно начиналась моя предвыборная кампания 1996 года. Этот беспрецедентный приезд в Москву лидеров «восьмерки» был для меня неоценимой моральной поддержкой. Они сделали свой выбор гораздо раньше многих видных представителей политической элиты России.

Ядерная безопасность в последнее время волнует «восьмерку» все больше и больше. Очень велика угроза нового витка гонки ядерных вооружений — теперь уже в странах, никогда не входивших в «ядерный клуб». Случилось то, чего так боялось человечество в 60—70-е годы, — ядерная технология попала не в те руки. Это ставит перед «большими» странами совершенно новые задачи.

Вообще решение сложных международных проблем, связанных в том числе и с безопасностью, является прерогативой других международных организаций. Но этот московский саммит, а затем саммит в Кёльне показали всему миру: именно «восьмерка» помогла НАТО и России, всему Европейскому союзу выбраться из тупика. Именно консультации «восьмерки» по Косово, созванной, кстати, по инициативе России вопреки желанию некоторых стран, стали толчком для «второго дыхания» на переговорах Тэлботта, Милошевича, Ахтисаари, Черномырдина.

Ну и, наконец, третий круг вопросов, который всегда обсуждается в клубе: глобальные проблемы развития человечества. В сущности, ради них и существует клуб, ради них он и затевался когда-то. Для того чтобы новая неожиданная реальность не смогла разобщить мировое сообщество, вбить клинья между странами.

Здесь, пожалуй, на первом плане экология и демография. Германию, например, очень заботит сохранность лесов. Это ее конек. «Зеленые» с каждым годом увеличивают свое политическое влияние в немецком обществе, и канцлер Коль, а затем канцлер Шрёдер не могли не учитывать это.

Европейцев и японцев очень заботит «старение» населения этих стран. Доля старшего поколения все больше увеличивается, встает проблема их занятости, их образа жизни, их адаптации к современному миру, который весь обращен в сторону молодых и здоровых.

Правильная проблема. Но честно скажу: не очень ловко мне было присутствовать при ее обсуждении. Наша ситуация, с российскими пенсионерами, гораздо драматичнее — у нас до сих пор не решены вопросы пенсионного обеспечения, социального, медицинского. Но, как видно, и обеспеченная старость не снимает остроты глобальной демографической ситуации. Рано или поздно и нам придется решать подобные проблемы.

...Иногда на «глобальном» обсуждении бывают забавные столкновения. Помнится, на одном из саммитов я заглянул через плечо Клинтона и увидел, что он собирается «отвечать у доски» на ту же тему, что и я: компьютерный сбой 2000 года! Поскольку мы выступаем по кругу, я говорил как раз перед Клинтоном. Что делать? Когда я начал говорить, Клинтон слегка растерялся. Я решил не отделываться пятиминутным выступлением — а подготовился по этой теме я серьезно — и устроил настоящую дискуссию, чтобы Биллу легко было в нее включиться. По-моему, он не обиделся.

Но и для меня случались настоящие сюрпризы: например, спонтанно возникшая дискуссия о дорожной полиции. Я и не знал, что «гаишники», как их у нас называют, с их въедливостью и порой несправедливыми штрафами, явление международное, а не только отечественное! Тут уж захотелось высказаться почти всем, включая Билла Клинтона, он тоже вспомнил, что где-то на подъезде к мексиканской границе встречаются такие типы.

С самого начала моя позиция на саммитах была такой: «восьмерка» не делает никаких специальных заявлений по России! Если вы считаете, что на каких-то специальных «круглых столах» нам пока сидеть рано — пожалуйста, это ваше право. Но выделять Россию из других участников путем принятия отдельных решений — нет! Это неверная позиция. В частности, такая ситуация возникла на саммите в Кёльне в 99-м году, когда было решено отдельно оговорить позицию «восьмерки» по финансовому кризису в России. Благодаря моему давлению было принято общее заявление по итогам глобального кризиса, безопасности национальных финансовых систем, и в нем было несколько позиций, касающихся России. Возможно, кому-то такая моя настойчивость покажется излишней, но я считаю, что ставить Россию в положение страны, которой оказывают помощь, пытаются за нее решить ее проблемы, ни в коем случае нельзя.

Отдельно хочу сказать о позиции Японии по поводу вступления России в «восьмерку». Когда в 97-м году встал вопрос о расширении НАТО и нам пришлось принимать с западными странами согласованные решения по этому поводу (напомню, что условия нашего диалога с НАТО были оговорены в специальном документе, принятом в Париже), Япония вдруг жестко стала возражать против полного вступления России в «восьмерку». Она объясняла свою позицию разницей экономических потенциалов, финансовых систем, однако мне было очевидно, что такой нажим идет из-за политической составляющей наших отношений — вопроса о Южных Курилах.

Японии показалось, что мы «продаем» нашу позицию по НАТО за вступление в «восьмерку». И она захотела извлечь свои политические выгоды.

Однако вхождение в «восьмерку» — одна проблема, политические соглашения — совсем другая. Ни о какой торговле здесь нет и речи.

В принципе, возможность спокойно пообщаться в перерыве с Клинтоном, Шираком, Шрёдером, Блэром, Проди, Хасимото, Кретьеном и без всякого напряжения, без протокола обсудить с ними совместные предложения и планы — это и есть огромное преимущество работы на саммите. Здесь возможно все. Возможны встречи в любой комбинации — вдвоем, втроем, вчетвером, то, что немыслимо себе представить в рамках государственных визитов.

Выходим на лужайку. Солнце светит, лето. Ко мне подходит Ширак, происходит мимолетное двухминутное общение, когда завязываются ростки будущих глобальных договоренностей. Потом это отзывается работой экспертов, подписанием важнейших международных документов. А родились они здесь, в течение двух минут.

А вот еще картинка с денверского саммита.

Культурная программа: концерт Чака Берри в огромном ангаре. Полный зал народа. Всем лидерам накануне подарили ковбойские костюмы. На концерт Билл Клинтон пришел именно в таком наряде: в сапогах, ковбойской шляпе. Зал тепло приветствовал всех лидеров. Почти 70-летняя звезда рок-н-ролла вызывала у всех участников концерта самые искренние, теплые, ностальгические эмоции. А я далек от этой музыкальной культуры. В свое время пел русские песни, романсы, песни Фрадкина, Дунаевского, Пахмутовой. Простите, говорю, друзья, у нас в Москве глубокая ночь. Пойду спать. На этот вечер «восьмерка» превратится в «семерку».

Говорят, некоторые лидеры на концерте все-таки тоже задремали. От жары, конечно, не от музыки. А вот Билл был в восторге.

Вообще полная демократичность на саммите — наиболее ценная для меня черта. Я считаю, что будущее именно за такими встречами. Обращение на ты, дружеское расположение здесь — не формальность, а фундаментальная черта. Черта будущего века.

Обеденный перерыв. На ура проходят самые непритязательные шутки. Стол шерп в 5—6 метрах от нашего стола. Коль подходит к шерпам, у него своеобразный немецкий юмор, все уже догадываются, что он сейчас что-то скажет.

«Вы что, — разражается Гельмут грозной тирадой, — сюда обедать приехали? Это мы будем есть, а вы должны работать и работать!»

Общий хохот разряжает обстановку, но некоторые шерпы все же бледнеют.

На одном из последних саммитов «восьмерки» я огляделся и вдруг понял: а я ведь здесь самый старший по возрасту и по политическому опыту!

Я помню всегда благородного, утонченного Франсуа Миттерана. Именно с ним мы начинали диалог России и Франции. До сих пор не могу забыть тот подчеркнуто торжественный прием, который он мне устроил во время визита в Париж в Елисейском дворце. Это было осознанное восстановление прерванной исторической традиции — великой дружбы двух наших народов. Миттерана по-человечески мне было жаль: столько лет отдавший служению своей Франции, он не успел пожить для себя, последние его годы были омрачены тяжелой, мучительной болезнью.

И вот после него пришел Жак Ширак. Совсем другой человек, другая личность — открытый, раскованный, заряженный эмоциями.

Многое было связано для меня и с Джоном Мейджором, премьер-министром Великобритании, замечательным дипломатом, который морально поддерживал меня и во время путча 91-го года, и во время событий 93-го. Вроде бы по-английски сухой, но внутри — теплый, дружелюбный человек... Ему на смену пришел Блэр, дитя 70-х, — живой, эмоциональный, очень непосредственный политик.

Легко ли мне будет ужиться здесь, внутри «восьмерки», с этой новой генерацией политиков? Они ведь не просто моложе. Они мир видят по-другому. По-другому видят они и меня.

Особенно волновал этот вопрос в связи с уходом из «восьмерки» моего друга, с которым мы много раз встречались, Гельмута Коля. Нам с Колем всегда было психологически легко понять друг друга — мы были похожи по реакциям, по манере общаться. Мы видели мир с одной поколенческой колокольни. Кроме того, нам хотелось скорее растопить лед, накопившийся в послевоенную эпоху между СССР и ФРГ. Добавить теплоты в наши отношения. Нам казалось, что после падения Берлинской стены это чрезвычайно важно.

Шрёдер, политик новой либеральной волны, с социал-демократическими убеждениями, будет стремиться к новому стандарту в отношениях с Россией — более сухому, рациональному. Я это понимал с самого начала.

И тем не менее для меня в этом процессе узнавания новых европейских лидеров был не только трудный психологический барьер, но и позитивный смысл. Мне будет легче, чем кому-то другому, обеспечить преемственность отношения к России.

Тем более что в «восьмерке» я и самый старый, и самый опытный. Так уж получилось.

В «восьмерке» нет старших. Нет ранжира. Но старший по возрасту, по опыту, Гельмут Коль всегда был нашим неформальным лидером. В его отсутствие старшинство естественным путем перешло ко мне.

Когда-то очень давно он пошутил: «Не бойся, Борис, если проиграешь выборы, я тебя устрою работать в Германии, я знаю, что у тебя диплом строителя».

...И вот прошло время. Мы с Гельмутом построили все, что смогли, в своей жизни. И мне очень хочется, чтобы наша общая постройка — отношения наших стран — никогда не развалилась, стояла прочно, веками.

Надеюсь, что мой диплом действительно в этом помог.

РАБОТА С ДОКУМЕНТАМИ

Я вхожу в свой кабинет. Несколько шагов — и я за столом.

Этот стол я знаю как свои пять пальцев, как выученное еще в школе стихотворение.

На столе лежат папки. Красные, белые, зеленые. Они лежат в определенном порядке, который установлен долгой практикой. Если сдвинуть их или поменять местами — во мне что-то произойдет, я знаю это точно. Как минимум я испытаю безотчетное раздражение или тревогу.

Слева от стола — президентский пульт связи. С этого пульта я могу связаться с любым руководителем, да что там, с любым человеком в стране.

...Самые важные — красные папки. Это документы, которые нужно срочно прочесть.

Или подписать.

Тонкая стопка моих сегодняшних решений. Немедленных. Безотлагательных.

Она лежит по центру, чуть справа от меня. Прежде всего в ней — указы. Письма в официальные органы (например, в Думу или Совет Федерации). Вышел указ из папки — и состоялась отставка или назначение. Не вышел — решение не принято. Этих указов ждут порой несколько человек. Порой — вся страна. Так или иначе, содержимое этих красных папок уже завтра окажется в программе новостей. Возможно, национальных, а возможно, и мировых. Но моя работа — это не только отставки и назначения. Не только публичные выступления и визиты. В этой главе я хочу рассказать, из чего складывается незаметная, будничная сторона этой работы.

К содержанию красных папок я еще вернусь. Но одно я знаю точно: то, что лежит в них сегодня, завтра становится итогом, вехой, главным событием. Если в папке оказалось невнятное, непродуманное решение, значит, что-то не так во всей системе. В механизме принятия решения. Что-то не так во мне.

Справа от красных — белые папки.

В них вся жизнь государства. Государства, как определенной, если хотите, машины, со своим режимом управления, со своим двигателем и ходовой частью.

По этим белым папкам можно понять, как работает эта машина. Не стучит ли двигатель. Не отваливаются ли колеса.

В них — документы различных ведомств, министерств, ждущие согласования. Это не мои решения, не мои приказы, не моя прямая ответственность. Но за каждой строкой — сложнейшие взаимосвязи государственного управления. Секретный доклад или просьба руководителя правительства, отчеты Министерства обороны или ФСБ, финансирование государственных программ — тут может быть многое, что остается за кадром политических новостей. Но именно из документов этих белых папок, порой тихо проходящих мимо общественного внимания, и состоит реальная жизнь огромного государства.

На каждом таком документе — моя виза, мое поручение.

Зеленые папки. Как правило, это законы. Законы, регулирующие жизнь граждан. Подпись президента под законом — и он становится нормой для всех. На долгие годы вперед. Возможно, на десятилетия. Дать им жизнь или наложить вето?

И принимая решения по документам из зеленых папок, я призываю на помощь весь свой человеческий опыт, свое понимание нашего времени. Порой это бывает гораздо труднее, чем принять какое-то политическое или кадровое решение.

Вот судьба лишь одной зеленой папки.

22 июля 97-го года я подписал обращение к гражданам России в связи с отклонением Федерального закона «О свободе совести и религиозных объединениях».

«Это было тяжелое решение, — написал я в своем обращении. — Закон поддержали 370 депутатов Государственной Думы, Русская православная церковь и десять других религиозных организаций России».

...История этого закона такова. После падения СССР в новую Россию потоком хлынули миссионеры из самых разных стран мира. Среди них были мудрые, достойные люди, но были и коммерсанты от религии, были и те, кто не останавливался ни перед чем, лишь бы завладеть юными, неокрепшими душами. Религиозные секты заполонили залы пустующих кинотеатров и дворцов культуры. Псевдомиссионеры вербовали восторженных поклонников среди студентов и старших школьников, порой тоталитарные секты становились причиной многих человеческих трагедий: люди бросали свои семьи, работу, учебу, дети уходили от родителей «в бега», начинали бродяжничать. Это был колоссальный ущерб для их духовного развития, для их психики. Я знал о подобных случаях. Знал, что православная церковь апеллирует к правительству, указывая на такие полукриминальные или просто криминальные эпизоды, и ставит вопрос о серьезном ограничении конституционных положений о свободе совести.

Закон, принятый Думой, вводил жесткие ограничения на пути возникновения новых религиозных объединений. Ограничения такие, что, по сути, устанавливался запрет на появление в России новых конфессий.

После принятия закона в обществе разгорелась ожесточенная дискуссия. Интеллигенция, правые партии, либералы требовали от президента отклонения закона как противоречащего основополагающей норме цивилизованного права — свободе совести. Папа римский, президент Клинтон, лидеры мировых конфессий, парламентарии практически всех стран, в конце концов, мои помощники считали, что я обязан наложить вето на принятый Думой закон.

А с другой стороны, вот что писал мне патриарх Всея Руси Алексий Второй: «Закон совершенно справедливо различает религиозные объединения по степени их присутствия в России, по численности их последователей и по времени их образования. Он создает серьезные предпосылки для ограждения личности и общества от разрушительной псевдорелигиозной и псевдомиссионерской деятельности, наносящей очевидный вред духовному и физическому здоровью человека, национальной самобытности нашего народа, стабильности и гражданскому миру в России».

Такова была позиция нашей церкви.

...Тончайший, сложнейший вопрос о духовной свободе человека. Да, использовать эту свободу во вред — действительно легко. Многие десятилетия наши люди насильственно были лишены религии, и вот теперь тысячи, десятки тысяч новообращенных, плохо понимая традиции своей страны, отличия одной конфессии от другой, рванулись в заоблачную высь личного спасения. Русская православная церковь говорит: нечестно использовать их наивность, их безграмотность в религиозных вопросах, как делают это сейчас заезжие проповедники. Надо поставить хоть какой-то заслон этой безудержной эксплуатации нашего российского легковерия.

Права ли наша церковь? Да, права.

Но ведь Российская Конституция — не формальный документ. В ее статьях отражена вся глубина взаимоотношений человека и общества.

Имеет ли право государство вмешиваться и диктовать, во что верить, во что не верить? Нет, не имеет. В кого мы превращаем таким образом наших граждан? В послушных овец?

Право меньшинства должно быть четко закреплено в Конституции. Право быть несогласным, право находиться в оппозиции, право выражать свое мнение. В том числе и право быть не такими, как все.

Пусть в нашей стране всего лишь несколько тысяч католиков. Но если новый закон создает реальные препятствия для их духовной жизни — такой закон я подписывать не могу. Я прекрасно помнил, как в советское время жестоко преследовались сектанты, как легко было ходящему не в обычную церковь, а в молельный дом стать объектом преследования КГБ. Неужели мы и сейчас будем продолжать эту практику? Нет и еще раз нет.

Что делать мне? Подпишу закон — от нас отвернется весь цивилизованный мир, мы опять окажемся в политической изоляции. Отклоню — сильнейший удар по Русской православной церкви, по традиционным, небогатым российским конфессиям. Западные религиозные объединения, за которыми стоят миллиарды долларов и которые немедленно, на законных основаниях, рванутся в страну, их просто уничтожат.

Решение я нашел там, где оно обычно и находится, — посередине. Да, я отклоню закон. Но вместе с отклонением я внесу в него поправки. В поправках будет отражена суть предложений русской церкви и других традиционных конфессий — псевдорелигии и псевдомиссионеры не смогут растлевать неокрепшие души людей.

Я отклонил закон в том виде, в каком он был принят Федеральным Собранием. Направил в Совет Федерации и Государственную Думу свои предложения по совершенствованию закона. И ислам, и буддизм, и иудаизм, и другие традиционные для нашей страны религии, и представительства самых разных мировых церквей должны иметь в законе четкую опору, государственные гарантии.

Вскоре закон был принят с президентскими поправками.

Так завершилась эта эпопея летом 1997 года.

Зеленая папка с прошениями о помиловании — самая трудная для меня. Как решать вопрос о жизни и смерти? Как одним росчерком пера определить участь человека, о которой, по большому счету, знает только Бог?

...Комиссия по помилованию при Президенте России под руководством известного писателя Анатолия Приставкина заседала раз в неделю. По каждому случаю эксперты — юристы, психологи — выносили свой вердикт. После этого заключение комиссии попадало мне на стол.

Это были страшные, леденящие душу документы. Порой именно в их сухости, в спокойном перечислении был весь ужас.

Гражданин Б., 1971 года рождения, имеет мать, ранее не судим... Приговорен к смертной казни за убийство из автомата начальника караула лейтенанта П. и причинение тяжких телесных повреждений рядовому Д.

Я помнил этот эпизод. Эту историю. Солдат, расстрелявший своего начальника. Совсем молодой парень. Да, виновен, лишил жизни человека, молодого офицера, к тому же наверняка отца, главу семьи. Но кто знает, что там произошло, в его психике? Не выдержал испытаний? Сорвался? Какой надлом произошел в этой неокрепшей душе? Я согласен с аргументами комиссии — помиловать. Тем более что амнистии по таким статьям у нас не бывает, а ему теперь предстоит отбыть наказание сроком пятнадцать лет.

Гражданин М., 1973 года рождения, холост, ранее не судим, приговорен к смертной казни за изнасилование и убийство девушки, а также за изнасилование трех малолетних.

Я очень долго колебался. Казалось, что оставлять жизнь такому зверю — нельзя. И все же внял доводам комиссии. Смертная казнь была заменена двадцатью пятью годами лишения свободы. И после этого было установлено, что убийство и изнасилование девушки было совершено не им. Это выяснилось в ходе расследования другого уголовного дела, когда поступило заявление о явке с повинной от гражданина К. По другим преступлениям наказание М. было определено — 15 лет лишения свободы.

Правосудие не может быть ограниченным. Выборочным. Да, за изнасилование детей, я считаю, надо карать жестоко. Однако несколько лет назад под давлением Совета Европы мы ввели мораторий на смертную казнь. Очень многие были по-человечески против этой меры. Потому что не могут такие чудовищные преступления оставаться безнаказанными. Следователи и суды, прокуроры и общественное мнение по понятным причинам абсолютно безжалостны к маньякам, преступникам с подобными отклонениями в психике, ведь их деяния — жуткие, леденящие кровь. Но вспомним историю самого жестокого маньяка — Чикатило. Сколько безвинных подозреваемых было осуждено, прежде чем поймали ростовского «потрошителя».

Опираться только на мнения специалистов, на заключения экспертов — тоже нельзя. Еще и на свою совесть, на свое разумение. Может, моя бессонница, мои тревожные, невеселые ночи наедине с собой — родом из этой зеленой папки?

Тяжело. Уговариваю себя, что раскаяние этим людям еще может помочь. Но иногда рука словно сама тянется к перу: в помиловании отказать.

Каждый должен нести свою меру ответственности. Каждый.

Но человек мог попасть под расстрел за не совершенное им преступление. Да, возможно, жуткий человек, возможно, страшный. Но не совершавший убийства! Для меня это еще одно доказательство того, насколько совершенной обязана быть судебная система. И насколько это тяжелый, необратимый приговор — смертная казнь. Если допущена ошибка, ее уже не исправить, на нашей совести — жизнь.

А вот еще одна папка — в ней совсем другие истории, совсем другая жизнь. Наградные представления 97-го года.

Любимые мои документы... Хотя, казалось бы, подпись

под ними не требует размышлений, моей работы. Почему же тогда любимые? Это очень важно — сознавать, что в государстве живут такие люди.

Вот наугад несколько наградных листов. Писатель Виктор Астафьев — орден «За заслуги перед Отечеством» II степени. (Орден «За заслуги перед Отечеством» I степени — государственная реликвия, хранится в единственном экземпляре.) Живет в деревне Овсянка под Красноярском, там у себя создал деревенскую библиотеку. Наш сегодняшний Лев Толстой. Меня лично такая аналогия не смущает.

Академик Басов. Один из изобретателей лазера. Нобелевский лауреат. Легенда нашей науки! Орден «За заслуги перед Отечеством» II степени.

Конструктор Калашников. Михаила Тимофеевича, современного Левшу, создателя уникального русского автомата, страна наградила высшим российским орденом — Андрея Первозванного.

Вроде бы простое дело — награды. Что тут сложного — взять и подписать. Но...

Я считал и считаю, что в любом деле, даже самом спокойном, есть повод для неожиданного решения. Вот история с присуждением Государственной премии создателям фильма «Белое солнце пустыни». Приближался 25-летний юбилей этой замечательной картины. Но коллеги-кинематографисты посчитали: если страна и ее руководство вовремя не оценили создателей фильма, наверстывать упущенное поздно. Награждение задним числом будет нелепым. Странным.

Но я пошел напролом. Я был абсолютно убежден в своей правоте. Если такой — любимый, народный — фильм не наградить Государственной премией, тогда зачем вообще нужны премии?! Когда-то фильм был лишен наград из-за слишком «легкомысленного» отношения к революционной теме. А теперь за что?

Наверное, это был тот редкий случай, когда я про себя подумал: хорошо, что я президент.

...И своим указом ввел дополнительную премию. Специально для фильма «Белое солнце пустыни». Лауреатами

Государственной премии за 1997 год стали режиссер Владимир Мотыль, актеры Анатолий Кузнецов, Спартак Мишулин и другие замечательные мастера, подарившие нам блестящую картину. Очень приятно было пожать руку Владимиру Яковлевичу Мотылю в Георгиевском зале Кремля. И не было за державу обидно. Напротив, приятно было за державу.

...Правда, бывало с наградами и по-другому.

Приближалось 80-летие Александра Исаевича Солженицына, великого русского писателя, изгнанного из страны в 70-х годах и вернувшегося домой, в Россию, совсем недавно. Юбилей писателя должен был широко отмечаться российской общественностью. Для меня было ясно, что жизнь, прожитая Солженицыным, — это настоящий гражданский подвиг, и Россия должна наградить писателя своим высшим орденом — Андрея Первозванного.

В то же время интуиция подсказывала: не все будет так просто с Александром Исаевичем. Он привык быть в оппозиции. И несмотря на то что вернулся на Родину, по-прежнему настороженно и очень критически относится ко всему, что здесь происходит.

...И тут действительно мне на стол ложится записка моих советников, занимающихся вопросами культуры. В записке они сообщают, что Александр Солженицын в случае присвоения ему ордена скорее всего откажется от него.

Помню, я даже слегка растерялся.

Действительно, что делать?

Вроде бы, без всяких сомнений, необходимо награждать писателя. Но ведь в случае его отказа возникнет очень неловкая ситуация. Как после этого будут себя чувствовать другие выдающиеся люди России, которым уже был вручен этот орден или будет вручен? И если точно известно, что он откажется, надо ли тогда искусственно создавать шум, ажиотаж, некое общественное событие? Раз не хочет Александр Исаевич принимать орден, может быть, и не награждать его?

Но что-то говорило мне: нет, неправильно это, несправедливо. Да, сейчас писатель настроен жестко, многие вещи в окружающей действительности воспринимает вот так:

на эмоциях, на обидах. Это его характер. Но именно этот характер помог ему пережить все несправедливости, все тяготы жизни, выпавшие на его долю! Может быть, пройдут годы и он по-другому оценит этот орден?

Я подписал указ о награждении Александра Исаевича орденом Андрея Первозванного. И вместе с указом написал ему личное письмо, в котором говорил о том, что эту награду присудил ему не я лично, это награда — от всех благодарных граждан России.

...Я очень надеюсь, пройдет время, и Александр Исаевич изменит свое решение. Но даже если этого не случится, уверен, что поступил правильно.

Возвращаюсь к красным папкам.

Все ли важнейшие документы попадают в них? И что происходит дальше, после того как документ подписан?

Заведующий президентской канцелярией Валерий Павлович Семенченко, как правило, никогда не выпускал из рук документы «особой важности», «совершенно секретные» или «конфиденциальные». Все эти грифы означали для него одно: из рук в руки. Семенченко входит, держа в руках пакет, докладывает его суть, и я внимательно читаю. Если нужно — подписываю. (Дело в том, что эти документы не должны открыто лежать на столе, даже на моем, президентском.) После чего Семенченко удаляется в приемную и посылает «фельда» (курьера фельдсвязи) адресату, предварительно оповестив его по телефону закрытой связи. Как правило, это закрытые отчеты разведки, справки о новых видах вооружений, доклады об острых ситуациях, возникших в связи с международной деятельностью государства.

Валерий Семенченко со мной еще с Московского горкома партии. Оттуда он был изгнан за близость к опальному первому секретарю. Так что пострадал из-за меня. В 1990 году я позвал Валерия Павловича разгребать завалы документов и писем, оставшиеся от коммунистического Верховного Совета России.

Именно он в конце рабочего дня складывает папки в мой, президентский, сейф и опечатывает его своей личной печатью. Именно он бдительно следит за документами, которые лежат на моем столе. Любая моя пометка или резолюция мгновенно доносится до тех, кому она предназначена. И так десять лет. Без единого промаха, задержки, оплошности. Семенченко — человек безотказный, порядочный, верный. И очень добросовестный. Именно то, что требуется от человека на этом месте.

После того как срочная почта подписана, завизированы документы из белых и зеленых папок, Семенченко уходит.

Я вызываю руководителя кремлевского протокола Владимира Николаевича Шевченко.

Мы обсуждаем с ним график моего текущего рабочего дня.

Среда, 3 сентября

10.00. Запись радиообращения (к этой строчке плана я еще вернусь).
10.45. Церемония проводов Р. Херцога, президента ФРГ.
11.35. Телефонный разговор с Леонидом Кучмой.
11.45. Помощник по юридическим вопросам Краснов.
12.00. Министр внутренних дел Степашин.
13.00. Секретарь Совета безопасности Кокошин.
15.00. Открытие площади перед храмом Христа Спасителя.
19.00. Открытие нового здания оперного театра Бориса Покровского.

График верстается заранее, за месяц-полтора. Любой, даже пятиминутный сдвиг в нем я не могу себе позволить. И не только из-за того, что терпеть не могу опаздывать, терпеть не могу, когда меня кто-то ждет. Эта привычка вырабатывалась в течение всей жизни. И помимо всего прочего, я хорошо представляю себе, как будут волноваться все те, кто готовился к этой встрече давно.

Я помню, мои дочери не раз пытались меня подловить, проверяя мое чувство времени. «Папа, который час?» — внезапно спрашивали они. И я всегда отвечал, не глядя на часы, точно до минуты. «Как ты это делаешь?» — удивлялись они. Я и сам не знаю... Просто чувствую.

Здесь, в Кремле, это чувство времени тоже, безусловно, помогает. Но шеф кремлевского протокола Владимир Николаевич Шевченко в случае задержки обязательно напомнит, даст знать, что я задерживаюсь дольше возможного. Живой хронометр.

Но конечно, круг обязанностей Владимира Николаевича неизмеримо шире. С 1991 года он стал моим проводником в лабиринте протокола, верным помощником на всех официальных встречах. Он всегда рядом со мной, он держит в голове сотни и тысячи вроде бы мелких деталей, которые так много говорят для любого профессионального дипломата.

А его «коллекция» в девяносто восемь официальных, рабочих и прочих международных визитов президента чего стоит!

Не раз и не два шеф моего протокола не стеснялся вмешиваться в мою беседу с Клинтоном, Шираком или с другими лидерами государств (даже тогда, когда его иностранные коллеги не решались, отходили в тень) и напомнить нам, что до следующего мероприятия осталось несколько минут! И мы с уважением относились к его настойчивости. За все годы, которые он со мной, Владимир Николаевич ни разу не подвел. Уникальный человек, отзывчивый, приятный и фантастически пунктуальный.

Подписаны бумаги.

Согласован график.

До начала моих рабочих встреч и телефонных звонков я обязательно должен просмотреть газеты, журналы, дайджесты прессы и итоги социологических опросов. Без этого не могу представить себе начало своего рабочего дня.

26 сентября 1997 года.

Фонд эффективной политики присылает мне еженедельный мониторинг российской прессы, как московской, включая электронные СМИ, так и региональной.

Вот лишь несколько строк оттуда.

«Президент признал, что сильная экономика — это рынок плюс сильное государство» («Независимая газета»).

«Государство не потерпит более давления со стороны бизнеса» («Русский телеграф»). «Ельцин объявил о закате свободного рынка» («Коммерсантъ»).

Просматриваю заголовки, отмечаю основные тенденции недели.

А что думают обо всем этом люди? Простые люди?

11—12 октября 1997 года.

Фонд «Общественное мнение» проводит регулярные опросы.

«Скажите, пожалуйста, каких политиков вы лично выдвинули бы сегодня кандидатами на пост президента?»

Начиная с августа Зюганов увеличил свой рейтинг на два пункта — было 15 процентов, стало 17. А у Лебедя рейтинг на два пункта упал: теперь стало 9 процентов.

Здесь еще множество интересных вопросов. Например:

«...если Дума примет решение о недоверии правительству Черномырдина, как вы к этому отнесетесь?»

Положительно — 35 процентов, нейтрально — 16, отрицательно — 25. Затрудняюсь ответить — 24. Очень много колеблющихся, не определившихся. Есть резерв в борьбе за их доверие.

А вот очень интересный, не политический опрос. Например:

«Как обычно вы проводите свободное от работы время?»

Смотрю телевизор — 65 процентов. Занимаюсь по дому, по хозяйству — 57 процентов. Читаю газеты, журналы — 30. Занимаюсь физкультурой, спортом — 5.

Вся наша страна, со всеми ее привычками и предпочтениями, даже в этом простом опросе как на ладони. Есть о чем подумать.

Я делаю себе пометки на полях, записываю пришедшие в голову идеи. Но пора приступать к записи радиообращения. Начиная с 1996 года я делал это каждую неделю. Были тревожные — например, когда менялось правительство. Были спокойные и праздничные — например, посвященные 8 Марта.

Вот, например, о среднем классе. Тема действительно больная. Средний класс — есть ли он у нас вообще? Кто его формирует, какие социальные слои и группы? Удается ли ему выжить в кризисной экономике? Действительно ли он является социальной опорой президента, как об этом говорят социологи? Вот что я сказал тогда по этому поводу: «Сейчас наши граждане сами решают — по-прежнему жить на скромную зарплату или рискнуть — открыть свое маленькое дело: авторемонтную мастерскую, фотоателье, фирму по ремонту квартир, частный детский сад. Таким, конечно, трудно. Надо регистрировать предприятие, доставать сырье и искать заказы. Бороться за клиентов и теснить локтями крупных конкурентов. Но многие — начав с нуля — уже добились поставленной цели. Нашли себя в этой сложной, но интересной жизни. Они заслуживают уважения».

...Да, хорошая тема. Но, перечитывая обращение сейчас, спустя некоторое время, вижу, что многое надо было сказать не так. Активнее поддержать частных предпринимателей. Жестче потребовать от чиновников не мешать им, дать им вольную волю и свободное дыхание. И не обижать словосочетанием «маленькое дело». Дело-то, вообще говоря, огромное в масштабах всей страны.

Ко мне вновь заходит Шевченко. «Борис Николаевич, Совет безопасности», — напоминает он. Это значит, что все постоянные члены и приглашенные уже собрались в зале заседаний Совета. Я должен войти и начать заседание. Сегодняшняя тема — оборонная концепция России.

Я беру с собой папку «К совещанию».

У меня есть еще пять минут длинного кремлевского коридора. Пять минут, чтобы настроиться. Чтобы вспомнить те огромные, насыщенные технической информацией документы, которые я изучал накануне. Какая армия нам нужна? По-прежнему готовая вести мировую войну — со стратегическими ракетами, оружием возмездия, нацеленными по квадратам боеголовками? Или все средства и ресурсы нужно бросить на создание сил быстрого реагирования, которых у нас мало и которые не так уж хорошо обучены, как хотелось бы? Горькие уроки Чечни заставляют обратить внимание на второе. Но оборонная концепция принимается слишком надолго, чтобы исходить из реалий только сегодняшнего дня.

Итак, я встаю из-за стола. Вот он — с огромным пультом связи, рядами папок, строгий и спокойный президентский рабочий стол.

Я — машина для принятия решений. Так однажды кто-то назвал мою работу. Очень точно. Но эта машина должна думать и чувствовать, должна воспринимать мир во всех его взаимосвязях. Это должна быть живая машина. Иначе — грош ей цена.

Я иду длинным кремлевским коридором. Рядом — Шевченко. Чуть сзади — почти неслышный шаг адъютанта. Перед глазами проплывают столбцы текста. Цифры. Отдельные предложения. Документы продолжают жить в моем сознании. От того, насколько точно я их вижу и представляю, сейчас будет зависеть очень и очень многое.

Кто только не шутил и как только не шутили на тему о том, что «президент работает с документами». Казенная фраза? И только?

В этой главе я попытался немного рассказать о том, как это происходит на самом деле.

ПО-СОСЕДСКИ

России было трудно с ее переходной экономикой. Но пожалуй, еще труднее было тем, кто остался без России — в странах СНГ.

Рухнули взаимные иллюзии, что республикам бывшего СССР поодиночке легче будет выйти на мировой рынок, что жизнь у них станет богаче. Рухнули и другие иллюзии: что без груза экономических обязательств перед «младшими братьями» Россия добьется какого-то невиданного подъема.

Под влиянием новых реалий в странах СНГ жизнь стала для людей труднее и значительно беднее. Я всегда понимал это. И в душе было тяжелое чувство, хотя при этом ясно сознавал — виноват не я. Виновата сама история XX века, которая жестко и последовательно разрушала одну имперскую постройку за другой.

Можно привести здесь простую аналогию. Когда в семье развод, очень важно, чтобы между мужем и женой сохранились нормальные, добрые отношения. Важно для детей в первую очередь. Важно для всей дальнейшей жизни.

...А в нашем случае это было важно еще и потому, что делили мы с республиками СНГ не кастрюли, а оружие. Было необходимо сделать процесс развода мирным и сохранить в неприкосновенности ядерный потенциал, который затем, по взаимной договоренности, целиком отошел к России.

...Да, трудновато будет найти в мировой истории еще один пример такого государственного образования, каким сегодня является СНГ.

Еще совсем недавно люди наших стран жили по одним и тем же правилам, работали в одной экономике, у них был похожий быт, одна система образования, наконец, единое государство. Мы легко, с полуслова понимали друг друга. Ведь все мы ездили на одних и тех же автобусах и троллейбусах советского образца, одинаково платили профсоюзные взносы, смотрели одни и те же фильмы, рассказывали одни и те же анекдоты. Короче говоря, мы люди из одного исторического пространства.

При всем этом в едином политическом пространстве бывшего Союза оказались страны, чрезвычайно своеобразные и не похожие друг на друга — ни по климату, ни по географии, ни по национальному менталитету.

Это абсолютно парадоксальное сочетание единства и противоположностей сегодня и называется аббревиатурой СНГ.

Сейчас в России и странах Содружества спорят, что будет с СНГ дальше. Многие говорят: СНГ лишь ширма, мешающая реальной интеграции. Отношения стран должны быть исключительно двусторонними. Тогда и решатся разом все наши сложные проблемы, тогда не будет у бывших советских республик механизма, с помощью которого они «продавливают» невыгодные для России решения.

Абсолютно не согласен с этой точкой зрения.

СНГ — объективная реальность. Прежде всего — это единый рынок труда. Я не представляю, как иначе многие люди могли бы прокормить свои семьи.

Это общий рынок товаров и услуг, без которого сложно представить бюджет любой из стран. Трудно сказать, как этот рынок мог бы существовать без наших открытых границ, без нашего Таможенного союза.

Это и общий рынок энергоресурсов, нефть, газ, электричество, то есть фундаментальный базис экономики. Сложившаяся здесь естественная монополия России не означает нашего диктата в этой области (его никогда и не было). Но она таким же естественным образом ведет к нашей полной экономической интеграции со странами СНГ.

Кроме того, пусть не в прежнем виде, но существует и развивается единое культурное и информационное пространство.

Наконец, это система коллективной безопасности. И карабахский, и абхазский конфликты, и чеченская проблема, и столкновения с исламскими экстремистами в Средней Азии — все это наша общая боль. И уроки этих трагедий привели нас к пониманию того, что друг без друга нам не справиться с этими кровоточащими геополитическими ранами.

Больше того, я глубоко убежден, что когда-нибудь у нас будут и единая финансовая система, и общее руководство правоохранительными органами, и общие международные приоритеты. Возможно, даже общий парламент. Как бы ни резало это кому-то сегодня слух. Наша интеграция просто неизбежна, поэтому отпугивать от себя соседей, разрывая уже накопившиеся связи, мы просто не имеем права.

...Другое дело — чего стоило порой сохранить или установить эти связи.

Особенно трудным для СНГ был 1997 год. Мы прошли через несколько испытаний, и первое испытание, как ни странно, российско-белорусский договор.

Белорусы не просто наши ближайшие западные соседи, не просто славяне. История Белоруссии настолько переплетена с историей России, отношения двух народов настолько тесные, семейные, родственные, что мы всегда в истории ощущали себя кровными братьями. Поэтому и в СНГ наши отношения были особыми. И они, и мы стремились повысить уровень нашего сотрудничества.

Задание подготовить более полный интеграционный договор было дано главами государств еще в 1996 году. И в начале 1997-го такой договор действительно появился. Подготовлен он был группой во главе с вице-премьером Валерием Серовым, отвечавшим за вопросы интеграции в правительстве России. С белорусской стороны проект договора был завизирован министром иностранных дел И. Антоновичем и главой администрации белорусского президента М. Мясниковичем. Текст договора был направлен двум президентам.

...Вот тут-то и выяснилось, что устав нового союза совершенно не соответствует тем идеям, которые были одобрены мной при обсуждении концепции будущего союза. Это был новый устав, составленный главным образом двумя членами КПРФ (председателем комитета Госдумы по делам СНГ Г. Тихоновым и... самим И. Антоновичем, который переехал в Минск и сменил гражданство).

То, что министр иностранных дел Белоруссии одновременно и активнейший член российской компартии, само по себе должно было кого-то насторожить. Но не насторожило. А зря.

То, что придумали разработчики, по сути означало одно — Россия теряет свой суверенитет. В результате появляется новое государство, с новым парламентом, новой высшей исполнительной властью, так называемым Высшим Советом Союза. И решения этого органа обязательны для российского президента, правительства, всех исполнительных органов власти России.

Вот как это выглядело в подготовленном уставе: «Решения Высшего Совета Союза обязательны для органов Союза и для органов исполнительной власти государств-участников».

В уставе говорилось, что главой Высшего Совета новой федерации по очереди должны были быть белорусский президент и российский. Два года один, два года другой. Так что два года Российской Федерацией должен был управлять белорусский президент Александр Лукашенко.

Про парламент такие слова: «Государства-участники создают условия для преобразования Парламентского собрания в представительный и законодательный орган Союза, избираемый непосредственно гражданами Союза». Положение о равном представительстве в федеративном парламенте тоже вызвало смущение — по тридцать пять человек с той и другой стороны. В России проживает сто пятьдесят миллионов человек, в Белоруссии — десять.

Восстановить Советский Союз во что бы то ни стало мечтают не только коммунисты. Если для членов КПРФ это прежде всего орудие политической борьбы, идеологический постулат, то для других россиян — скорее личная душевная боль, обида за оставшихся в других странах родственников, коллег, друзей и так далее. Если можно так выразиться, это зов души. А подсознательные комплексы порой сильно действуют и на сознание, даже государственных чиновников.

Горячим сторонником непродуманного и опасного для России соединения двух государств оказался и мой помощник по международным вопросам Дмитрий Рюриков.

Документ этот был поддержан не только спикером Госдумы, не только огромным количеством российских чиновников, он, уже подписанный, лежал на столе у президента Лукашенко. Назревал крупный международный скандал. Для исправления ситуации к работе пришлось срочно подключить мою администрацию. Юристы обнаружили целый ряд и других вопиющих нарушений Российской Конституции.

Я написал письмо Александру Григорьевичу, в котором просил отложить подписание договора с целью всенародного обсуждения его положений.

Однако такой демарш российского президента — откладывание уже готового к подписанию договора — должен был стать для белорусского президента не самым приятным сюрпризом. Я возложил эту деликатную миссию — вручение письма — на Ивана Рыбкина, секретаря Совета безопасности.

При этом сказал ему: «Иван Петрович, пока Лукашенко не согласится, домой не возвращайтесь». Рыбкин с тяжелым вздохом понимающе кивнул и срочно вылетел в Минск.

В аэропорту Лукашенко сразу буквально дословно пересказал Ивану Петровичу содержание моего письма. Передал президенту эту информацию, как мне позже стало известно, Дмитрий Рюриков, мой помощник, который, как я уже говорил, был горячим сторонником полного, пусть даже прокоммунистического слияния двух государств. Через неделю я его уволил.

Я до сих пор глубоко благодарен Ивану Петровичу Рыбкину за терпение и настойчивость. Он и Лукашенко провели вместе много часов и, как говаривают злые языки, оставили после переговоров немало пустой тары из-под крепких напитков. Это была настоящая славянская дипломатия.

Рыбкин вернулся в Москву очень усталый. Вскоре, 10 апреля, был подписан новый текст договора, который, по сути, стал договором о намерениях к межгосударственному объединению.

Как я и предлагал, состоялось всенародное обсуждение этого чрезвычайно важного для народов двух государств документа, и мы получили немало ценных предложений от наших граждан.

21 мая в Кремле состоялось торжественное подписание нового договора между Россией и Белоруссией. Президент Лукашенко на подписании договора выглядел бледным, но спокойным. Мы оба были абсолютно уверены в том, что государственная интеграция не за горами. И действительно, в 2000 году она состоялась, полномасштабный союз двух стран стал реальностью.

...Я всегда был за то, чтобы внутри СНГ существовали различные союзы, объединения, куда страны Содружества могли бы вступать постепенно.

Но условия таких союзов должны были быть реальными и выполнимыми. К сожалению, до сих пор есть трудности на пути полной экономической интеграции России и Белоруссии: непрозрачность белорусского финансового рынка, антирыночное законодательство, преграды на пути приватизации. Если Россия сумеет привести Белоруссию в единый рынок, это будет грандиозным успехом. Но для этого в белорусской экономике нужны радикальные экономические реформы.

У меня было немало расхождений с Александром Лукашенко, в частности по поводу его отношений с прессой. Одна история с арестованным журналистом Павлом Шереметом чего стоит. Но, будучи в каких-то вопросах оппонентами, мы обязаны оставаться друзьями: российско-белорусский союз становится «паровозом» СНГ, везет вперед нашу общую интеграцию.

Я очень надеюсь, что от этого союза процесс демократических реформ в Белоруссии только выиграет. Мы в России должны использовать для этого все доступные нам возможности.

Пример не очень удачной попытки российско-белорусского объединения 97-го года я здесь привел вот почему. Нельзя, недопустимо использовать порой очень сложные проблемы во взаимоотношениях между странами СНГ как инструмент внутренней политической игры. А именно так поступили российские коммунисты, пытавшиеся во что бы то ни стало «протолкнуть» договор через Думу в 1997 году.

...Второй яркий пример использования крупной межгосударственной проблемы для разжигания внутриполитических страстей — это вопрос о Черноморском флоте, о Севастополе.

Именно это стало самым тяжким камнем преткновения в наших отношениях с Украиной.

Отношения России и Украины — особая, сложная тема. Украинцы для русских — такие же братья, как белорусы. Огромное сходство во всем: в языке, привычках, образе жизни. Больше того, Киев был столицей Древней Руси, Киевская Русь — родина нашего национального самосознания, нашей национальной истории. Без Украины немыслимо представить себе Россию. Но XX век выявил огромную тягу Украины к независимости — попытка найти свой, самостоятельный путь развития проходит через все главные события, все войны и революции. Поэтому-то с обретением демократии в украинском обществе вновь прошел мощный импульс к отделению от России.

...Мы не раз встречались с Леонидом Кучмой. Но свой первый официальный визит в Киев я откладывал из-за проблем Черноморского флота. Неопределенность в отношениях росла. Мы не могли подписать ни одного крупного, серьезного договора. Отношения двух наших стран были неестественным образом заморожены.

В мае 1997 года этот многолетний кризис наконец закончился. Состоялся мой официальный визит в Киев, которому предшествовали переговоры двух премьеров.

В Киеве расцветали каштаны, нас приветствовали толпы веселых, радостных людей. Помню, как я остановил машину в центре города и вышел поговорить с киевлянами, многие протягивали руки, говорили хорошие, теплые слова. Угрюмые люди с антироссийскими плакатами находились в стороне от этой эмоциональной, доброжелательной толпы.

И я подумал: «Боже мой, сколько же лет могла еще тянуться эта непонятная пауза в отношениях! Сколько можно было делать вид, что мы и так друг без друга проживем?»

...Итак, кончилась полоса отчуждения, когда пять с половиной лет Черноморский флот был ничейным. Теперь на кораблях российского военного флота вместо старых, советских — новые, андреевские, стяги. И желто-голубые — на кораблях украинских.

Флот находился в обветшавшем состоянии, не обновлялся, не ремонтировался. Люди не знали, какому государству они служат, не знали, кто должен им платить зарплаты, пенсии, пособия. Из четырехсот тысяч жителей Севастополя сто тысяч — четвертая часть — были связаны своей судьбой с судьбой флота. Все эти люди напряженно ждали, чем решится наш спор. Решение о разделе флота было крупной победой и для Украины, и для России.

Вкратце положения договора были таковы. Россия получила в аренду Севастопольскую, Южную и Карантинную бухты, где должны базироваться 338 российских военных кораблей. Ежегодная стоимость аренды военных баз в Севастополе по этому договору составила 98 миллионов долларов, которые пошли в счет оплаты украинского долга за российский газ. На момент подписания соглашения этот долг составлял, по нашим оценкам, около 3 миллиардов долларов. Аренда военных баз, включая инфраструктуру Севастополя, была заключена на 20 лет.

Все вздохнули с облегчением. Казавшийся в течение долгих лет неразрешимым вопрос о флоте был очень трудно, очень непросто, с огромным количеством взаимных уступок, но разрешен.

Украина получила часть флота и списание части внешнего долга. Наконец фактически был снят с повестки дня вопрос о принадлежности Севастополя, подтверждена территориальная целостность Украины. Я считал этот договор о флоте «нулевым вариантом».

Мы получили возможность военного присутствия в Черном море и Средиземноморском бассейне, где ходит большое количество наших торговых и грузовых кораблей. Что было очень важно для восстановления престижа России.

Но самое главное — это дало возможность заключить с Украиной полномасштабный договор о дружбе и сотрудничестве, которого не было все эти последние годы. Таможенные пошлины, совместные экономические проекты, вопрос с долгами — буквально все после снятия с повестки дня вопроса о Севастополе получило иной импульс, иное развитие.

Но не все в России и в Украине были согласны с таким финалом. Раздел флота сразу выбивал стул и из-под украинских националистов, и из-под наших левых всех мастей. К левым присоединился и такой крупный федеральный политик, как Юрий Лужков. Он назвал ненормальным положение, когда мы фактически берем Севастополь в аренду сами у себя.

Видимо, Юрий Михайлович предпочел бы объявить войну Украине или сделать Севастополь одним из районов Москвы.

И еще один эпизод того трудного и важного для становления СНГ года.

23 октября 1997 года состоялось закрытое заседание Совета глав государств СНГ в Кишиневе. На наших встречах мы пытались решать все острые проблемы, саммит в Кишиневе не был исключением.

...Сначала все шло как обычно — встреча в аэропорту, дружеские объятия, торжественный прием, пресса. У меня было нормальное рабочее настроение, не ждал никаких неожиданностей.

Но они начались сразу же, как только мы сели за стол переговоров. Один за другим президенты шли в атаку, выступали с жестких антироссийских позиций. У каждого накопился свой список претензий. Я слушал внимательно, помечал в блокноте главные тезисы, а сам думал вот о чем: дело не в претензиях. За каждым выступлением стояла усталость от своих нерешенных проблем. И этот огромный груз ответственности очень хочется переложить на большого соседа. Хотя бы на словах. Я смотрел на лица моих коллег и все больше укреплялся в своей мысли.

Вот, например, Эдуард Шеварднадзе. Грузинский руководитель всегда носит в себе боль абхазской трагедии. Тень братоубийственной войны легла на солнечную, гостеприимную страну.

Или — Леонид Кучма. В Украине — свои проблемы, и не только экономические. Как совместить демократию и рост национализма, порой ярого, агрессивного?

Свои национал-радикалы и у Лучинского в Молдавии, и у Рахмонова в Таджикистане, и у Акаева в Киргизии. Тяжелейший карабахский конфликт еще будет долгим эхом отзываться в отношениях Азербайджана и Армении. Неизвестно, когда отношения этих республик станут вновь нормальными.

Много резких слов на саммите в Кишиневе было сказано о поставках российского оружия в Армению. Наши военные направляли оружие по закрытому договору внутри силовых ведомств. Недоволен был прежде всего президент Азербайджана Алиев. Я ответил, что уже снял с работы нескольких руководителей Министерства обороны. И еще сниму многих. Это вызвало шум в зале.

Наверное, по каждому из выступлений можно было ответить резче, жестче, острее. Но я не хотел этого.

Словом, кишиневский саммит запомнился как один из самых драматичных, ведь на нем, по сути дела, решалась судьба Содружества.

...Когда-то я был в Кишиневе, видел знаменитые винные подвалы. Огромные бочки, освещенные тусклым светом, запах старого дерева, немного кисловатый, подвальная сырость. И вино. Терпкое, бархатистое, почти тягучее красное молдавское вино.

Я подумал о том, что это — метафора СНГ. Мы храним верность друг другу на протяжении многих сотен лет, а пробить нашу винную бочку, где, как старое вино, хранится наша родственная связь, легко. Легко вылить на землю это вино.

Было ощущение, что мы поругались, повздорили... по-соседски. Беззлобно. Как крестьяне, которые вместе, на одной земле пашут, возделывают виноград, давят его, выжимают, заливают в бочки. Друг без друга соседям никогда не справиться с этой вечной крестьянской работой.

Вернусь в нынешний, 2000 год...

Вскоре после моей отставки в Москве проходила встреча лидеров стран СНГ. Все они приехали накануне, за день до официального мероприятия, и я пригласил их к себе домой, в Горки-9. Принимать столь официальных гостей дома, да еще целый саммит, такого раньше не было. Но мы с Наиной решили сломать традицию. Правда, никогда у нас в доме не было столько почетных гостей сразу. Наина даже волновалась: хватит ли посуды из домашнего сервиза? Фирменное семейное блюдо, которым мы угощали президентов, — сибирские рыбные пельмени со щукой. По-моему, им понравилось.

Все президенты пытались, каждый по-своему, сказать что-то теплое, хорошее. Каждый звал к себе в гости.

Запомнилось, как Ислам Каримов, президент Узбекистана, большой умница, человек по-восточному тонкий, говоря о моей добровольной отставке, сказал: «Борис Николаевич, наверное, кроме вас, никто не смог бы так поступить...»

Что такое Узбекистан для России? Это не просто самая яркая, самая экзотическая по восточному колориту среднеазиатская республика. Это память о ташкентском землетрясении 1966 года, взволновавшем всю страну. Всем миром мы и восстанавливали разрушенный город. Помнят в России и то, сколько беженцев во время войны эвакуировалось в Узбекистан, скольких голодных сирот спасли узбекские семьи в те военные годы. Русские на протяжении целого века помогали узбекской культуре, науке, образованию, промышленности. Не может быть, чтобы такие кровные связи не остались в исторической памяти народа.

Мой хороший и добрый друг Нурсултан Назарбаев, президент Казахстана. Мне кажется, он не одобрял моей отставки, но ничего не сказал об этом, держался, как обычно, основательно, сдержанно... У Нурсултана огромный запас прочности в своей республике еще с советских времен, я думаю, потому, что он не признает резких радикальных перемен, рывков, метаний ни в политике, ни в экономике. Ему удается сочетать в своем поведении восточную осторожность, взвешенность — и современность. Он внушает чувство надежности. Не каждому это дано.

Зато Аскар Акаев, мой всегдашний и верный союзник, явно пытался меня подбодрить. Ему казалось, что я сильно переживаю. И он переживал вместе со мной. Мне кажется, его беспокоило, не изменятся ли теперь отношения России с Киргизией. Не уйдет ли то понимание, которое было между нами. Он много сделал для укрепления наших отношений. И его забота о будущем своей страны, а будущего без России он не видел, всегда была мне близка.

Сапармурад Ниязов приглашал в солнечную Туркмению: там скоро все расцветет. Туркмения в отличие от всех других бывших республик СССР продолжала идти по пути государственной экономики. Ниязов пытается правильно и рачительно использовать национальное богатство: газ, хлопок. Если есть возможность накормить всех, не меняя привычных устоев, используя природные богатства, — почему бы и нет?

Далеко не у всех такие возможности. Я всматриваюсь в лицо Эмомали Рахмонова, у которого в Таджикистане пе-

НА ПОДПИСЬ

Москва. Кремль. На саммите глав независимых государств.

С Исламом Каримовым.

С Александром Лукашенко.

С Леонидом Кучмой.

«Шанхайская пятерка»:
А.Акаев, Н.Назарбаев, Цзян Цзэминь, Б.Ельцин, Э.Рахмонов.

На следующий день В.Путин был избран главой СНГ.

С Нурсултаном Назарбаевым.

С Алексием Вторым.

ПАСХИ ХРИСТОВОЙ!

После концерта в Большом зале Консерватории. Г. Вишневская, Р.Хасимото, М.Ростропович, Б.Ельцин, японский музыкант С.Одзава.

С Дмитрием Лихачевым.

С Эльдаром Рязановым.

Встреча с журналистами
(с Герхардом Шрёдером).

С Евгением Примаковым. ►

◀ Май 1999 года. Сочи.
С Николаем Аксененко,
Сергеем Степашиным,
Александром Волошиным.

Осень 1998 года. С Юрием Лужковым.

Осень 1998 года. Владимир Путин — тогда еще директор ФСБ.

риодически стреляют, неспокойно на границе. Очень непростая там жизнь! Он держится с восточным шармом, говорит красиво, улыбается, но я вижу тень забот на его лице, тень затяжной усталости. Его тоже беспокоит будущее отношений наших стран. Я кладу руку ему на плечо. Хочется передать ему свою уверенность в том, что все будет хорошо. Я уже не президент, я просто человек. Думаю, он правильно меня понял.

А вот Роберт Кочарян, у него, быть может, самая проблемная сейчас республика, и по нему это видно... Маленькая гордая Армения тяжело переживает полосу политических катаклизмов. Но от этого не перестает оставаться одной из самых культурных, просвещенных стран СНГ. Армянская интеллигенция, национальная наука, литература, искусство всегда остаются на высоте. И это главный залог грядущего благополучия.

Куда сложнее определить по выражению лица, о чем думает Гейдар Алиев, патриарх Азербайджана. Я помню его еще по горбачевскому Политбюро. Сколько пришлось пережить этому умудренному огромным опытом человеку, с какими столкнуться испытаниями, как сильно измениться! Ценой огромных усилий Алиеву удалось вывести свой народ на путь мира, закончить ненужную, тяжелую войну. Люди, конечно, никогда этого не забудут. И это понимают в России. Гейдар Алиев рассчитывает на это понимание.

Еще один патриарх, тоже уважаемый в России, — Эдуард Шеварднадзе. Ему очень скоро после нашей встречи в Горках предстоят выборы. Как и Гейдар Алиев, он вывел нацию из пучины гражданской войны, из пожара междоусобицы, в которую страна вот-вот готова была погрузиться. Сегодня Грузия живет совсем другими проблемами — поднимает экономику, пытается выйти на международный рынок, стимулирует развитие промышленности. Грузии нужен мир, нужна стабильность, значит, и в этом вопросе между нами всегда будет полное доверие.

Петр Лучинский вспоминал наши встречи, снова звал в гости. Молдавия — красивая, добрая страна, которой изначально присущ мирный, позитивный крестьянский менталитет. Но и здесь остался шрам после распада СССР — Приднестровье. Решить проблемы в одиночку, без нас, Молдавии вряд ли удастся.

Самый молодой из президентов СНГ Александр Лукашенко своими порой излишне резкими заявлениями вызывает большое внимание нашей российской прессы. Его считают жестким, агрессивным, грубым даже. Вот чего я совершенно не чувствовал при личном общении. Да, это человек шумный, заводной. Наша с ним мечта сбылась — союз двух государств стал реальностью... Это — событие огромной важности. А произошло оно в том числе и благодаря удивительному упорству Лукашенко, его энергии.

С Леонидом Кучмой общаться сложнее, хотя внешне он традиционно по-украински ласков, уютен. Но в нем есть и сила, и упорство, и упрямство. К счастью, нам уже не надо ни делить Черноморский флот, ни обсуждать таможенные пошлины — можно просто есть пельмени и радоваться жизни... Украина потихоньку выбирается из экономического кризиса, стабилизируется и политическая ситуация. Народ начинает жить лучше, спокойнее.

Вот так и сидели мы за столом, неспешно беседуя. Между тем с нами сидел еще один человек, новый среди нас, исполняющий обязанности президента России Владимир Путин. Общался, присматривался. Понимал, что вскоре и ему предстоит отломить кусок этого трудного хлеба. И все сидевшие за длинным президентским столом присматривались к нему. Они понимали, что он здесь совсем не случайно. Я не мог впрямую рекомендовать его коллегам-президентам на пост Председателя Содружества. Но они меня прекрасно поняли и без слов. На следующий день Путин был избран главой СНГ.

...Я летел из Кишинева и вспоминал Беловежскую Пущу. Сколько обвинений выпало на мою долю из-за тех решений! Каких только ярлыков не пытались на меня навесить! Но я никогда не испытывал сомнений в правильности сделанного тогда, в 91-м году, шага. Там, в Беловежской Пуще, мы пытались не разрушить, а сохранить единое политическое пространство. Советский Союз все равно уже не мог существовать, государство трещало по всем швам. И чтобы спасти традиционные связи, избежать открытых столкновений и межэтнических конфликтов, мы пошли на этот компромисс. Мы очень надеялись, что процесс развода будет постепенным, мягким благодаря СНГ.

Единственный фактор, который мы недооценили, — это влияние политических элит внутри самих республик. Довольно быстро националистическая карта безоглядной независимости была разыграна почти во всех государствах.

Те, кто был не согласен отменять в школах русский язык, хотел торговать с Россией, те, кто выступал за общие правила игры, были объявлены империалистами. Начался бурный процесс размежевания. Началось ущемление прав русского населения.

Как вести себя в этой ситуации? Какую линию очертить внутри бывшего союзного пространства для нашей политики: линию конфронтации, линию компромиссов?

Я сознательно и бесповоротно выбрал второе.

Потому что понимал: предоставленные самим себе, молодые государства наломают дров во внутренней и внешней политике. Если они будут не с нами, они могут оказаться с теми странами, которые, вполне возможно, захотят направить этот союз против России.

И еще: от нашего жесткого размежевания еще больше пострадают люди. Миллионы людей.

Где будет работать огромное количество «сезонников»: азербайджанцев или украинцев, если не в России? Куда будет экспортировать Молдавия свои фрукты и вино? Что будет с Таджикистаном и Арменией без нашего военного присутствия? Что будут делать независимая Украина, независимая Белоруссия без нашего газа? Вопросы множились и множились.

А главное — для сотен тысяч, миллионов россиян могут навсегда оборваться духовные связи, семейные, нравственные, которые объединяют нас, выходцев из СССР, — как с этим жить?

Я считал, что Россия, как настоящий лидер, должна брать на себя дополнительную и политическую, и, если необходимо, экономическую нагрузку ради сохранения и укрепления Содружества.

...В 1991 году Россия объявила себя правопреемницей СССР. Это был абсолютно грамотный, логичный юридический шаг — особенно в области наших международных отношений, где мы были связаны целым рядом серьезнейших обязательств как члены различных международных организаций, конвенций, соглашений. Выйди мы из этого юридического пространства, и возникло бы столько вопросов, такая «головная боль», к которой в то сложное время мы были явно не готовы.

Но сейчас я думаю: а что бы было, если бы новая Россия пошла другим путем и восстановила свое правопреемство с другой Россией, прежней, загубленной большевиками в 1917 году?

...От 1991-го к 1917 году?

Конечно, на этом пути возникли бы большие трудности.

Идея реставрации всегда сильно пугала наше общественное мнение. Отдавать собственность, землю, выплачивать потомкам эмигрантов долги за потерянное в революционные годы имущество? Все это было бы очень трудно, непривычно, непонятно.

С революцией проще рвать именно так — жестко, не затягивая и не усложняя мучительный процесс расставания с историческим прошлым. И у этой коренной ломки общественного устройства были бы свои несомненные плюсы.

Мы бы жили по совершенно другим законам — не советским законам, построенным на идее классовой борьбы и обязательного диктата социалистического государства, а по законам, уважающим личность. Отдельную личность. Нам бы не пришлось заново создавать условия для возникновения бизнеса, свободы слова, парламента и многого другого, что уже было в России до 1917 года. Кстати, была частная собственность на землю. А главное, мы, россияне, совсем по-другому ощущали бы себя — ощущали гражданами заново обретенной Родины. Мы бы обязательно гордились этим чувством восстановленной исторической справедливости!

Иначе бы относился к нам и окружающий мир. Признать свои исторические ошибки и восстановить историческую преемственность — смелый, вызывающий уважение шаг.

Посмотрите, что реально происходило в последние годы. Нам девять лет приходилось ломать и строить одновременно. Жить между двух эпох. И это гораздо труднее, чем приспосабливать под современность, модернизировать старые российские законы.

Несомненные выгоды от такого решения, такого поворота событий, мне кажется, тогда, в 91-м, были нами, вполне возможно, упущены. Да, не все так просто, не все так гладко получается в жизни, как в политической схеме.

Быть может, когда-нибудь россияне захотят сделать такой шаг.

Был еще один эпизод, который наглядно демонстрирует, как я старался идти навстречу моим коллегам-президентам. Я имею в виду историю с назначением Бориса Березовского исполнительным секретарем СНГ.

От саммита к саммиту накапливалось неудовольствие работой исполкома и его руководства. Наконец все лидеры государств сошлись на том, что глава исполкома Иван Коротченя должен быть освобожден от своей должности. Конечно, по нашей традиции, с благодарностью и почестями. Ну и всем вместе надо будет найти нового руководителя.

МИДы вяло переписывались, в бумажном круговороте неспешно возникали и пропадали какие-то кандидатуры. В общем, как мне доложили, к началу очередного заседания глав государств нового руководителя не успели согласовать. И когда мы собрались в Москве, в Екатерининском зале Кремля, совершенно неожиданно для меня президент Украины Леонид Кучма предложил на должность исполнительного секретаря СНГ Бориса Березовского. Он пояснил, что именно такая яркая фигура, как Березовский, может дать мощный импульс работе этого важнейшего органа Содружества. Честно говоря, я был неприятно удивлен.

Но это было только начало. Затем стали брать слово президенты государств и один за другим всячески поддерживать эту кандидатуру. В адрес Бориса Абрамовича лились дифирамбы, я только успевал головой крутить, слушая то одного президента, то другого.

Наконец я попросил слово и сказал: «Уважаемые коллеги, вы знаете, какое непростое отношение к Березовскому у нас в стране, особенно среди политической элиты. Давайте подумаем над другой кандидатурой».

И на это услышал: «Борис Николаевич, ну это даже странно, мы тоже знаем Березовского, знаем его плюсы и минусы, но мы предлагаем российского гражданина, а вы отказываетесь?..»

Тогда я попросил время подумать, объявил перерыв и вышел. Сел в кресло комнаты отдыха, рядом с Екатерининским залом. Попросил шефа протокола Шевченко срочно отыскать Березовского и пригласить его в Кремль. Он мне рассказал, что, оказывается, Березовский объехал за последние дни практически всех лидеров государств, попросил их о поддержке, и сегодня мы имеем то, что имеем.

Я вызвал главу администрации Юмашева, спросил его, что он думает по этому поводу. Честно говоря, таким злым я Юмашева ни разу не видел. Он сказал, что категорически возражает. Кроме того, считает недопустимым, чтобы решение любого вопроса в рамках СНГ навязывалось президенту России. Тем более когда все это делалось втайне, за спиной президента.

После этого я попросил зайти председателя правительства Кириенко. Он тоже был возбужден. Сказал, что президент не должен брать на себя такую тяжелую дополнительную политическую нагрузку. Внутри России скандал с назначением Березовского будет огромным.

Я выслушал их мнение, и в этот момент мне доложили, что приехал Березовский. Попросил Кириенко и Юмашева подождать, пригласил его к себе.

«Борис Абрамович, вы, я думаю, уже в курсе, что сегодня произошло. Практически все президенты стран СНГ предложили назначить вас исполнительным секретарем СНГ. Вы понимаете, какая тяжелая реакция на ваше назначение будет у нас. Хотел послушать, что вы думаете?»

Березовский был слегка взлохмаченный, он мчался в Кремль откуда-то из-за города. Посмотрел на меня цепко и сказал: «Борис Николаевич, если вы хотите принести пользу

Содружеству, то меня надо назначать. Я уверен, что смогу сделать что-то полезное. Если обращать внимание на тех, кто что-то там на улице будет говорить, тогда не надо. Если вы поддержите меня, я постараюсь оправдать ваше доверие и доверие президентов СНГ».

Я подумал еще минуту. Конечно, странная ситуация. Российский президент выступает против российского гражданина.

Вошел в зал. Президенты смотрели на меня испытующе. Произнес: «Дорогие коллеги, я согласен с вашим предложением. На должность исполнительного секретаря СНГ вносится кандидатура Бориса Березовского». Единогласно, как того требует устав СНГ, Березовский был назначен на эту должность.

Через год, правда, со скандалом и уже по моей инициативе, он был уволен, но президенты стран Содружества до сих пор говорят, что это был самый сильный исполнительный секретарь СНГ.

Любой саммит СНГ — это обвинения с нескольких сторон. От наших политиков (как правого, так и левого толка) — что я попустительствую президентам независимых государств, не отвечаю на их выпады, даю огромное количество льгот и поблажек в экономических вопросах, прощаю долги и даю занимать вновь и вновь... Но претензии были и со стороны президентов и парламентариев стран СНГ: Россия, мол, не занимается реальной интеграцией, отделывается разговорами, возводит таможенные и налоговые барьеры, не соблюдает соглашения о свободной торговле, не идет навстречу с ценами на газ и электроэнергию.

Что же происходило на самом деле?

...Это была моя сознательная политика сдерживания противоречий. Политика их амортизации.

Нет, мы не отделывались разговорами. Все проблемы внутри СНГ — решаемые проблемы. Лидеры стран хорошо знают и понимают друг друга, народы связаны узами добрососедства, тысячью тончайших нитей — семейных, профессиональных, дружеских. Вот основной фактор сотрудничества, который мы сохранили.

И я считаю, добились главного: несмотря на все разговоры о смене курса, несмотря на явные попытки некоторых третьих стран обернуть международное сотрудничество против России, наши экономические и политические связи со странами СНГ сейчас по-настоящему окрепли. Фактически они уже превратились в некую систему взаимодействия, разрушить которую очень трудно.

Я очень надеюсь, что когда-нибудь Беловежскую Пущу вспомнят совсем в других выражениях, не так, как сейчас. Будут говорить, что это было начало совершенно нового этапа: вслед за Европейским союзом мы начали строить абсолютно новую реальность, новый союз — Содружество Независимых Государств.

РУБЛЕВАЯ КАТАСТРОФА

Летом 1998 года Россию постигла тяжелейшая финансовая катастрофа. Замечу сразу, что произошла она не только у нас, но и в странах с другой экономикой, с другой историей, с другим менталитетом.

Явление это для нас новое. Мы, долгие годы отделенные от мировой цивилизации высокой стеной, как оказалось, были к нему совершенно не готовы.

Могла ли нас обойти эта беда? Вряд ли. Много в те дни, перед августовским кризисом, давалось ценных советов — и банкирами, и аналитиками, и журналистами, и экономистами... Почему правительство оставалось глухо к этим советам?

Я думаю, по причине, которая коренится в нашей российской психологии: мы настолько часто говорили о грядущей экономической катастрофе, о том, что все рухнет, рубль обвалится, настолько часто «каркали», что чувство тревоги отчасти притупилось. Однако глобальная экономика наших дней не может ждать антикризисных решений неделями и месяцами. Пожар на бирже вспыхивает в течение часа и в течение суток охватывает весь мир.

И вторая важная причина. Несмотря на все разговоры о рыночной экономике, мы еще не успели окончательно привыкнуть к тому, что наша страна — внутри большой экономической цивилизации, внутри мирового рынка. Зависимость от мировых бирж, от мировой финансовой ситуации по-настоящему не осознавалась.

Между тем именно глобализация мировой экономики, казавшаяся до кризиса каким-то фантомом, абстрактным постулатом, очень больно ударила в 98-м по всей России, по всем ее городам, большим и малым, по всем ее людям.

С самого начала своей работы правительство Кириенко декларировало создание антикризисной программы. Под руководством Сергея Владиленовича наконец начали писаться грамотные экономические законы, выстраиваться правильные макроэкономические схемы (наработками кириенковского правительства, кстати, пользовались потом все последующие кабинеты министров и пользуются до сих пор). Но вот беда: за этой долгосрочной перспективой молодые экономисты совершенно проглядели текущую катастрофу! Закладывая фундамент, напрочь забыли о крыше. Произошел удивительный парадокс: самое грамотное в экономическом смысле российское правительство приняло самое неграмотное, непросчитанное решение: оно объявило, что отказывается платить по собственным внутренним долгам.

Впрочем, если разобраться повнимательнее, никакого парадокса тут нет.

Внешне все выглядело очень просто. Западные инвесторы медленно, но верно начали уводить с «проблемного» российского рынка свои капиталы. Непрерывно росла доходность на рынке ГКО (государственных краткосрочных облигаций). Уже с начала 1998 года многие специалисты заговорили о том, что рынок государственных ценных бумаг работает не на государство, а как бы сам на себя. Не правительство использует этот рынок для пополнения бюджета, а участники рынка используют правительство, высасывая финансовые ресурсы. Центральный банк, занимавший тогда тридцать пять процентов рынка ГКО, покупал у правительства новые ценные бумаги, а правительство этими рублями расплачивалось за старые выпуски ГКО. Получив рубли, владельцы ценных бумаг (в основном, конечно, коммерческие банки) несли их на валютный рынок, покупая доллары. Создавали давление на курс рубля. А чтобы удержать этот курс (напомню, тогда он был определен «валютным коридором» и практически не менялся уже в течение долгого времени и равнялся шести рублям за один доллар), Центральный банк тратил свои золотовалютные резервы. Только за январь резервы Центрального банка сократились на три миллиарда долларов. Лишь такой ценой удалось удержать курс внутри «валютного коридора». Так работала кризисная машина 1998 года. Она остановилась лишь тогда, когда кончилось топливо: правительству стало не хватать рублей для оплаты старых госбумаг, а Центробанку — валюты для поддержания курса.

Еще в конце 1997 года, выступая на заседании правительства, я говорил: «Вы все объясняете мировым финансовым кризисом. Конечно, финансовый ураган не обошел стороной Россию. И зародился он не в Москве. Но есть и другая сторона — плачевное состояние российского бюджета. А вот здесь пенять можно только на себя».

Да, действительно, на трудную ситуацию финансового рынка накладывалась и другая, просто отвратительная, ситуация — с собираемостью налогов, исполнением бюджета. За январь 1998 года федеральный бюджет получил от налогов лишь около шести миллиардов рублей, это было в два раза меньше, чем бюджетное задание. Любые кредиты мирового банка, любые крошечные доходы — все быстро исчезало в огромной бюджетной дыре. Чтобы погасить долги по зарплате, шли на все.

Доходность на рынке ГКО в феврале не опускалась ниже 40 процентов. А в бюджете была заложена цифра 20. Таким образом, бюджетная дыра, по одним, официальным, оценкам, составляла 50 миллиардов рублей, а в реальности — около 90 миллиардов.

Давление на наш финансовый рынок продолжалось. Международные финансовые агентства объявили о том, что пересматривают финансовый рейтинг России в сторону снижения. Иностранные инвесторы и наши банки осторожничали, больше не доверяли рынку российских ценных бумаг.

В конце мая пошла очередная волна кризиса. Снизились мировые цены на нефть. Сорвались крупные аукционы (в частности, по продаже «Роснефти», на что был большой расчет). Серьезные убытки понесли железные дороги, огромные деньги пошли на то, чтобы погасить шахтерские забастовки.

В этот же момент вдобавок обрушился рынок в Индонезии. Для инвесторов, покупавших наши ценные бумаги, все это были очень плохие новости.

Так долго продолжаться не могло. Ведь только иностранцы владели госбумагами в объеме около 20 миллиардов долларов. И если бы зарубежные инвесторы враз ушли из России, продали свои облигации, рубль бы рухнул незамедлительно. Центробанку надо было, видимо, срочно покидать этот рынок ГКО. Но банк по инерции продолжал за него держаться, надеясь на правительство.

...Еще в начале года я говорил, что, хотя первый этап финансового кризиса мы проскочили, стало совершенно ясно, что система защиты от этих катаклизмов у нас не отстроена, не работает.

Правительство Кириенко только-только налаживало отношения с Центральным банком, только училось руководить этим тяжелым механизмом. И при этом оно страшно боялось девальвации рубля!

Ту единственную меру, что могла нас спасти летом 98-го (плавная девальвация в преддверии кризиса), Кириенко, Дубинин и другие отвергали априори. Почему?

Главная причина: начинать свою деятельность правительству Кириенко с девальвации было морально и политически очень тяжело. Крупные банкиры, Дума и губернаторы, промышленники и профсоюзы — все игроки финансовой и политической сцены — плохо воспринимали новичков, технократическое правительство «молодых выскочек». Дума блокировала законопроекты, профсоюз угольщиков устроил настоящую «рельсовую войну», перекрыв сибирские магистрали, губернаторы выносили на Совете Федерации жесткие и неприятные резолюции. В этих политических условиях девальвация казалась правительству немыслимым, невероятным риском...

Я вспоминаю то психологическое состояние, в котором находился Сергей Кириенко в летние месяцы 1998 года. Он пытался выглядеть снисходительно-спокойным. Старался дистанцироваться от прежней либерально-экономической команды Чубайса, Гайдара. В любой другой ситуации эта тактика была бы, наверное, единственно правильной. Для начала премьеру нужно было избавиться от своих комплексов, обрести привычку к власти. С другой стороны, Сергей Владиленович видел, как все плотнее, тяжелее на страну накатывает жуткий финансовый кризис. Ему необходима была поддержка со стороны крупных банкиров, финансовой элиты. Но и с этой стороны премьер оказался как бы жестко отрезан: ему попросту не доверяли.

Я видел перед собой такую картинку: на атомной станции случилась авария, и здесь были необходимы не большие академические знания, а многолетний опыт работы с «кнопками».

Вот с этими-то «кнопками» правительство разобралось далеко не сразу!..

Одновременно несколько кризисов с разных сторон обрушилось на правительство Кириенко.

Может быть, сейчас уже мало кто помнит знаменитую «рельсовую войну» лета 98-го года, но уверен, что Сергей Кириенко, кстати, как и я, с содроганием вспоминает ту волну шахтерских забастовок.

Летом 98-го года началось жесткое противостояние шахтеров Кузбасса с правительством. Они уже несколько месяцев не получали зарплаты. Продолжали ходить в забои, руководство шахт каждый раз обещало им выплатить причитающиеся деньги. И в очередной раз обманывало. Взрыв открытого недовольства пришелся на лето, когда приближались отпуска, когда дети должны были отдыхать и набираться сил, а денег в шахтерских семьях не было совсем.

...Главный парадокс состоял в том, что эти шахты уже давно не входили в государственный сектор экономики. Они были акционированы, иногда уже не раз поменяли своих собственников, но шахтеры не хотели разговаривать с новыми хозяевами или с местными начальниками, которые были не в состоянии справиться с ситуацией. Главными виновниками всех своих бед они по-прежнему считали тех, кто находится далеко, в Москве. Министерство. Правительство.

Забастовки шахтеров в стране происходили и до этого. Реформы в угольной отрасли шли туго, приходилось с огромными усилиями закрывать бесперспективные, экономически нерентабельные шахты. Чаще всего ни политической воли, ни денег на эти преобразования не было. Уголь, который добывали шахтеры с глубоких пластов, имел такую себестоимость, что потребитель был не в состоянии платить за него необходимые для нормального функционирования шахт деньги.

Поэтому к сезонному обострению в шахтерских регионах прежнее правительство как-то уже приспособилось. Обычно председатель правительства весной собирал у себя губернаторов, руководителей отрасли, профсоюзных шахтерских лидеров. Правительство выделяло шахтерам кредиты, списывало их долги, и с грехом пополам каждый раз удавалось шахтерский кризис смягчить. В этот раз только что назначенный и утвержденный Думой Кириенко упустил надвигающуюся опасность.

Шахтерская солидарность — вещь уникальная. За одними регионами последовали другие. Буквально за несколько дней шахтерские волнения охватили почти все угледобывающие районы страны.

Но это еще не все. Шахтеры стали перекрывать железнодорожные магистрали. Это уже был совсем другой уровень противостояния.

Поезда не ходили. Оборвались связи между регионами. Предприятия несли огромные убытки — не доставлялись грузы. Люди не могли уехать в отпуск. Товары не доходили до потребителей. Волнение в обществе нарастало. В нашей огромной России перерезать железные дороги — все равно что отрубить электричество. Это уже было уголовное преступление. Раздавались голоса — арестовать, посадить, разогнать с помощью спецподразделений. Но очень не хотелось создавать неприятный прецедент уголовного преследования отчаявшихся людей, отягченный к тому же массовыми столкновениями с органами правопорядка. В аварийном режиме начались переговоры молодого правительства с шахтерами.

Надо сказать, шахтерские лидеры быстро оценили ситуацию. Они поняли, что в условиях надвигающегося кризиса их действия вызывают громадный политический резонанс, подобный тому, какой вызывали их забастовки в мою поддержку в 1990 году. Тогда они выдвинули лозунг: Горбачева в отставку, Ельцина в президенты! Десять лет назад шахтеры возлагали огромную надежду на частную собственность — мол, с ее помощью шахты можно будет модернизировать и даже получать процент от прибыли. Я обещал всеми силами содействовать этим реформам.

При этом мы тогда не учли одного обстоятельства: отрасль была морально устаревшая, малорентабельная, и надеяться на какое-то экономическое чудо было наивно... И шахтерские протесты продолжались все эти годы.

Но в 1998 году шахтеры использовали уже не только привычные экономические лозунги — возвращение долгов по зарплате и так далее. Впервые за последние годы, в столь массовом порядке, согласованно они вновь выступили с полномасштабной политической программой. Долой правительство! Ельцина в отставку!

...Это тяжелое противостояние продолжалось больше трех месяцев. Шахтерский пикет, который расположился в Москве, прямо у Дома правительства России, на Горбатом мосту, стучал касками, объявлял голодовки, развлекал журналистов. Постепенно бастующие шахтеры стали мощным информационным поводом для атаки на правительство: к ним приезжали на Горбатый мост депутаты и артисты, с ними встречались представители всех партий и политических движений. Скандал разрастался.

Надо сказать, москвичи реагировали на шахтерский пикет весьма своеобразно. Эстрадные артисты и политики использовали визиты на Горбатый мост в основном для своей собственной рекламы. Сердобольные московские женщины кормили и поили шахтерских лидеров, приглашали в гости. Все вокруг шахтеров было настолько спокойно, я бы сказал, лениво, что явно никто не собирался поддерживать их протест. Но за шахтерами, уныло сидевшими на Горбатом мосту, стояла огромная сила: озлобившиеся шахтерские регионы, начавшие «рельсовую войну» с правительством.

...Вице-премьер Олег Сысуев, отвечавший за социальные вопросы, мотался из одного угольного региона в другой, почти не глядя подписывал любые соглашения, лишь бы договориться. В одном из таких подписанных им документов я с интересом обнаружил пункт о том, что да, правительство согласно с тем, что Ельцин должен уйти в отставку.

Конечно, юридически этот договор был нелепым, я попросил сохранить его как историческую ценность. Но вместе с тем было понятно: правительство находится уже почти в невменяемом состоянии.

О том, что шахтерские акции просто гипнотизировали молодых политиков, косвенно свидетельствует тот факт, что после своей отставки Кириенко и Немцов сразу же вышли к шахтерам и с удовольствием выпили с ними бутылку водки, отметили свой уход. Было понятно, что теперь шахтерский бунт постепенно рассосется — ставший для шахтеров политической мишенью премьер побежден не без их прямого участия. Ни решения проблем, ни успокоения в шахтерские регионы это, правда, не принесло.

Но поезда по Сибири все-таки начали ходить.

В это время на финансовом рынке ситуация немного улучшилась. Скрепя сердце Минфин прекратил выпуск новых ценных бумаг и начал оплачивать старые из обычных доходов бюджета, то есть за счет пенсионеров, врачей, учителей. Сразу поползли вверх долги по зарплате бюджетникам. Но другого выхода не было. Пошли на жесткие меры и Центробанк, и правительство. На пост руководителя Госналогслужбы был назначен Борис Федоров, пообещавший очень круто разбираться с должниками.

В это же время состоялась известная встреча Кириенко с крупнейшими представителями российского бизнеса, подальше от прессы, за закрытыми дверями — в старом правительственном пансионате «Волынское», недалеко от дачи Сталина. Кириенко был вынужден уйти от своего чуть ли не главного постулата — не иметь дело с олигархами, ни в чем не зависеть от них.

Кириенко прямо сказал, что ему нужна их помощь. Политического ресурса явно не хватает, чтобы исправить ситуацию.

На этой встрече было решено создать что-то типа экономического совета при правительстве, куда должны были войти все представители крупнейших банков и компаний. Бизнесмены дали на встрече достаточно жесткую оценку: правительство слабое. Надеяться на финансовую помощь Запада ему не приходится. Кто в мире будет разговаривать с малоизвестным вице-премьером Христенко, с другими молодыми людьми из правительства Кириенко? Было предложено на время откомандировать Анатолия Чубайса на помощь правительству. Участники встречи в «Волынском», которая началась в четыре часа, уже к восьми договорились о кандидатуре Чубайса, а к девяти на моем столе уже лежал указ. Это свидетельствовало о том, что ситуация действительно «пожарная». Чубайс, который совсем недавно в очередной раз ушел из правительства, вновь оказался востребованным. Указ я подписал в тот же вечер.

Чубайс был назначен спецпредставителем России на переговорах с международными финансовыми организациями в ранге вице-премьера. Это был еще один компромисс Сергея Кириенко — изначально он хотел опираться только на новую экономическую команду, не контактировать с экономистами гайдаровской школы.

Чубайс быстро добился на переговорах крупного кредита МВФ (шесть миллиардов из обещанных десяти были привезены уже в июле). И поначалу доходность ГКО резко снизилась. Но по всей видимости, положение уже стало настолько угрожающим, что любые опоздания по времени в принятии решений, любые неувязки были в состоянии добить наш рынок, сломать его окончательно. Получи мы кредит двумя месяцами раньше... перейди Центробанк в мае на «плавающий» курс рубля... не объяви международные агентства о падении нашего финансового рейтинга... Сейчас легко говорить в сослагательном наклонении. А тогда?!

Увы, как выяснилось, было уже поздно спасать положение. Рынок перестал верить противоречивым действиям правительства и Центробанка.

В считанные недели кредит растаял: банки с такой скоростью покупали доллары, что удержать курс рубля можно было только путем мощнейшей интервенции на бирже. Центробанк вбрасывал доллары — они мгновенно исчезали. Все участники рынка, в свою очередь, сбрасывали ценные бумаги.

...Вся эта история хорошо известна. Но я еще и еще раз прокручиваю ее в голове, чтобы понять: когда и где мной была допущена главная ошибка?

Ошибка, по всей видимости, была в моей внутренней установке мая—июля: «не мешать, не вмешиваться». Я привык доверять тем, с кем работал. Однако удержать ситуацию ни Дубинин, председатель Центробанка, ни Кириенко не смогли.

...Это для простых людей валютный кризис оказался как снег на голову среди лета, а финансисты прекрасно знали о том, какой пожар горит на Токийской бирже, как трещат национальные валюты стран Юго-Восточной Азии, какие массовые увольнения в японских корпорациях, как люди в Гонконге выбрасываются из окон небоскребов. Финансовая паника царила на мировых биржах уже давно.

Упустившее инициативу правительство действовало в режиме лихорадочного поиска вариантов. Оно догоняло ситуацию — а ситуация уходила все дальше и дальше. Кириенко уже готов был советоваться со всеми, слушать всех, он бросился консультироваться, разговаривать, искать выход в тот момент, когда финансовая паника захлестнула все банки. Напряжение в его вроде бы такой крепкой нервной системе явно зашкаливало.

Но чуда не произошло.

13 августа. Центробанк России принял решение сократить объем продаж иностранной валюты российским банкам.

13 августа. Состоялся обмен мнениями по телесвязи заместителей министров финансов стран «семерки». Они обсуждали вопрос о возможной девальвации рубля.

13—15 августа. Финансовый мир реагирует на обвал на российском фондовом рынке.

17 августа. Правительство объявляет о выходе из «валютного коридора» и приостановлении обязательств по выплате внутренних долгов.

21 августа. На внеочередном заседании Госдумы была проголосована резолюция, призывающая президента уйти в отставку. За нее проголосовали 248 депутатов. Вот комментарий Селезнева: «Всем банкротам, начиная с президента, надо бы добровольно уйти».

В начале августа почти черные от усталости Чубайс, Гайдар, Христенко, Дубинин, Алексашенко, уже две недели не выходившие из кабинета премьер-министра, писали «последний и решительный» план антикризисных действий, чрезвычайный план.

16 августа ко мне в Завидово приехали Чубайс, Кириенко, Юмашев.

Положение такое, что необходимо в пожарном порядке спасать ситуацию, объяснили Чубайс и Кириенко. Срочная девальвация рубля, временное приостановление выплат по ГКО — вот первые по очередности меры. Глава правительства принялся объяснять детали, но я остановил его. И без деталей было понятно, что правительство, а вместе с ним и все мы стали заложниками ситуации. И выбора уже не остается: правительство цепляется за все. Я не хотел, чтобы моя тревога передавалась им. Возможно, какими-то отчаянными усилиями ситуацию удастся спасти, удастся удержать рубль на приемлемом уровне.

Действуйте, сказал я. Давайте принимать срочные меры.

Пакет решений от 17 августа оказался, как это выяснилось впоследствии, тяжелым экономическим просчетом. Экономические историки не смогли найти прецедентов решению российского правительства: не платить по собственным внутренним долгам. «Команда монетаристов» из Белого дома так смертельно испугалась неконтролируемой инфляции, что побоялась ускорить обороты печатного станка ровно настолько, насколько этого требовал рынок ГКО. Но «двойной дефолт», то есть замораживание долгов, как для наших заемщиков, так и для зарубежных, оказался ударом куда более страшным и куда более могучим, чем скорость станка. Официальное понижение курса уже не смогло спасти ситуацию.

Вкладчики кинулись в коммерческие банки, банки в Центробанк за кредитами, а Центробанк закрыл перед ними двери... Наблюдая за глобальным кризисом, мы незаметно для самих себя получили его в еще более катастрофическом варианте — курс рубля упал в два, а потом и в три раза.

После 17 августа я принял решение об отставке Дубинина. Считал, что будет абсолютно естественно, если главный банкир страны, при котором произошел резкий обвал курса национальной валюты, уйдет в отставку.

По моей просьбе глава администрации Валентин Юмашев пригласил Дубинина в Кремль. Попросил, чтобы он написал заявление об уходе.

В этот же день срочно собрались все участники встречи в «Волынском», крупнейшие банкиры. Через Юмашева они передали свою просьбу: умоляем не отправлять в отставку главу Центробанка. Именно Центробанк сейчас проводит ряд мер, чтобы спасти от полного банкротства крупнейшие банки страны, именно он амортизирует сейчас падение курса рубля. Для того чтобы не создавать окончательной паники на финансовом рынке, Дубинина нужно оставить.

Подумав, я изменил свое решение. Если крупнейшие банки страны в одночасье закроются, кризис выйдет на улицы, и ситуацию уже не удержать.

Кстати, показательно, что никто из банкиров не просит меня защитить правительство.

В эти же дни попросился в отставку мой экономический советник Александр Лившиц. Это был единственный человек, который сам, по своей инициативе решил уйти. Хотя как раз именно он меньше всех был виноват в этом кризисе. Все последние месяцы он постоянно писал отчаянные экономические записки на имя президента.

В своем прошении об отставке Александр Яковлевич попросил прощения у меня за то, что не смог уберечь страну от экономического кризиса.

21 августа состоялась встреча Валентина Юмашева и Сергея Кириенко. Валентин рассказал, что поехал встретить Кириенко в аэропорт — он возвращался из какой-то плановой поездки. Сидели в пустом правительственном зале. Долгий, трудный разговор. Вот слова Сергея Владиленовича: «Сам чувствую, что топлю президента. Каждый наш шаг — удар по нему. Делаю все, что только можно. Но ситуацию удержать — увы! — мы не в состоянии».

«Валютный коридор» был пробит за два дня, банки думали только о своем собственном спасении... Именно в эти дни кризис коснулся и российских вкладчиков. Они поняли: надо спасать свои деньги. Очереди к банкоматам и кассовым окошечкам становились день ото дня длиннее, вкладчики рванулись спасать сбережения. Все! Произошло самое страшное для финансов страны — паника.

Пока правительство выясняло отношения с Центробанком, этого никто не замечал, кроме специалистов, биржевых операторов, банкиров. Но вот кризис дошел и до улицы. До каждого человека.

Честно скажу: страшно наблюдать за страной, когда до финансовой катастрофы остался практически день или два. Люди по инерции догуливают летний отпуск, загорают, смотрят футбол, ездят на дачу. Между тем тень тотального кризиса нависла уже над каждой семьей. Ведь зарплату люди получают в банке. Сбережения хранят тоже в банке. Предприятия, где они работают, тоже не могут жить без банковских кредитов.

Тяжелые уроки кризиса...

Мы включились в мировую экономику, как послушные ученики. И «учитель» жестоко наказал нас за наши двойки и тройки. Миллионы россиян впервые оказались перед лицом этой новой реальности.

И наверное, все дальнейшие «плавные улучшения» и «стабилизации» не смогли компенсировать этот психологический шок: взлетевшие осенью цены на потребительские товары, увольнения и сокращения, невыплаты зарплат даже в солидных организациях, кризис неплатежей.

Всю неделю после 17-го я пытался понять: почему Кириенко мгновенно оказался без поддержки? Почему все элиты — и финансовая, и политическая — от него отвернулись? Сергей Владиленович это чувствовал раньше, еще летом он вел активные переговоры с Юрием Маслюковым, Евгением Примаковым, хотел уговорить их стать первыми вице-премьерами в своем правительстве, чтобы придать ему бóльшую устойчивость, весомость. Но и тут не хватило времени. Вообще я уверен, что, будь в запасе у команды Кириенко хотя бы полгода, все в России могло бы повернуться по-другому. Но кризис смел их планы, жестоко и быстро.

В такие тяжелые для страны дни проверяется административный ресурс правительства, то есть его прочность, его надежность, его умение стукнуть кулаком по столу и умение взять инициативу на себя. Именно сейчас, во время кризиса, без мощной политической фигуры, которая уравновесит всю сегодняшнюю катастрофу, ничего не получится. Такая у нас страна.

В воскресенье, 23 августа, я пригласил Кириенко. Мы оба испытывали, как ни странно, чувство облегчения. Он поблагодарил меня за то, что я дал ему возможность поработать, что-то сделать... Замолчал, не находя больше слов. Чувствовалось, что у Сергея Владиленовича просто гора с плеч упала.

Мое облегчение было странным, двойственным. Я очень жалел о том, что уходят люди, с которыми я связывал столько надежд. С другой стороны, только сейчас обнаружил, с каким громадным напряжением всех моральных и физических сил я прикрывал их эти последние месяцы от общественной критики. В одной из последних поездок, отвечая на вопрос корреспондента, заявил: «Никакой инфляции не будет». Тяжело было теперь вспоминать об этом. Я верил, что удержать страну от кризиса можно, верил, потому что видел, как бьется эта молодая команда, как она работает. Мы не допустили паники раньше — в мае, в июне, — и в результате рубль устоял. Очень хотелось думать, что так будет и на этот раз. Не получилось.

Кстати, 21 августа я принял участие в военно-морских учениях на Северном флоте. Находился на тяжелом атомном ракетном крейсере «Петр Великий». Отменять все свои поездки, что-то переносить, ломать планы категорически не хотел, чтобы не создавать лишней паники, которая и так перехлестывала через край. Кроме того, это была демонстрация силовой составляющей государства, а оно должно оставаться сильным даже в такие черные дни. Мощные корабли, море, низко проносящиеся в небе самолеты — все это и отвлекало, и успокаивало.

Поразил меня, помню, сам вид корабля — толща брони, серая, глухая, непробиваемая. И подумалось: вот в такую же глухую, непробиваемую стену уперлись все наши усилия. Стена — это наша российская экономика, со своими особыми отношениями, со своим серым сектором, который чуть ли не больше белого, со своими неписаными правилами и законами.

Вот эта стальная стена и встала на пути наших притязаний,

наших идей. И кажется, что пробить ее почти невозможно. Вот попробовали — и что получилось?

И тем не менее народ наш знает и понимает больше, чем мы думаем. Вину за кризис он на одного Кириенко не свалил. Злобы по отношению к нему нет. Даже со стороны наиболее пострадавших бизнесменов. Здравые люди, они понимают: во время цунами без жертв обойтись трудно.

ОСЕННЕЕ ОБОСТРЕНИЕ

24 августа, понедельник. Утром я приехал в Кремль и записал телевизионное обращение.

Вот что в нем было сказано:

«Уважаемые россияне! Вчера я принял непростое решение. Предложил Виктору Степановичу Черномырдину возглавить правительство.

Пять месяцев тому назад никто не ожидал, что мировой финансовый кризис так больно ударит по России. Что экономическая ситуация в стране настолько осложнится.

В этих условиях главный приоритет — не допустить отката назад. Обеспечить стабильность. Сегодня нужны те, кого принято называть «тяжеловесами». Я считаю, что необходимы опыт и «вес» Черномырдина.

За этим предложением стоит еще одно важное соображение: обеспечить преемственность власти в 2000 году.

Главные достоинства Виктора Черномырдина — порядочность, честность, основательность. Думаю, эти качества будут решающим аргументом на президентских выборах. Его не испортили ни власть, ни отставка.

Я признателен Сергею Владиленовичу Кириенко за то, что он мужественно пытался выправить положение.

Сегодня я внес на обсуждение в Государственную Думу кандидатуру Черномырдина.

Я прошу депутатов, региональных лидеров, всех граждан России понять меня и поддержать мое решение.

В сегодняшней ситуации нет времени на долгие обсуждения. Ведь главное для всех нас — судьба России, стабильность и нормальные условия жизни россиян».

После этого заявления я провел три краткие встречи с силовиками — Путиным, Степашиным, Сергеевым. Предупредил их, что ситуация в стране серьезная. Вернулся в Горки. На Сергеева и Степашина подписал указы о назначении их исполняющими обязанности в новом кабинете. Путин, как начальник Федеральной службы безопасности, по статусу в подтверждении полномочий не нуждался. Для него все оставалось по-старому.

Теперь мне предстояло самое сложное: убедить Государственную Думу проголосовать за кандидатуру нового премьера. По Конституции президент имеет право лишь трижды вносить кандидатуру на голосование.

Всю неделю до этого ситуация развивалась стремительно.

18 августа, прервав отпуск, Черномырдин срочно возвращается в Москву. Начинаются непрерывные политические консультации. 19 августа он встречается с Александром Лебедем и Геннадием Селезневым. 20 августа — с Геннадием Зюгановым и Николаем Рыжковым. Обещает им, что «никаких Чубайсов, Гайдаров и Немцовых в правительстве не будет».

В обстановке финансового хаоса все политические элиты (и коммунисты в этом смысле пока еще не были исключением) стремились скорее найти точку опоры, ключик к стабильности. Никто не хотел перерастания финансового краха в крах государства. Я знал о переговорах Черномырдина, но не вмешивался в них, занимал пока спокойную, нейтральную позицию.

В прессе началась активная кампания: Черномырдин — единственная реальная кандидатура, которую поддерживают все, от коммунистов до бизнесменов.

Среди тех, кто мог претендовать на премьерское кресло, Черномырдин единственный буквально ринулся в бой и в считанные дни добился создания предварительной договоренности всех со всеми.

22 августа, в субботу, Валентин Юмашев попросил разрешения приехать ко мне на дачу вместе с Игорем Малашенко, руководителем НТВ. Я знал, что речь пойдет именно о Черномырдине, догадывался, зачем он позвал Игоря, которого я помнил и знал с 96-го года как члена нашей аналитической группы. Было ясно, что Валентин хочет, чтобы я выслушал не только его собственные аргументы.

...День был теплый, солнечный, один из последних дней подмосковного лета. Мы поговорили, потом я пригласил гостей пообедать. Со стороны посмотреть — сидят люди в летних рубашках, едят окрошку. Абсолютный покой. На этом легком ветерке, в бликах солнечных зайчиков сквозь колыхание листвы, я обдумывал тяжелейшую политическую проблему. И не только политическую — мою человеческую проблему!

Возвратить Черномырдина в правительство — означало признать свое моральное поражение, свой проигрыш. Ведь совсем недавно, пять месяцев назад, я отправил его в отставку. Я по-прежнему считал, что при всех неоспоримых достоинствах Виктор Степанович — совсем не тот человек, который должен возглавлять российское правительство и идти на выборы 2000 года в качестве основного демократического кандидата.

Вместе с тем пружина кризиса так сжалась, что могла, сорвавшись, снести всю политическую конструкцию. У нас на размышление времени не оставалось совсем. Для того чтобы медленно, спокойно отпустить эту пружину, требовались огромная сила и огромный опыт. То, чем как раз и обладал Виктор Степанович.

Я спросил Валентина, как сложился разговор с Кириенко. Юмашев рассказал, как они встретились в пустом аэропорту, как грустно посидели. Отметил, что Сергей Владиленович сам все понимает. «Кого он предложил взамен?» — спросил я. «Строева», — немного запнувшись, ответил Юмашев. Это означало, что ревность к Черномырдину Кириенко пересилить в себе не смог. Его предложение было нереальным: Строев, человек старой закалки, бывший член Политбюро, в качестве премьера меня уж совсем не устраивал.

«А вы что думаете, Игорь Евгеньевич?» — спросил я. Малашенко в своей обычной манере начал твердо, жестко, правильно выстраивая речь, приводить свои аргументы. «Черномырдин, который был пять месяцев назад, и Черномырдин сейчас — это два разных человека, Борис Николаевич». — «Почему?» — «А все изменилось. Он был вынужден за это время многое переосмыслить, понять. Политик, который возвращается во власть после отставки, — это всегда другой человек. У него появляется колоссальный новый опыт. Теперь он понимает, что за первую позицию надо драться, надо работать не так, как раньше». — «А Лужков?» «Нет, даже не стоит его обсуждать», — ответил Малашенко.

«Борис Николаевич, — сказал Юмашев. — Черномырдин обещает, что не будет ставить в правительство удобных, послушных, но слабых исполнителей. Обещает создать команду молодых, агрессивных профессионалов-экономистов. Но самое главное не это. Если его утвердят в Думе с первого раза, а шансы есть, и большие, он реально сможет претендовать на роль общенационального лидера, спасителя, антикризисного премьера, называйте как хотите. У него тогда появится новый ресурс доверия у населения».

Я прекрасно понял, что хотел сказать Юмашев. После своей отставки (без меня, мол, тут вон чего натворили) и после триумфального возвращения в Белый дом Черномырдин приобретет столь любимый народом ореол «несправедливо обиженного».

Да, это было очень важное соображение. Черномырдин не только имел все шансы разрешить кризисную ситуацию, используя свой опыт и связи, но и пойти дальше, на выборы-2000, с хорошим запасом прочности. В этом смысле мой моральный проигрыш оказывался выигрышем для Черномырдина. Ну что ж...

И все же я продолжал сомневаться: «А если его не утвердят в первом туре?» «Тогда попробуем найти другого кандидата», — сказал глава администрации.

Вариант Примакова мы в тот день даже не обсуждали — Евгений Максимович заранее объявил всем — и моим помощникам, и парламенту, и правым, и левым, что в премьеры не пойдет ни под каким видом.

Днем позже, 23 августа, в моей подмосковной резиденции произошла другая важная встреча — с Черномырдиным.

После того как от меня ушел Кириенко, я вызвал в кабинет Виктора Степановича. «Только что у меня был Кириенко. Я отправил его в отставку». Черномырдин слушал молча, кивал. Было видно, что он напряжен и готов к решительному бою.

Не знаю, не помню, в каком разговоре промелькнуло: «политический тяжеловес». В сущности, это был не очень удачный образ, но довольно точно раскрывающий причины отставки Кириенко: тот этим качеством явно не обладал. Я смотрел на крупную, тяжелую фигуру Виктора Степановича и думал: действительно, «тяжеловес».

Да, непросто рассказывать об этих событиях осеннего кризиса 1998-го. Непросто, потому что ситуация менялась практически каждый день. А потом и каждый час. Честно говоря, не припомню такого напряжения за всю российскую политическую историю 90-х годов, если не считать, конечно, попытки военных переворотов 91-го и 93-го годов. Здесь ситуация была вроде бы совсем другая, мирная, абсолютно конституционная, но под тем же неярким и добрым солнцем уходящего лета так же бешено замелькал политический калейдоскоп. Будто какой-то дьявол вертел картонную трубку нашей судьбы, и цветные стекляшки разных комбинаций и компромиссов то возникали, то рассыпались вновь.

Итак, 23 августа я принял в Горках Кириенко и Черномырдина, а 24-го выступил с телеобращением к нации и подписал соответствующие указы. В этот же день Виктор Степанович провел в Белом доме заседание правительства в качестве исполняющего обязанности премьер-министра.

Черномырдин с бешеным упорством продолжал загонять руководителей парламентской оппозиции в угол. Он использовал свой главный козырь — отсутствие другого реального кандидата и желание всех элит, и политических, и экономических, как можно быстрее урегулировать этот кризис. В течение первых трех дней — понедельника, вторника и среды — были согласованы основные параметры так называемого Политического соглашения, документа, который определял новые взаимоотношения между президентом, правительством и Думой. В четверг и пятницу началась работа над самим текстом документа.

Черномырдину удалось достигнуть многого. В первую очередь поддержки Селезнева, спикера Госдумы, официально второго человека в компартии. Добился он и поддержки «Народовластия» и аграриев, младших партнеров Зюганова. Причем не без помощи руководителей «Газпрома», имевших влияние на верхушку компартии. Левая оппозиция согласилась на следующие условия: президент дает гарантии не распускать Думу до 2000 года. Дума, в свою очередь, гарантирует доверие правительству. Правительство дает гарантии того, что не будет инициировать парламентский кризис своей добровольной отставкой. Черномырдин непрерывно звонил мне, согласовывая все новые и новые позиции: могут ли быть коммунисты в правительстве? Можем ли мы обсуждать в Думе всех вице-премьеров?

Я сознательно шел на ограничение своих конституционных полномочий. Был убежден, что с таким надежным руководителем правительства, как Черномырдин, мы сумеем избежать любых связанных с этим осложнений.

Была абсолютная уверенность в том, что в период обострения Черномырдин — единственная реальная кандидатура в премьеры.

Тем не менее коммунисты попытались перехватить инициативу у Черномырдина. Зюганов и его младшие партнеры по левой оппозиции, Николай Рыжков и Николай Харитонов, выступили с совместным заявлением: вопрос о кандидатуре главы правительства совершенно не подготовлен. Рыжков был еще определеннее: вслепую идти в состав правительства, не зная его курса и программы, было бы преступно перед народом.

Пользуясь ситуацией кризиса, тем, что я вынужден был отправить в отставку Кириенко и его либеральное правительство, они пытались отвоевать у меня часть политического пространства. Пытались ввести в правительство своих людей, ограничить мою инициативу. Но для меня это был хорошо продуманный, точный ход: после того как Дума утвердит Черномырдина, отпадет всякая необходимость в ее роспуске. Черномырдин — мой премьер, и отправлять его в отставку до 2000 года я тоже не собирался. Все сходилось, все складывалось.

...Однако было видно, что коммунисты идут на это соглашение, как на расстрел. Понуждаемые только неутомимой энергией Виктора Степановича, его постоянным давлением. Он умудрился за одну неделю снять все их возражения, выполнить все условия, убрать все аргументы. Оставил их «голыми» перед железной необходимостью подписывать соглашение.

Они понимали, что, не имея реального кандидата в премьеры, брать на себя ответственность за политический кризис в условиях кризиса финансового — это горький, неприятный удел.

В пятницу я подписал соглашение, на котором стояли также подписи Геннадия Селезнева, лидеров политических фракций Думы, главы администрации Валентина Юмашева и Виктора Черномырдина. Не было только подписи Зюганова — он сказал, что они должны обсудить текст соглашения на своем партийном пленуме.

Ну а в воскресенье в прямом телеэфире лидер коммунистов покраснел, тяжело задышал и сделал сенсационное заявление: голосовать за Черномырдина в понедельник они не будут. Лица Рыжкова и Харитонова, партнеров Зюганова, вытянулись от удивления. Они сказали, что ничего об этом решении не знают и будут в срочном порядке проводить консультации.

В этот момент я отчетливо понял: решение принято в считанные часы, узким кругом заговорщиков, и означать оно может только одно: у коммунистов появился свой реальный кандидат в премьеры.

Вычислить его не составляло никакого труда.

Это был, несомненно, мэр Москвы Юрий Лужков.

Первые тревожные звонки из Совета Федерации прозвучали еще до официальной отставки Кириенко. И Лужков, и Строев достаточно резко высказались в адрес Черномырдина. «Те трудности и ошибки, которые мы испытываем сегодня, есть следствие длительной и неосознанной работы правительства прежнего состава во главе с Черномырдиным», — говорил, например, Егор Строев.

Раздражала их, очевидно, огромная воля к власти, проявленная Черномырдиным в первые же послекризисные дни. Так же как и коммунисты, Лужков и Строев, «тяжеловесы» номер два и номер три, считали в сложившейся ситуации наиболее справедливой логику раздела властных полномочий: что-то можно оставить президенту, но что-то надо забрать и себе.

Скоро Лужков окончательно понял: ситуацию надо использовать! Было очевидно: это его чуть ли не последний и единственный шанс прийти к власти, используя легальные рычаги.

...За несколько дней до первого тура голосования я пригласил и Лужкова, и Строева в Кремль. В условиях экстремальных, когда надо спасать страну, считал себя абсолютно вправе говорить с ними прямо, открыто, честно: снимите свои политические амбиции, поддержите Черномырдина. Мы в одной лодке, не надо ее раскачивать, и сейчас, в эту минуту, должны быть заодно.

Лужков и Строев сдержанно согласились и, выйдя к телекамерам, сказали несколько примирительных фраз: по Конституции право президента решать, кого выдвигать премьером, мы не оспариваем этих полномочий.

Мне казалось, что это победа. Во всяком случае, тактический выигрыш. Больше Лужков и Строев, по крайней мере публично, не смогут выступать против Черномырдина.

Но, как выяснилось, я явно недооценивал амбициозный характер Юрия Михайловича.

31 августа, понедельник. За Черномырдина — чуть больше 100 голосов. Полный провал!

Пошла вторая неделя после отставки правительства Кириенко. Она кардинально отличалась от первой и по политическому содержанию, и по действующим лицам, и по стилю.

Теперь Юрий Лужков перешел в активное наступление. Так же как и Черномырдин неделю назад, он лихорадочно начал сооружать политическую конструкцию из всех «подручных материалов», которые были на тот момент.

Шанцев, заместитель Лужкова, — выходец из КПРФ. Коммунисты долго и внимательно наблюдали за поведением мэра, уже давно простили ему 93-й год, но главное — хотели использовать Лужкова как таран, разрушающий «ельцинский режим».

7 сентября, в понедельник, в Кремле состоялся «круглый стол» с губернаторами и лидерами думских фракций. Обсуждался вопрос выхода из политического кризиса, а говоря проще, кто будет следующим премьером.

На «круглом столе» в Думе Зюганов огласил свой список кандидатов на премьерский пост. Помимо члена компартии, бывшего председателя союзного Госплана, Юрия Маслюкова (что было понятно и логично), был в нем и мэр Москвы Юрий Лужков. Да, еще одно подтверждение, что Лужков уже с ними. Вместе с коммунистами он сделал, безусловно, сильный ход.

Он договорился, причем тоже очень быстро, с частью Совета Федерации — в его поддержку выступили влиятельные и сильные демократические губернаторы, например Константин Титов, Дмитрий Аяцков. Они считали, что построивший рыночные отношения в отдельно взятом городе Лужков научит этому и всю остальную Россию. Кто-то увидел в Лужкове нового хозяина страны и быстро побежал договариваться о проблемах своего региона, кто-то искренне считал его новой, свежей фигурой.

Черномырдин бросился отбиваться, и, кстати, ему удалось получить поддержку в Совете Федерации: большинство губернаторов проголосовали за него.

Поддаться неприкрытому давлению коммунистов (тем более вопреки воле большинства губернаторов) и предложить Лужкова я не мог.

Повторное голосование по кандидатуре Черномырдина. «За» — 138 голосов. Вся титаническая работа дала мизерную прибавку.

Сразу же после голосования левая часть Думы заявила, что в случае внесения в третий раз кандидатуры Черномырдина проголосует за начало процедуры импичмента президенту.

Ситуация предельно обострилась.

Теперь, через два года, причины неуступчивости коммунистов стали достаточно очевидны. Такой шанс, такой счастливый билет, какой выпал им в августе—сентябре, они упустить не хотели. Власть буквально сама падала им в руки. И оставалось только пошире расставить эти руки.

На волне огромного недовольства правительством, обвала рубля, потери сбережений среднего класса и разорения бизнесменов, на фоне паники, скачка инфляции можно было идти в прямую атаку на Кремль.

Юридические предпосылки были к этому следующие. Если Дума трижды не утверждает Черномырдина — следуют ее роспуск и назначение новых выборов. Это по Конституции. Здесь была юридическая ловушка: президент, который вступил в процедуру импичмента, не имеет права распустить Думу. Конституция не давала ответа на вопрос, что делать в такой ситуации. Роспуск Думы в момент острейшего социального кризиса — вещь сама по себе крайне взрывоопасная. Но в данных условиях она опасна вдвойне или втройне.

В стране, где нет ни парламента, ни легитимного правительства и президент подвешен на ниточке процедуры импичмента, мог наступить полный политический хаос.

...Ловушка, грозившая вакуумом власти, взрывом недовольства, чрезвычайными мерами.

Но дело было даже не только в этом. Коммунисты после всего, что произойдет после роспуска Думы, обязательно получат давно вожделенное абсолютное большинство! Им этот кризис давал огромную политическую фору... И тогда роспуск Думы обернется мощнейшим откатом назад, полным крахом демократических реформ, катастрофой для страны.

Теперь мне предстояло одновременно делать три дела. Давить на Думу («У меня нет другой кандидатуры, это вопрос решенный, с вами или без вас, премьером будет Черномырдин»). Убеждать Черномырдина не настаивать на своей кандидатуре («Виктор Степанович, нельзя вносить вашу кандидатуру в третий раз, в сегодняшней политической ситуации мы не имеем права распускать Думу»). И через Юмашева, в обстановке строгой секретности, уговаривать единственного реального кандидата — Примакова!

Все это я и делал. Делал, потому что упорно верил: выход я найду.

Тем не менее после второго тура голосования я вызвал несколько человек из своей администрации, чтобы выслушать абсолютно все аргументы «за» и «против» Лужкова.

Надо отдать должное Юрию Михайловичу, его энергии и воле к победе — гонцы от мэра приходили в Кремль практически ежедневно. А вернее, практически не уходили оттуда. Сторонниками Лужкова быстро стали: секретарь Совета безопасности Андрей Кокошин, заместители главы администрации Сергей Ястржембский и Евгений Савостьянов.

Ко мне на дачу приехали Юмашев, Ястржембский и Кокошин. Я попросил их как можно более тщательно изложить обе позиции.

«Лужков всегда был за президента. На всех этапах своего пути, при всех сложных ситуациях, — сказал Сергей Ястржембский. — Говорят, что сейчас он против вас. По-моему, это наговор. Я лично разговаривал с Юрием Михайловичем. Он просил передать, что Ельцин для него — святое понятие. Но дело не только в этом. Лужков — реальный кандидат в президенты. Он крепкий хозяйственник, он быстро выстроит нормальную властную вертикаль. Это надежный человек, который продолжит в стране и экономические, и демократические реформы. Нельзя дать коммунистам шанс раскачать ситуацию, пользуясь кризисом».

Примерно ту же самую позицию изложил и Кокошин.

Я посмотрел на Юмашева: «Ваши аргументы, Валентин Борисович». — «Сегодня кандидат в премьеры должен быть объединяющей, примиряющей фигурой. Лужков же рвется к власти, со своим грубым напором, не брезгуя никаким скандалом. Кроме того, если Лужков станет премьером, неужели он удержится от попыток захвата власти до выборов 2000 года? Конечно, нет. Это может окончательно дестабилизировать обстановку в стране». «Спасибо, — сказал я. — Я выслушал оба мнения, теперь дайте мне подумать».

Буквально через несколько минут я позвонил Валентину Юмашеву (он уже ехал в машине) и сказал всего два слова: «Уговаривайте Примакова».

Положение продолжало оставаться критическим.

Я сделал последние шаги. Во-первых, продолжал давить на Думу изо всех сил. Ситуация еще находилась в достаточно подвешенном состоянии. Несмотря на провал с двумя первыми турами голосования, можно было надеяться на внезапный перелом, и я использовал все имеющиеся средства. Попросил подготовить письмо в Думу на третье голосование с фамилией Черномырдина. Для депутатов это означало одно — роспуск Думы.

Тем временем я решил встретиться с Юрием Маслюковым, бывшим председателем Госплана, еще одним кандидатом от коммунистов. Его срочно привез ко мне Юмашев, буквально вытащил из отпуска. Это было 10 сентября, в семь тридцать утра. Маслюков сказал: «Я готов работать, но только под руководством Примакова. Уговаривайте Евгения Максимовича. Он самый лучший. Я пойду только вместе с ним».

В девять утра того же дня я приехал в Кремль. Там меня уже ждал Примаков. Затем приехали Черномырдин и Маслюков. Я собрал их втроем, чтобы принять окончательное, последнее решение. Тянуть дальше было нельзя.

...Первый разговор с Примаковым состоялся у меня незадолго до этого на даче, еще в начале сентября, между первым и вторым турами голосования по Черномырдину. «Евгений Максимович, — сказал я ему. — Вы меня знаете, я вас знаю... Вы единственный на данный момент кандидат, который всех устраивает».

Разговаривали долго, обстоятельно. Я почувствовал, что Примаков искренне не хочет идти в премьеры. Надевать на себя тяжелый хомут власти, громадной ответственности ему очень не хотелось. Он привык к своей удобной нише министра иностранных дел.

«Борис Николаевич, буду с вами тоже полностью откровенен. Такие нагрузки не для моего возраста. Вы должны меня понять в этом вопросе. Хочу доработать нормально, спокойно до конца. Уйдем вместе на пенсию в 2000 году».

После первого голосования по Черномырдину Юмашев вновь провел несколько встреч с Примаковым. «Евгений Максимович, какие ваши предложения, что будем делать?» Примаков отвечал: «Давайте предлагать Юрия Дмитриевича Маслюкова, это хороший экономист». — «Борис Николаевич ни за что не согласится на премьера-коммуниста, вы же знаете, Евгений Максимович. И что же, будем распускать Думу?» Тогда Примаков твердо, глядя Юмашеву прямо в глаза, ответил: «Думу ни в коем случае распускать нельзя».

...И вот третий, последний, раунд наших переговоров в Кремле, утром в четверг, 10 сентября. Сегодня должно решиться все. Как должно решиться — было еще неясно.

...Сначала Примаков опять наотрез отказался. Но я попросил его не уходить, подождать в приемной, пока приедут Маслюков и Черномырдин. Юмашев продолжал уговаривать Примакова, не теряя времени, не теряя ни одной минуты до приезда двух других кандидатов.

Именно в эти последние полчаса все и решилось.

Примаков внезапно сказал: «Иванов, мой заместитель, еще не готов для роли министра. И потом, завтра у меня начинается большая международная поездка. Что я скажу моим партнерам?» Валентин посмотрел на него с надеждой. «Нет, нет, я не могу», — замахал руками Примаков. «Вы мудрый человек, Евгений Максимович. Вы должны это понять. А вдруг с президентом что-то случится? — Юмашев понял, что это последний шанс. — Кто будет управлять страной, кто окажется у власти? Лужков? Вы этого хотите?» — «Нет». — «Я могу сказать президенту, что вы согласны?» Примаков молчал. «Я могу?» — повторил Валентин. Примаков молчал.

Юмашев влетел в мой кабинет буквально за несколько минут до того, как туда вошли все трое кандидатов в премьеры.

На столе у меня лежал текст письма в Государственную Думу. Я попросил всех сесть и сказал: «Я обращаюсь в Думу с предложением по кандидатуре нового главы правительства. Прошу поддержать кандидатуру...»

И сделал паузу.

Все трое сидели молча, буквально затаив дыхание. Каждый ждал, что я назову его. Даже Маслюков, у которого практически не было шансов.

«...Евгения Максимовича Примакова!» — с чувством облегчения и удовлетворения произнес я.

Политика — искусство возможного. Но есть в политике и иррациональное начало. Дыхание судьбы. Наверное, Виктор

Степанович не почувствовал, что судьба против него. Вот и на той последней встрече перед третьим туром голосования он по-прежнему перечил ей, шел напролом.

Даже после того как я объявил о своем решении, Черномырдин приводил все новые и новые аргументы, что необходимо их, Примакова и Маслюкова, назначить первыми вице-премьерами, а его в третий раз внести на думское голосование. «А если не утвердят?» — спрашивал его я. «Да куда они денутся!» — настаивал Черномырдин. Примаков и Маслюков молчали. «Евгений Максимович, есть у Виктора Степановича шансы пройти через Думу?» — спросил я после долгой паузы. «Ни малейшего», — помедлив, ответил Примаков. То же самое ответил и Маслюков.

Черномырдин помолчал. Потом вдруг откинулся на спинку стула и сказал: «Борис Николаевич, я всегда поддерживал кандидатуру Примакова. Это хорошее решение. Поздравляю, Евгений Максимович!»

В этот же день, 10 сентября, Думе была предложена кандидатура Примакова. Он был утвержден подавляющим большинством голосов.

Кстати, поразительная вещь — все самые тяжелые кризисные периоды восьми с половиной лет моего пребывания у власти приходились именно на эти три месяца: август, сентябрь, октябрь. Золотая осень, бархатный сезон. Что ж за треклятое время такое?! Почему именно в этот момент происходит в государстве, в политической составляющей общества какой-то выплеск энергии, почти направленный взрыв? Я даже пробовал выяснить это у своих помощников, чтобы они привлекли науку, просчитали все неблагоприятные факторы этих месяцев. Да нет, говорят, все нормально. Обычные месяцы.

Ничего себе обычные!

Август 1991-го. Путч. ГКЧП. Вся страна висит на волоске.

1992—1993 годы сплошь были кризисные, но пик-то кризиса, с вооруженными столкновениями в центре Москвы, со штурмом Белого дома, выпал опять на сентябрь—октябрь 93-го.

1994 год. Сентябрь. «Черный вторник». Рублевая паника.

1995 год. Выборы в Думу. Полная победа коммунистов и их союзников.

1996 год. Моя операция на сердце.

1997 год. Банковская война. «Книжный скандал».

1998 год. Финансовый кризис, дефолт, отставка Кириенко, полоса междувластия. Назначение Примакова.

1999 год. Взрывы в Москве и других городах страны.

...Просто диву даешься, что за странная закономерность. Ну а если вспомнить, что власть упала в руки большевиков как раз в эти месяцы в 1917 году, что именно эти месяцы стали самым главным испытанием страны в XX веке, когда в 1941-м мощная Советская Армия была смята и отброшена фашистами, поневоле призадумаешься.

Я иду по дорожке парка. Вокруг — красно-желтая листва. Пожар, пожар... Любимый осенний воздух, очищающий, прозрачный, ясный.

Мысли постепенно переходят в другое русло. Все-таки политический кризис — явление временное и в чем-то даже полезное. Я даже по себе знаю: организм ждет кризиса, чтобы преодолеть болезнь, обновиться, вернуться в свое хорошее, обычное состояние. Взлеты и падения. Жизнь человеческая — волнообразная, как кардиограмма.

И если на мой период в истории России выпало так много кризисов — не моя вина. Кризисная эпоха между двумя стабильными промежутками. Только бы скорее выйти к этой стабильности.

Но последний кризис был не похож на все прежние. Он ударил по едва-едва родившемуся среднему классу, по собственникам, по бизнесменам, по людям дела, по профессионалам, и это больнее всего. Ведь ради них, ради того, чтобы появилась у них какая-то уверенность, чтобы дети учились в хорошем вузе, чтобы можно было съездить отдохнуть за границу, чтобы появился хотя бы первоначальный достаток, чтобы можно было начать строить дом или переехать в новую квартиру, купить хорошую мебель, машину, все и затевается. Именно эти люди — главная моя опора. Если им стало плохо, если они от нас отвернутся — это гораздо более глубокий кризис. Гораздо.

Иду по аллее, ворошу листву. Пожар, пожар...

Поймут ли эти люди, что я их не предавал? Не знаю. Тяжелая осень, тяжелая зима нас ждет. Но в холодном, прозрачном этом воздухе простой человек наконец должен увидеть истину. Стоит только посмотреть внимательно. И если мы переживем, осилим эту осень и эту зиму — все нам обязательно станет ясно.

Рассеется дым от костра, в котором жгут листья. И в чистой перспективе прояснятся и лес, и поле.

Вот такая природная философия. Может, неуклюжая? Но мне от нее становится легче.

«ПРИМАКОВСКАЯ СТАБИЛИЗАЦИЯ»

Итак, политический кризис был разрешен.

И что самое главное — драматические события сентября, когда страна около месяца жила без правительства, не вывели нас за конституционные рамки.

Мы получили передышку, чтобы опомниться и ответить на вопросы: что же с нами произошло, каковы итоги кризиса и вообще что сейчас нужно делать?

Всех интересовало, продолжает ли Россия быть президентской республикой? И не перешла ли реальная власть от президента к оппозиции? Если посмотреть газеты тех дней, политические комментарии, ответ получился бы однозначный. Россия уже не президентская республика. С курсом либеральных реформ покончено. Молодые реформаторы, с которыми президент так долго возился, довели страну до экономического края. За краем — уже пропасть. Задачу оттащить страну от края, расхлебывая чужие ошибки, вынуждено решать левоцентристское правительство Примакова. Уж оно-то точно пойдет другим путем. Причем ключевую роль в этом правительстве играет Юрий Маслюков, экономист советской плановой школы. Жесткий сторонник военно-промышленного комплекса и госзаказа, убежденный противник гайдаровских реформ.

Таким образом, на всей политике Ельцина можно ставить жирный крест.

Между тем я абсолютно не разделял этих тревожных, даже порой трагических настроений, которые царили в прессе. Я спокойно присматривался к новому правительству, потому что был уверен в одном: худшая точка кризиса уже позади.

Пытался определить, какой же будет моя новая политическая стратегия. Оборонительной, выжидательной? Это зависело от того, что реально происходит в общественном сознании, в настроениях людей. И постепенно приходило понимание: в обществе нет никакой паники, объявленный в сентябре полный крах либеральных ценностей, либеральной политики на самом деле не состоялся.

Кризис не коснулся российской глубинки. Люди в деревнях недоуменно спрашивали горожан: а что за кризис? Объясните... У российских крестьян не было банковских вкладов. И это, как ни парадоксально, сыграло свою положительную роль.

Да, рухнувший рубль ударил по ценам, по уровню жизни, и кризис почувствовали все. Но смятение не перешло в панику. Люди постепенно адаптировались, и это в какой-то мере спасало нас.

Вот преодолен кризис неплатежей, банковское сердце страны заработало, пусть пока на аппарате искусственной поддержки, но все-таки...

Удержались от краха банки, не игравшие с ГКО. Оживилась местная промышленность, которой прежде не хватало пространства из-за преобладания на рынке импортных товаров. Любая фирма — от мелкой лавочки до большой нефтяной компании — училась жить по новым ценам, по новому режиму строгой экономии. Все больше пишут и говорят о том, что кризис помог оздоровить отечественный бизнес, закалить его. Хотя закалка была поистине шоковой.

И тем не менее раз не умерли — значит, живы.

Опять мы остановились на краю пропасти. Опять судьба уберегла Россию. Революции, социального взрыва, о котором в очередной раз мечтали большевики, не произошло. Что же снова спасло нас?

То, что мы обозначаем громоздкими словами «перестройка» или «рыночные реформы», в западной печати называется просто и ясно: демократическая революция. У нас же такое определение переходного периода совершенно не прижилось.

Объяснение этому феномену одновременно и простое, и сложное: Россия устала от революций. Устала даже от самого слова, обозначающего либо бунт, либо социальный катаклизм невиданной силы.

Мы — против революций. Наелись ими в XX веке.

...Российское общество поддержало демократию на самом важном, переломном этапе политических преобразований. Но оно не хотело и не хочет никаких катаклизмов. Ему глубоко противны сами понятия «классовая борьба» и «социальная борьба». В сознании россиян революция — это потрясение, разруха, голод.

Еще в конце 80-х я абсолютно ясно понял: Россия поддерживает радикальные реформы, но не поддерживает революционность, как нечто опасное, связанное с вооруженным бунтом, насилием или переворотом.

Все митинги в Москве, которые шли в поддержку демократии во времена Горбачева, были совершенно мирными. Мирное гражданское сопротивление коммунистическим реваншистам — вот что объединяло тогда самых разных людей.

Это было похоже на «пражскую весну», на «бархатную революцию».

Мне было ясно одно: общество ждет реформ, и общество это достаточно цивилизованное, заряженное позитивным пафосом.

Время показало, что я был прав в своей оценке. Страна отвергла любые попытки навязать что-то силой. Тот, кто первым брался за оружие, проигрывал. Так было и в девяносто первом, и в девяносто третьем годах.

Выбор России был очевиден — демократическая реконструкция страны.

Но «мирный» — не значит «легкий». С одной стороны, этот пафос бескровного переустройства (антибольшевистского, антикоммунистического) помог демократии выстоять и победить. Но он же вселил в людей бессознательное ожидание какого-то социального чуда. Иные ждали, что Россию примут с распростертыми объятиями на мировом рынке, и в стране тут же наступит экономический бум, о котором так упорно грезили и мечтали. Другие надеялись, что свободный рынок, конкуренция придут как-то сами собой — не станет разбитых дорог, отвратительного жилья, плохих товаров.

Ничего этого не произошло и не могло произойти.

Революция, даже мирная, — это все-таки жесткая ломка старого уклада жизни. Такие быстрые изменения всего на свете — формы собственности, государственного строя, мировоззрения, национальной идеологии и интересов, даже границ — не могли не вызвать в обществе шок. Не могли не потрясти самые основы государственной машины.

Да, эта государственная машина была в результате нашей «тихой революции» серьезно ослаблена.

Реальная власть в результате любой революции — тихой или громкой — как бы зависает в воздухе, оказывается «на улице».

Я видел эту угрозу. И спешил предотвратить ее, форсируя становление новой российской государственности, вводя новые институты управления, оформляя все это законами и указами.

Но сегодня я вижу все недостатки этого быстрого, порой торопливого процесса. Мы недооценили свойственный россиянам глубинный анархизм, недоверие к любому начальству. Этому есть свое объяснение: за годы советской власти люди наелись «государством», наелись властью партийной номенклатуры. Сегодняшнее российское мировоззрение в этом смысле предельно просто: надо, чтобы начальства было поменьше, чтобы государство не лезло в наши дела. Есть и зеркальное отражение этой точки зрения, как бы вывернутая наизнанку анархическая идеология: надо навести порядок в государстве любой ценой, даже ценой отмены демократических преобразований!

Но ни в той ни в другой крайности — как и в любой крайности — нет исторической правды. Новая Россия прошла этап демократической революции. Пора возвращаться к идее государственности — но уже на новом витке и в другом виде. К той государственности, которая не будет мешать человеку. Не будет давить, душить его, а напротив — создаст гарантии для стабильной и благополучной жизни.

А сегодня самые простые нормы подчинения демократически избранному руководству кажутся чуть ли не возвратом к коммунистической диктатуре. Ничего подобного. Россия движется в правильном направлении — строительства не тоталитарного, не тупого, а разумного и сильного демократического государства.

Я еще и еще раз проверяю свое ощущение той осени 98-го года, ни в прессе, ни в Думе, ни в Совете Федерации, ни в социологических анализах, ни просто на улице не было разговоров о переделе власти и собственности, о необходимости введения каких-то чрезвычайных мер. Да, обстановка тревожная, зима будет во многих регионах тяжелой, но... нет страха, который был в первые дни, — погибаем, голодаем, продовольственный дефицит, инфляция тысяча процентов, распад Федерации и так далее. Вообще интонация прессы изменилась — от отчаянной к умеренной, размышляющей, трезвой. Нет основы для возникновения второй фазы политического кризиса, кризиса власти в стране.

Что это значит для президента?

А вот что.

Политическое пространство частично отдано оппозиции, коалиционному правительству Примакова. Но отдано в очень нужный момент! Теперь, когда в руках парламентского большинства сосредоточена значительная часть исполнительной власти, у них нет морального права, нет возможности продолжать раскачивать лодку. Их политическая инициатива скована. Антикризисные меры — строгая вещь. Они не предполагают ни политиканства, ни революционного бреда. Правительство Примакова при всем желании не сможет идти в обратном направлении, не сможет затеять опасные коммунистические эксперименты с экономикой.

...Я пытался пристальнее присмотреться к тактике, к поведению Евгения Максимовича.

Он начал действовать чрезвычайно обстоятельно, взвешенно, не торопясь. Осторожно лавировал между политическими силами, охотно и часто консультировался с лидерами партий и руководителями регионов. Не предпринимал резких шагов. Постепенно укреплял свое положение. Обеспечил себе поддержку губернаторов. Ввел в правительство, помимо Маслюкова, других своих людей: агрария Кулика, губернатора Ленинградской области Густова, верного члена лужковской команды Георгия Бооса.

Честно говоря, в том, что Примаков быстро освоится, я не сомневался. В том, что сможет укрепить свое положение в считанные недели, — тоже. Кадровый аппаратчик, столько лет проработавший при Брежневе на поприще международника, потом в горбачевском Политбюро, дипломат, разведчик.

Но важнее всего мне было понять: какую общественную позицию выберет Примаков, какую найдет интонацию, чтобы говорить со страной? Именно к этой интонации люди прислушиваются больше всего, причем все люди — от самых скромных тружеников до самых первых руководителей.

Интонацию, как мне показалось, Примаков выбрал абсолютно правильную!

Всех сумел успокоить глуховатым голосом, чуть насмешливой, в меру жесткой манерой говорить. Своей уверенной неторопливостью Евгений Максимович сумел приглушить царившее в обществе в сентябре—октябре настроение и убедить всех в возможности стабилизации обстановки.

Честно говоря, именно на это я и рассчитывал.

Словом, Примаков добился такой прочности положения, какой не было ни у одного из российских премьеров. Объективно для этого были все основания: поддержка самых разных политических сил, от Администрации Президента до Государственной Думы, высокий рейтинг доверия.

Замороженный кризис — уже маленькая победа. О том, что правительство Примакова сделает в экономике, можно будет судить только весной, когда страна переживет зиму. А сейчас я ждал от правительства Примакова не решительных действий, а их отсутствия. Пережившего смертельно высокую температуру больного — российскую экономику — не нужно было пичкать лекарствами. Нужно было дать отлежаться, отдышаться, прийти в себя.

Правда, журналисты с самого начала почему-то не очень жаловали правительство Примакова. Как чувствовали, что нелюбовь будет взаимной и страстной. Вскоре выяснилось, что́ именно спровоцировало прессу на такую скорую и, как мне сначала казалось, несправедливую критику: абсолютная закрытость нового кабинета. Было дано четкое указание аппарату правительства скрывать информацию от прессы, минимум интервью, все общение с журналистами — только под жестким контролем.

Сказывалась многолетняя школа работы Евгения Максимовича в закрытых учреждениях — ЦК КПСС, МИДе, СВР. Но деятельность правительства за несколько последних лет уже стала прозрачной. Обсуждать те или иные шаги, предпринимаемые кабинетом, журналисты привыкли. Привыкли жить по стандартам мировой печати.

И тут вдруг — такой «советский» запрет. Мелочь? Деталь? Как выяснилось, нет. Я лучше понял, что случилось во взаимоотношениях между премьером и журналистами, когда Примаков на встрече со мной в первый раз достал свою «особую папку».

В этой папке было собрано буквально все, что писали в газетах о новом кабинете и его главе. Все было аккуратно подчеркнуто цветными фломастерами.

Честно говоря, увидев это, я не поверил своим глазам. Надо же было, чтобы все это не только прочитали, а еще подчеркнули и вырезали. Ну и главное — кому Примаков решил жаловаться на журналистов? Мне?

«Евгений Максимович, я уже давно к этому привык... Обо мне каждый день пишут, уже много лет, знаете в каких тонах? И что же, газеты закрывать?» — «Нет, но вы почитайте, Борис Николаевич. Это же полная дискредитация нашей политики». Вот в таком духе мы могли разговаривать с Примаковым по часу.

Я долго не мог понять, что же это означает. А потом вспомнил, как сам в первые годы политической карьеры реагировал на разные статьи в прессе. Но постепенно научился отличать свободу общественного мнения от грубой «заказухи»: я-то все эти годы был в публичной политике, а Примаков — нет. Изменить свое отношение к прессе сразу он не мог. Журналист старой советской закалки, работавший много лет в «Правде», он видел за каждой статьей какую-то сложную интригу, некий подтекст, угрозу со стороны своих политических противников. Ничего объяснить ему, исходя из простейшей логики, тут было невозможно. Чтобы преодолеть себя, ему нужно было время и... другое отношение к жизни.

Было очень печально, что Евгений Максимович не может избавиться от старых советских стереотипов, от этой тяжелой нервозности при виде газетных страниц. Но ко всему этому я старался относиться терпеливо, пока...

Пока вместо привычной «особой папки» с вырезками из газет он не вытащил на свет уже нечто другое — несколько страниц, сколотых канцелярской скрепкой. «Прочтите, пожалуйста». Я стал читать. Это была анонимная справка на достаточно крупного чиновника, которому приписывались хищение, взятки, незаконные финансовые операции и еще несколько грехов помельче.

Я сказал: «Евгений Максимович, давайте разберемся. Что это за факты? Вы в них абсолютно уверены? Откуда они?» — «Эта справка подготовлена спецслужбами, Борис Николаевич. Конечно, надо еще все проверить, но...» — «Если это правда, то почему против этого человека не возбуждено уголовное дело? Или это все домыслы? Наговорить ведь можно все, что угодно». Примаков, недовольный моей реакцией, спрятал документ.

Подобные сцены повторялись неоднократно. Видимо, в столе у Евгения Максимовича было много таких «справок».

В конце концов мне это надоело. Одну из «справок» Примакова я решил проверить.

Эта история была связана с заместителем министра здравоохранения Михаилом Зурабовым. У Примакова была анонимная бумага, которую он процитировал: Зурабов чуть ли не бандит, имеет связи с преступной кавказской группировкой, ну и так далее. (На самом деле, как выяснилось впоследствии, этот молодой замминистра имел неосторожность где-то наступить на хвост фармацевтической мафии, прижать ее.) Примаков вызвал вице-премьера Валентину Матвиенко, потребовал уволить его немедленно.

Я попросил Путина проверить эти сведения. Через некоторое время Владимир Владимирович принес мне реальную справку ФСБ на Зурабова, из базы данных управления экономической безопасности ФСБ. Разница была потрясающая. В примаковской «справке» было изложено все с точностью до наоборот.

В документе ФСБ, к примеру, было сказано: связи Зурабова с преступными сообществами из «лиц кавказской национальности» не установлены. В «справке» Примакова: подозревается в связях с дагестанской группировкой. В документе: факты получения взяток от фармацевтических компаний не установлены. В «справке»: подозревается в получении взяток. Вот такие разночтения.

Зурабов — действительно честный, порядочный человек и толковый, умный специалист. Я познакомился с ним ближе, когда он стал советником президента по социальным вопросам. Сейчас он работает председателем Пенсионного фонда России.

Так мне стала ясна технология компромата, который скапливался в столе у Примакова. Коммерческие структуры, к сожалению, нашли подход к некоторым недовольным сотрудникам ФСБ и других спецслужб; зарабатывали на том же и уволенные из органов сотрудники. Таким образом, составить «справку» на конкурента или неугодного чиновника не составляло никакого труда.

Бывших офицеров ФСБ или работников прокуратуры, которые поставляли Примакову подобные «справки» и при этом не утруждали себя никакими доказательствами, видимо, было немало. Крайне осторожный, щепетильный в политике, он тем не менее верил всем этим обвинениям, не думая, что за эти «разоблачения» кто-то мог хорошо заплатить. Сказывалась его долгая биография руководителя, выпестованного советскими закрытыми учреждениями.

Уволенные офицеры ФСБ не только поставляли Примакову компромат, но и постоянно шли к премьер-министру жаловаться на Путина. Евгений Максимович продолжал по инерции относиться к директору ФСБ как патриарх спецслужб, как старший и более опытный товарищ, говоря просто, как начальник. Путин же относился к Примакову с почтением, не позволяя себе выходить за рамки, обозначенные возрастом и положением, но при этом держался твердо. Недоразумения тем не менее случались.

Так, например, бывшие генералы ФСБ, отправленные в отставку Путиным, умудрились внушить Примакову, что за ним и членами его семьи... ведется слежка. Примаков немедленно позвонил Путину и потребовал снять наблюдение. Обычно хладнокровный и сдержанный, Путин ответил достаточно резко. Заявил о том, что потребует немедленного расследования и возбуждения уголовного дела, если факты подтвердятся; попросил назвать источники информации.

Обвинение было абсурдное, дикое. Как можно следить за председателем правительства? Как можно следить за человеком, которого всюду сопровождает мощная охрана, за безопасность которого отвечает целая силовая структура — Федеральная служба охраны? Зачем вообще за ним устанавливать наблюдение, если каждый его шаг ни для кого не является секретом?

Путин настаивал на формальном следствии. Евгений Максимович пошел на попятный. Но абсурдное обвинение по-прежнему считал вполне реальным.

...Такая же история была с так называемой чисткой ФСБ. Примакову, очевидно, донесли, что новый руководитель ФСБ расправляется со старыми кадрами. Он не раз и не два говорил мне, что Путин убирает опытных чекистов, привел в руководство комитета сплошь зеленых и неопытных питерцев. Наконец я потребовал разобраться с этим вопросом.

Путин попросил у меня разрешения устроить встречу с коллегией ФСБ в кабинете премьера. Они встретились. К удивлению Примакова, среди членов коллегии оказались почти все знакомые лица. Большинство заместителей остались на своих местах. После той памятной встречи Евгений Максимович несколько смягчил свое отношение к ФСБ.

Стоило лишь внимательно проанализировать подобные эпизоды — и все вставало на свои места. Евгений Максимович подозревал других в том, что, видимо, не считал зазорным и для себя.

А я долго не мог понять, почему премьер огромной страны, умный, интеллигентный политик ведет себя в этих разговорах со мной как какой-то кадровик старой школы. Дай я в то время волю привычкам Примакова — и он довольно быстро изменил бы наш политический и финансовый ландшафт на основании своих «справок» и субъективных представлений о том, кто враг, а кто — друг.

Я настоятельно советовал Евгению Максимовичу не обращать внимания ни на критику либеральных политиков и экономистов, ни на резкие статьи в газетах, ни на слухи о возможных кознях спецслужб. «Я, президент, вас поддерживаю. Это — главное», — говорил я ему.

И до поры до времени мне казалось, что он воспринимает мои слова, по крайней мере пытается меня понять.

Именно осенью 98-го у политической элиты возникло ощущение, что премьер потихоньку забирает президентские полномочия, старается взять в свои руки нити государственного управления. Примаков все чаще встречался с силовиками, по Конституции подотчетными лишь президенту, всюду старался расставить на вторые роли, в качестве замов, своих людей из службы внешней разведки. В газетах стали писать о том, что окружение президента «сдает» меня Примакову — например, сотрудники администрации якобы договорились с Евгением Максимовичем, что останутся работать в будущем, поэтому спокойно смотрят на уход полномочий из рук президента.

На эти слухи я реагировал абсолютно спокойно. Никакого «ползучего» путча не боялся. Для меня главным оставалось то, что Примаков и его правительство будут держать политическую паузу (тем самым помогут экономике выбраться из кризиса) и что руки у коммунистов связаны участием их людей в правительстве.

Мнения об экономической стратегии Примакова в то время были различными.

Одни экономисты резко его критиковали за отсутствие внятной политики. Другие, настроенные к правительству более лояльно, утверждали, что ошибок оно не делает и что в экономике (благодаря многократному падению курса рубля) наступил некоторый рост. Это было правдой: благодаря тому, что курс рубля упал практически в три раза, нам стало гораздо легче платить зарплату, обеспечивать финансирование госзаказа, наполнять бюджет. Реальный уровень жизни населения стал, конечно, гораздо ниже из-за инфляции, тем не менее «розовое» правительство Примакова своей государственной риторикой, своим советским стилем руководства удерживало людей от социального протеста, от забастовок или новой «рельсовой войны».

Людям импонировали лозунги нового правительства: жить по средствам, производить и покупать отечественные товары. Правительство же помогало экономике тем, что при новом премьере оно, по сути, оставило экономику в покое.

По социологическим опросам, рейтинг доверия Примакову оставался высоким и стабильным.

Евгений Максимович, вольно или невольно, помогал мне в достижении главной политической цели — спокойно довести страну до 2000 года, до выборов. Затем, как я тогда думал, мы вместе найдем молодого сильного политика и передадим ему политическую эстафету. Дадим ему стартовую площадку, поможем раскрыть свой потенциал.

И тем самым поможем выиграть выборы.

...ОПЯТЬ НА БОЛЬНИЧНОМ

11 октября 1998 года я вылетел с визитом в Узбекистан и Казахстан.

Еще накануне вечером у меня поднялась температура до 40 градусов, утром ее сбили, но, понятно, состояние было не очень. Врачи поставили предварительный диагноз — трахеобронхит. Начали колоть антибиотики.

Наина и Таня умоляли меня не ехать. Но я опять не послушал ни семью, ни врачей. Откладывать визит было невозможно, тем более в самый последний момент. Если я чувствую, что надо, то, как говорят спортсмены, хоть «на зубах», но должен долететь, доехать.

С первой же минуты, едва самолет приземлился в Ташкенте, почувствовал себя еще хуже. Преодолевал слабость только усилием воли.

Здесь я должен обязательно поблагодарить президента Узбекистана Каримова: не знаю, как бы закончилась эта поездка, если бы не его глубокое сочувствие и понимание ситуации. Помню, как во время торжественной встречи, прямо на ковровой дорожке, перед строем парадных гвардейцев, перед многочисленными зрачками телекамер, все вдруг поплыло у меня перед глазами. Головокружение. И так не вовремя! Но на счастье, Ислам Каримов оказался рядом, поддержал, и я через мгновение пришел в себя.

...Температуру продолжали сбивать сильными антибиотиками. Снова тяжело дышать, снова слабость, жжение в груди, снова мир кажется зыбким и невесомым. Тем не менее из Ташкента я перелетел в Алма-Ату, где у нас был запланирован второй визит, встреча с Нурсултаном Назарбаевым. Из-за болезни она прошла по укороченной программе. Затем под бдительным оком врачей я переправился в Москву.

Мой новый пресс-секретарь Дмитрий Якушкин заявил журналистам: всю эту неделю президент проведет в Горках — врачи рекомендовали ему постельный режим.

...14 октября, несмотря на все медицинские рекомендации, я встаю с постели и еду в Кремль. Мое появление — полная неожиданность и для прессы, и для Думы, и для Совета Федерации. 14-го и 15-го я провел несколько важных встреч.

Встречи плановые. Но всем известно, что президент — на больничном. Плановый график на эту неделю уже отменен. Буквально в течение двух часов мои помощники вновь собирают всех приглашенных на встречи с президентом в Кремль.

Позднее я понял, что не ошибся. Политическое значение каждого моего шага в эти дни становится крайне весомым.

В тот же день, 14 октября, Совет Федерации обсуждает проект постановления «Об итогах всероссийской акции протеста». В резолюции были, например, такие слова: «Каждый день пребывания Б. Н. Ельцина в должности президента создает угрозу государственности России». В этом же постановлении президенту предлагалось «добровольно и безотлагательно подать в отставку».

Для принятия решения региональным лидерам не хватило всего 11 голосов...

В начале ноября уже депутаты Думы рассматривают законопроект «О медицинском заключении о состоянии здоровья президента РФ».

Для прохождения закона в Думе не хватило всего 5 голосов...

Отправить меня в отставку по состоянию здоровья, о чем давно мечтали коммунисты, чуть было не стало возможно по закону.

Для того чтобы понять, что же вызвало «осеннее обострение» у депутатов Государственной Думы, у левой части сенаторов, нужно вернуться немного назад, к моменту утверждения нового премьера, Евгения Максимовича Примакова. Вначале левые фракции парламента ликовали: «Нам удалось создать правительство народного доверия!» Но очень скоро туман политических иллюзий развеялся. Депутаты поняли, что перекромсать Конституцию, ограничить мои президентские полномочия им в очередной раз не удалось. Больше того, существование в правительстве «красного крыла» (Маслюков и Кулик), достаточно сочувственное отношение к коммунистам самого Примакова лишали их возможности маневра. Ни критиковать правительство, ни требовать его отставки они уже в открытую не могли. Необходим был какой-то иной клапан для раскручивания истерии, для выпускания политического пара. После того как законопроект о моем принудительном медицинском освидетельствовании не прошел, они срочно стали искать другой повод для обострения отношений.

В среду, 4 ноября, отставной генерал Альберт Макашов на митинге возле телецентра «Останкино» пообещал «захватить с собой на тот свет десяток жидов». Это стало прологом для всех дальнейших событий. Вечером того же дня все нормальные депутаты в Думе потребовали осудить Макашова за антисемитизм. Долго судили-рядили, подготовили очень мягкое, почти нежное постановление «О недопустимости действий и высказываний, осложняющих межнациональные отношения в РФ». Но и его не приняли. Логика красного большинства была такая: если экономическая политика Ельцина ведет к «геноциду русского народа», то призывать к еврейским погромам... можно! Душа, мол, болит у генерала! Что ж его за это осуждать теперь?

Было стыдно. Противно. Да, конечно, антисемитизм существовал и при советской власти, причем откровенный, на государственном уровне, под соусом «борьбы с сионизмом и империализмом», но такого открытого хамства, да еще с высокой трибуны, никто себе не позволял.

Антисемитизм — как и любая форма расизма — страшное зло. Но в то, что он имеет в нашем обществе, в нашем народе какие-то глубокие корни, я категорически не верю. Будет спокойнее, стабильнее, богаче жизнь — и об этой проблеме постепенно все забудут.

На следующий день я выступил с официальным заявлением: «Любые попытки оскорбить национальные чувства, ограничить права граждан по национальному признаку будут пресечены в соответствии с Конституцией и законами Российской Федерации».

Но наша грозная Генеральная прокуратура почему-то сразу растерялась. По просьбе Министерства юстиции она все-таки начала проверку антисемитских высказываний на предмет их соответствия конституционным нормам. Но... Неудобно как-то было допрашивать уважаемого человека, депутата. Генеральная прокуратура во главе со Скуратовым не нашла в макашовских высказываниях криминала, и дело закрыли.

Депутат-коммунист Виктор Илюхин заявил, что в окружении президента слишком много «лиц еврейской национальности», и предложил подготовить по этому поводу... постановление Госдумы. В России появился целый регион — Краснодарский край, — где ругать «жидов» и «сионистов» стало просто модно, и занимались этим все подряд — от представителей правых партий до ярых коммунистов, от руководителей местных администраций до губернатора, широкую дорогу всем этим высказываниям давало и краснодарское телевидение. Секретарь Московского горкома КПРФ Куваев сказал: пусть Макашов сказал слова неправильные, «но мы с ним солидарны». Геннадий Зюганов стоял на митингах плечом к плечу с Макашовым. А тот как заведенный на всех своих встречах, во всех поездках по стране повторял и повторял: «Еврейский заговор... еврейский заговор...»

И все никак не мог остановиться. Уже в конце февраля в Новочеркасске, выступая перед казаками, генерал заявил: «Все, что делается во благо народа, все законно. Народ всегда прав. Мы будем антисемитами и должны победить».

Общественное мнение отреагировало очень резко. Гайдар назвал Макашова «зоологическим антисемитом» и сказал, что поскольку компартия с ним солидарна, она автоматически может считаться нацистской партией. «Сегодня мы имеем право... вновь ставить вопрос о запрете компартии».

Все газеты были полны статей про Макашова, карикатур на Макашова. Он стал просто нарицательной фигурой. Болезненный характер его «мировоззрения» настолько был очевиден, что многие стали высказываться в таком духе: хватит о нем писать! Оставьте в покое этого... генерала в отставке.

Но двойственность ситуации была в том, что официальной реакции властей, кроме моего заявления, практически на тот момент не существовало. Министерство юстиции не нашло правовой базы для запрета КПРФ как партии, чьи действия противоречат Конституции. Дело Макашова замяли в прокуратуре. Примаков передоверил выразить официальную точку зрения правительства скромному Министерству по делам национальностей. Сам же высказался против запрета компартии: «Я отношусь к этому резко отрицательно».

Той же осенью, 20 ноября, в Петербурге произошла трагедия — убийство Галины Васильевны Старовойтовой. Это известие болью отозвалось в сердце: Галина Васильевна долгие годы была на политической сцене для меня эталоном порядочности, гуманизма, верности нашим общим идеалам. Старовойтова никому не могла помешать, она была настоящим идеалистом в политике. Но тогда кто ее убил? Фанатики? Разгул коммунистической истерии конца 98-го — начала 99-го был таков, что участие в убийстве каких-нибудь левых экстремистов было вполне возможно. Это создавало ощущение общей тревоги. Неуверенности. У кого-то даже страха.

Я все время следил и сейчас, спустя много месяцев, продолжаю следить за ходом расследования. У меня на столе лежит справка МВД, датированная 4 июля 2000 года. Сейчас расследуются три главные версии. Судить, какая из них приведет к преступникам, конечно, не берусь. Надеюсь, виновные будут пойманы и наказаны.

События разворачивались стремительно. Было очевидно, что коммунисты намеренно идут на обострение.

Хотите распустить компартию? Пожалуйста! Тогда и посмотрим, чья возьмет, — вот что отчетливо просматривалось в их заявлениях конца осени.

И они не шутили.

Призывы расправиться с окружением Ельцина звучали все более и более отчетливо. Середина декабря. Заседание думской комиссии по импичменту. На повестке дня пятый пункт: «Геноцид русского народа». Снова звучат слова о «еврейском заговоре», о предательстве интересов России, о влиянии западных спецслужб на Ельцина. Докладчик — депутат Виктор Илюхин.

Генпрокуратура отказывается давать правовую оценку высказываниям Илюхина.

В последних числах ноября ко мне приехал Валентин Юмашев и спросил, как я отношусь к такой идее: «Я ухожу в отставку, Борис Николаевич, а вместо меня приходит Бордюжа, оставаясь при этом секретарем Совета безопасности».

Логика у этого решения, разумеется, была. Да, утверждение Примакова было тактическим выигрышем, давало возможность для маневра, но все-таки политически в глазах общества являлось крупным проигрышем президента. Обстановка октября—ноября ясно показывала, что оппозиция готова к дальнейшему наступлению, вплоть до ограничения моих конституционных полномочий, и губернаторы могут при определенном раскладе ее в этом поддержать. В этой ситуации президентская власть нуждалась в силовой составляющей, хотя бы на уровне внешней демонстрации. Легко стучать кулаком по думской трибуне, в очередной раз «отправляя в отставку» ненавистного Ельцина, выводить на площади колонны демонстрантов под красными флагами, когда он лежит в больнице. Труднее это сделать, когда рядом с президентом возникает фигура генерал-полковника, который одновременно совмещает две важнейшие государственные должности — и главы администрации, и секретаря Совета безопасности.

Во времена Чубайса и Юмашева Администрация Президента была чисто интеллектуальной командой, находилась в политической тени (кстати, до сих пор эта позиция мне представляется наиболее правильной). Но сейчас, в момент обострения, такая рокировка ей явно пойдет на пользу.

Однако я взял недельный тайм-аут. Чем-то эта идея мне все же не нравилась...

И вскоре я понял чем. Были сомнения в самом Бордюже. Молодой генерал совсем еще недавно стал начальником пограничной службы — вместо Андрея Николаева. Затем был приглашен руководить Советом безопасности, только начал обживаться в новой должности. И вот, проработав в Кремле всего три месяца, вновь совершает грандиозный карьерный скачок.

Юмашев горячо убеждал меня: администрации просто необходимо «поменять картинку», Бордюжа — по-настоящему интеллигентный военный, по мировоззрению гораздо ближе к молодому поколению политиков, чем к генералитету, он заранее согласен с тем, что на первых порах будет советоваться с ним, Валентином, ну... а там посмотрим.

«Я никуда не ухожу, Борис Николаевич, фактически буду постоянно рядом с вами и с Бордюжей», — говорил он.

Все эти кулуарные схемы взаимодействия старого и нового глав администрации не очень-то убеждали. Но я согласился — отнюдь не под влиянием аргументов Юмашева, а совсем по другой причине.

Уже тогда я почувствовал, как растет в обществе потребность в каком-то новом качестве государства, в некоем стальном стержне, который укрепит всю политическую конструкцию власти. Потребность в интеллигентном, демократичном, по-новому думающем, но и по-военному твердом человеке. Через год такой человек действительно появился — я, конечно, говорю о Путине.

Но это — через год. А пока... я с огромным сожалением согласился на отставку Юмашева.

Валентин не обманул. Все время после своей отставки он был рядом, по-прежнему помогал... Вот и сейчас, после моего ухода, мы продолжаем дружить и работать вместе — теперь уже над этой книгой...

5 декабря Валентин Юмашев привез в Горки-9 несколько указов: о своей отставке, о совмещении постов секретаря Совета безопасности и главы администрации, об увольнении нескольких своих замов.

7 декабря я на три часа приехал в Кремль подписать эти указы. Так на посту главы администрации появился бывший начальник Федеральной пограничной службы, секретарь Совета безопасности, кадровый военный, молодой сорокалетний генерал Николай Николаевич Бордюжа.

...Уже примерно через месяц я вызвал Юмашева и сказал: «Валентин, а вы уверены, что нет ошибки? Что-то я не чувствую Бордюжу».

Юмашев удивился. Внешне все шло гладко. Бордюжа старался изо всех сил, пытался стать командным человеком. Но я с самого начала видел — с ним что-то не то.

Позднее мне стало ясно, что же происходит с Бордюжей. Офицер, сделавший прекрасную карьеру в строгой военной системе, он плохо понимал устройство современной политической жизни, не улавливал ее тонких нюансов, не замечал подводных течений. Вся работа главы администрации была, с его точки зрения, нелогичной, нерегламентированной, странной. И он... растерялся.

У Бордюжи началось нечто подобное раздвоению личности, его душило внутреннее напряжение. Именно эту скованность, пожалуй, я в нем и заметил.

Так бывает в жизни. Знаю по опыту. Крепкий, волевой человек, даже обладающий прекрасным здоровьем, попадая «не в свою тарелку», испытывая постоянный стресс, начинает просто болеть. В конце недолгого пребывания на посту главы администрации у молодого генерала-пограничника появились проблемы с сердцем.

Единственным, с кем Бордюже было комфортно, оказался Евгений Максимович Примаков. Его способ мыслить, его манеру окружать себя обстановкой сверхсекретности Николай Николаевич принял безоговорочно. И когда наши отношения с премьером осложнились, он все-таки не выдержал.

Вся новая политическая система постсоветской России выстраивалась долго и трудно. Мы набивали шишки, ломали копья. И что самое тяжелое, порой за правильность этой конструкции обществу приходилось платить очень высокую цену, как это было в 1993 году.

Тут можно вспомнить не только октябрь 1993-го. Можно вспомнить и лидера Верховного Совета Хасбулатова, который активно расшатывал Конституцию. Можно вспомнить референдум о приоритете президентской или парламентской формы правления. Можно вспомнить неоднократные голосования в Думе по моей отставке, правительственные кризисы.

После выборов 1996 года мне стало окончательно ясно: роль администрации нужно менять. Если после 91-го года я рассматривал ее в основном в качестве управленческого аппарата, как некую контролирующую инстанцию, то после

1996-го она стала играть роль интеллектуального штаба. Работа аналитической группы продолжалась, только теперь она формировала не предвыборные идеи, а концепции развития страны.

Две эти тенденции, конечно, боролись в кремлевских коридорах и раньше, до 96-го года. Юрий Петров, бывший секретарь Свердловского обкома КПСС, был приглашен мной на работу в Кремль именно как опытный аппаратчик, который должен держать под контролем целую армию госчиновников.

Затем в Кремль пришел Сергей Филатов. В общественном мнении — весомый, влиятельный человек, убежденный демократ, интеллигент. Но увы, Филатов по складу своего характера не был ни сильным политиком, ни сильным аналитиком. Он превратил администрацию в своеобразный научно-исследовательский институт по проблемам демократии в России. Писались горы справок, докладов, концепций. Но к реальной жизни они отношения почти никогда не имели...

Главную роль в разработке политической стратегии играла группа помощников президента, которую возглавлял мой первый помощник Виктор Илюшин. Именно он выполнял, по сути, задачи главы администрации, он создал работоспособный интеллектуальный штаб в Кремле, достаточно вспомнить, что именно тогда появились в этих кабинетах Сатаров, Батурин, Краснов, Лившиц и другие светлые головы.

...А тем временем с каждым месяцем и годом усиливалась политическая роль Федеральной службы охраны и конкретно моего главного охранника — Александра Коржакова. Коржаков жестко конфликтовал со всеми, кто не поддавался его влиянию, кто, по его мнению, был «чужим». Вмешивался в работу моего секретариата, проводил порой, минуя всю четкую процедуру, свои документы, конфликтовал и с Филатовым, и с Илюшиным, пытался влиять через Олега Сосковца на экономическую политику страны. Я уже писал о Коржакове в другой главе, но тут еще раз хочу сказать, что беру на себя всю ответственность за его небывалый взлет и закономерное падение, то была моя ошибка, за которую потом пришлось мне же и расплачиваться.

Приглашенный работать главой администрации в 1995-м губернатор из Краснодара Николай Егоров должен был заниматься в основном проблемами установления мира в Чечне. Но эту задачу взял на себя в итоге совсем другой человек — генерал Лебедь.

После выборов 1996-го стало очевидно, что время Коржакова и его людей прошло. И что в Кремле не должно больше быть ни двух, ни трех «неформальных лидеров», а говоря сухим языком политики, двух или трех центров власти.

С приходом Анатолия Чубайса работа кремлевской администрации приобрела совсем иной характер. С одной стороны, это была четкая, жесткая вертикаль управления, с железной дисциплиной внутри коллектива. С другой стороны, это была молодая, мощная команда интеллектуалов, людей совсем другого поколения, с другими взглядами на жизнь и на процессы, происходящие в стране. Не обремененные старыми стереотипами, они с огромным увлечением взялись за разработку концепции новой, современной России.

С этого момента в администрации готовились важнейшие стратегические законы, были разработаны варианты Налогового и Земельного кодексов, концепция реформирования государственного устройства, реформы госстроительства и многое другое. Именно в это время администрация совсем по-другому стала подходить к ежегодному посланию президента Федеральному Собранию — в эпоху Чубайса, Юмашева, а потом и Волошина над этим государственным документом, определяющим главный вектор развития страны на год вперед, трудились уже не только чиновники, не отдельные интеллектуалы, подключались все лучшие силы, над посланием работали все министерства и ведомства, целые институты.

Администрация стала настоящим штабом по выработке важнейших идей, стратегии развития и политической тактики.

Свой потенциал, весь свой мощнейший ресурс Администрация Президента продемонстрировала летом и осенью 1999 года, когда ее возглавил Александр Волошин. Вся интеллектуальная энергия, весь накопленный за эти годы политический опыт были задействованы в этот критический отрезок времени. Сокрушительная победа — вот уж точный термин! — которую одержал Волошин со своей командой на думских выборах 99-го, стала абсолютно неожиданной для его политических противников.

Но за этой победой была многолетняя, скрупулезная, тончайшая работа по постоянному анализу текущей ситуации в стране, по выработке механизмов влияния на общественное мнение, на политическую, региональную элиту и т.д.

Работа, которую потом мои политические противники назовут влиянием на президента Семьи — вот так, с большой буквы, — на самом деле заключалась: в моих встречах с главой администрации, его замами, советниками, обсуждении выработанных ими предложений и, наконец, принятии президентом окончательного решения. И дальше, после принятия, — железная, неукоснительная его реализация.

По такой схеме я работал все последние годы. И хотя сначала «регентом» называли Чубайса, затем — уже членами Семьи — Юмашева и Волошина, суть претензий не менялась. За спиной президента, мол, кто-то втихую действует.

Подтверждаю. Действительно, за моей спиной стояла большая, крепкая, слаженная команда. И если кому-то этот термин «Семья» больше нравится, можно сказать и так: членами моей Семьи были и Чубайс, и Волошин, и Юмашев, и Джахан Поллыева, и Сергей Ястржембский, и Владислав Сурков, и Руслан Орехов, и Игорь Шабдурасулов, и Михаил Комиссар, и Александр Ослон, и Михаил Лесин, и Юрий Заполь, и Ксения Пономарева, и Константин Эрнст, и Олег Добродеев, и Сергей Зверев — пока работал в администрации, и Игорь Малашенко — в первые годы после выборов 96-го, и Алексей Громов, и Олег Сысуев, и Сергей Приходько, и Дмитрий Якушкин, и Андрей Шторх, и многие-многие другие (не хочу утомлять читателя перечислением), кто участвовал в выработке важнейших решений для судеб страны. Кто-то мне мог нравиться, кто-то — не нравиться, но я знал: у этих людей прекрасно работает голова, они генерируют интересные идеи, они должны работать на страну, должны работать с президентом.

...Администрация Президента — это то, чем могу гордиться я и чем может гордиться моя команда.

Однако пора вернуться к событиям конца 1998-го — начала 1999 года.

Я абсолютно не сомневался в том, что кризис, связанный с моим плохим самочувствием, с агрессивными выходками в Думе Макашова и Илюхина, удалось загасить в самом начале, и тут смена главы администрации была точным тактическим ходом. Но что делать дальше? Неумолимо приближалось лето 1999-го — последний срок для поиска того нового политика, который поведет Россию демократическим путем после выборов 2000 года.

...Между тем шансы Примакова на президентское кресло стали постепенно расти. Первыми об этом заговорили думские коммунисты. А поскольку социологические рейтинги других вероятных кандидатов — Лебедя, Явлинского, Лужкова — в то время были значительно ниже и вровень с Примаковым шел только Зюганов, пресса тоже всерьез стала рассматривать этот вариант. Одни писали об этом как о полном откате, реванше коммунистов, возвращении к советской модели жизни, другие — как о неминуемом выборе общества. И это тоже было понятно. У любого антикризисного премьера есть большая политическая база, возникающая совершенно естественно. «Примаковская стабилизация», по-прежнему не очень заметная в экономике, не очень ощутимая в жизни простых людей, становилась тем не менее политическим знаменем оппозиции.

Разумеется, я догадывался, что планы премьера могут измениться. Появятся президентские, пока осторожные, но все-таки четкие амбиции. И естественно, ждал, что Евгений Максимович заговорит со мной об этом первым.

Однако Примаков сохранял полное спокойствие. «Вместе уйдем на покой в 2000 году, Борис Николаевич, будем вместе рыбу ловить», — помнится, не раз говаривал он.

Внешне мы продолжали придерживаться все той же линии поведения: работаем вместе, продолжаем обсуждать текущие экономические вопросы, ищем кандидатуру будущего президента. Я смотрел на тех, кто был рядом с Примаковым, кто был к нему близок. Степашин? Министр иностранных дел Иванов? Кто?

Но Примаков не относился к ним всерьез. Это люди не того калибра, наломают дров, какой у них авторитет в обществе, говорил он. Здесь нужен человек другого типа.

Мои помощники не раз указывали мне на противоречивость его слов, на то, как неохотно он говорит о будущей политической ситуации, как не хочет раскрывать свои планы. Конечно, это могла быть привычка, приобретенная им за годы работы в разведке и МИДе. Так хотелось думать.

Еще в январе и феврале в администрации начались ожесточенные споры: пойдет ли Примаков на президентские выборы?

Да, Примаков сумеет консолидировать вокруг себя ту часть элиты, которая продолжает мечтать о политическом реванше, о возврате к старым порядкам. И пожалуй, это не только и не столько коммунисты, хотя и они тоже. Это и «пятая колонна» коммунистов в спецслужбах, и часть губернаторов, и те, кого принято называть «крепкими хозяйственниками». Для широких слоев населения России Примаков — также довольно обнадеживающая фигура. Он обещает порядок, стабильность, отсутствие любых перемен и реформ, которые после осеннего кризиса 98-го воспринимаются в обществе только как угроза, как негатив.

И я начал чувствовать всю опасность сложившейся ситуации. Я понял: близкий, по-человечески понятный Евгений Максимович объективно, почти помимо своей воли, становится тяжелой политической альтернативой моему курсу, моему плану развития страны.

...Был в моей жизни один неприметный эпизод. Внук Боря попробовал объяснить мне принцип действия какой-то компьютерной программы. Я долго его слушал и вдруг понял, что не так-то это просто...

Я смотрел на мерцающий монитор и думал: я обязан, просто обязан сделать так, чтобы в России в третьем тысячелетии управляли люди с другими мозгами, с другой головой. Пусть новый президент публично укажет на все мои ошибки, провалы, на неудачи наших реформ. Но пусть он будет созидателем. Да, молодость не панацея. И среди сорокалетних может быть человек тоталитарного склада. Можно работать за компьютером и быть в душе питекантропом. Не в этом дело. Человек, идущий мне на смену, должен выйти в иное духовное пространство. Должен мыслить другими категориями, нежели поколение тех политиков, которые прошли через полосу разрушения коммунизма и политических кризисов новой России. Он, как в более сложной компьютерной игре, должен уже не «стрелять врагов», не «проходить лабиринты», а создавать свою цивилизацию. А для этого новый лидер должен хорошо понимать язык той общемировой цивилизации, нового мира, в котором предстоит жить... в том числе моим внукам и правнукам.

«ТОВАРИЩ» И ПРОКУРОР

Не хочется даже начинать эту главу.

Никто и никогда не мог заставить меня играть по чужим правилам. Но Юрию Скуратову удалось втянуть и меня, и Совет Федерации, и страну в свой мелкий, грязный скандал.

«Тихий прокурор» сумел выставить на всеобщее обозрение свой собственный стыд и позор и представить все так, что это — не его стыд, не его позор.

И тем не менее писать о нем надо.

Говорят, что России не везет на генеральных прокуроров. Степанков, Казанник, Ильюшенко — это предшественники Скуратова. Степанков ушел в тень во время событий

93-го года, Казанник досрочно выпустил из тюрьмы организаторов путча и с треском хлопнул дверью, Ильюшенко (по инициативе того же Скуратова, своего преемника) сам угодил в Лефортово. Каждый прокурор уходил со скандалом. Каждый оставлял за собой шлейф нераскрытых дел.

Впрочем, разве только России не везет? Везде бывают честные прокуроры и нечестные. Дураки в прокурорских мундирах и нормальные люди. Но у нас, где вся система отношений в обществе подверглась мощному слому, появилась благодатная почва для втягивания прокуроров в политику. На этом (совершенно по-разному!) и «погорели» три предыдущих прокурора.

В сущности, генпрокурор — только государственный чиновник. Политического кругозора от него не требуется. Больше того, на прокурорском посту это несомненное достоинство мгновенно превращается в недостаток. Задача прокурора — быть врагом всякого беззакония.

Первое время после назначения Скуратова мне казалось, что такого прокурора мы наконец нашли. Мы регулярно встречались. Юрий Ильич информировал меня о ходе расследования наиболее громких убийств: священника Александра Меня, телеведущего Влада Листьева, журналиста Дмитрия Холодова, бизнесмена Ивана Кивилиди. То, что убийства эти из года в год остаются нераскрытыми, меня очень волновало. Я не раз говорил об этом Скуратову.

Он своим тихим, нарочито бесцветным голосом объяснял: идут следственные действия, очерчен круг подозреваемых, отрабатываем одну версию, другую версию...

Но я видел — на самом деле ничего не происходит. Бесконечная монотонность скуратовских отговорок стала раздражать.

Другим свойством Скуратова, которое на первых порах внушало оптимизм, была его нарочитая аполитичность. Но как выяснилось, у Генпрокуратуры появился «духовный лидер» — депутат Виктор Илюхин. Тот самый Илюхин, который когда-то пытался начать уголовное преследование Михаила Горбачева по статье «измена Родине», меня — по поводу «геноцида русского народа», Илюхин — автор всех законопроектов о неспособности Ельцина управлять страной.

Именно этот депутат, как писали газеты, когда-то тоже работавший в прокурорской системе по линии КГБ, стал вхож в любую, самую высокую прокурорскую дверь. Вот тебе и аполитичный Скуратов!

Теперь я понимаю, почему же так произошло. Юрий Скуратов, обладавший рядом незаменимых для прокурора качеств — исполнительностью, цепкой памятью, упорством, не обладал главным — волей, мужским характером, верой в себя, в свои силы, оказался в каком-то смысле пустоцветом. И эту пустоту необходимо было срочно заполнить ярким, актуальным содержанием. Вот здесь-то ему и пригодился Илюхин.

Я понял, что Скуратов поддавался влиянию тех, кто подсказывал ему наиболее легкий путь, путь громких «политических» дел.

Среди банкиров и бизнесменов были люди, так или иначе принимавшие личное участие в судьбе Юрия Ильича. Как выяснилось, это были «друзья», довольно глубоко постигшие податливую прокурорскую натуру.

Первым о порнографической пленке с участием генпрокурора узнал Николай Бордюжа. Военный человек, настоящий пограничник, нетерпимый к любого рода распущенности, он был буквально в шоке. Мне про этот кошмар глава администрации решил пока ничего не говорить. При встрече со Скуратовым Бордюжа сухо сказал ему: в такой ситуации долго думать не стоит.

Скуратов покорно написал прошение об отставке:

«Глубокоуважаемый Борис Николаевич! В связи с большим объемом работы в последнее время резко ухудшилось состояние моего здоровья (головная боль, боли в области сердца и т.д.). С учетом этого прошу внести на рассмотрение Совета Федерации вопрос об освобождении от занимаемой должности генерального прокурора РФ. Просил бы рассмотреть вопрос о предоставлении мне работы с меньшим объемом.

01.02.99».

Однако на следующее утро он снова появился у Бордюжи, стал просить: «Нельзя допускать, чтобы пленка всплыла. Давайте забудем про это. Забудем про то, что вы видели. А я готов выполнять все ваши указания».

Бордюжа ответил: «Во-первых, ваше заявление уже у президента, ему принимать решение. И к тому же вы, как человек, обладающий хоть каплей здравого смысла, должны понимать: если есть одна копия, есть и пятьдесят других».

Тогда Скуратов умолял, просил. Потом, спустя месяц, вдруг резко изменил позицию: «Пленка сфальсифицирована, на пленке — не я».

Не каждый может легко пережить такой позор. Скуратов, скорее всего действительно по медицинским показаниям, слег в ЦКБ. Заседание Совета Федерации, на котором сенаторы должны были рассмотреть его заявление, планировалось на 17 марта.

В ночь на 17 марта пленка была показана по Российскому телевидению. А утром следующего дня сенаторы почти единогласно проголосовали против отставки. Накал политической борьбы в Совете Федерации достиг критической отметки.

Егор Строев сказал примерно так в своем телеинтервью: «Что тут обсуждать? Беда случилась с человеком!»

До скандального голосования по делу Скуратова я о порнографической пленке ничего не знал. Ни Николай Бордюжа, ни другие помощники ничего о пленке мне не говорили. Прочитав заявление Скуратова об уходе по болезни, я, честно говоря, просто испытал чувство большого облегчения. Слабый, бесцветный прокурор уходит сам. Не нужно заставлять, не нужно прилагать лишних усилий.

События в Совете Федерации грянули как гром среди ясного неба.

Я вызвал к себе Скуратова, Примакова, Путина, чтобы окончательно разобраться.

На моем рабочем столе лежала папка с фотографиями, сделанными с той пленки, результаты предварительной экспертизы, материалы заседания Совета Федерации, на котором рассматривалась отставка Скуратова. В материалах экспертизы сообщалось, что анализ голоса и изображения на пленке показал — да, на пленке генеральный прокурор. Фотографии смотреть не стал, резко отодвинул от себя.

Именно тогда в разговоре со мной Скуратов впервые заявил об уголовном деле «Мабетекс», о том, что его преследуют из-за дела о взятках, которые якобы эта фирма давала Бородину и другим чиновникам. Потом он сказал еще одну удивительную вещь, мол, Борис Николаевич, если меня оставить на посту генпрокурора, тогда за дело «Мабетекс» можно не волноваться, оно под моим контролем.

«При чем тут это дело? Надо расследовать — расследуйте. Производите все необходимые действия. Мы сейчас говорим совсем о другом, Юрий Ильич, — сказал я. — После того, что с вами случилось, я считаю, что вы не можете оставаться на посту генпрокурора. Не буду ругаться с вами, не буду уговаривать вас. Пишите заявление. Я с вами работать не буду».

Скуратов замолчал, но ненадолго. Сказал, что он считает вредным для дела, когда между президентом и генпрокурором складываются вот такие ненормальные отношения. Что он хочет работать в команде президента. Опять заговорил о деле «Мабетекс». Мол, если придет другой генпрокурор, ему не удастся уладить это сложное дело. Потом, ища поддержки, обратился: «Евгений Максимович, ну скажите же вы Борису Николаевичу!»

Я ждал, что ответит Примаков.

Примаков долго молчал, потом произнес: «Если бы мне Борис Николаевич сказал, что не хочет со мной работать, я бы ушел не раздумывая. Вы должны уйти, Юрий Ильич».

На что Скуратов неожиданно заявил: «А вы, Евгений Максимович, меня предали».

Было отвратительное, мерзкое чувство, что Скуратов открыто торгует уголовным делом.

Всем своим видом Скуратов как будто пытался дать понять: я ваш, я готов на все! Только оставьте меня!

Я несколько раз внятно повторил ему: «Юрий Ильич, я с вами работать не буду. Пишите заявление». Взял ручку, бумагу и пододвинул к нему.

Убеждение в том, что мы правильно делаем, отстраняя его от работы, росло во мне с каждой минутой. Такой прокурор был не просто слаб и невнятен, он был крайне опасен на своем посту. Любой преступник, любой авантюрный политикан мог использовать эти пленки в своих личных корыстных интересах. Да и только ли в пленках дело? Какие еще «услуги» и от кого мог принимать этот скользкий человек?

В тот день Скуратов написал еще одно заявление об отставке: «Глубоко осмыслив прошлое заседание Совета Федерации, я хотел бы прежде всего поблагодарить за оценку моей работы. Вместе с тем, учитывая реальное положение дел, сложившуюся вокруг меня морально-психологическую обстановку, я принял решение уйти в отставку...»

Именно тогда, 17 марта, начались месяцы ожесточенной борьбы, в центре которой оказался Скуратов. Но тогда этого еще никто не знал. Мне казалось, что все ясно как дважды два — такой генпрокурор просто не достоин занимать эту высокую должность!

Но сенаторы России рассудили иначе: Скуратов — ценный инструмент в борьбе за политическое влияние.

Надо отдать ему должное: тот месяц, проведенный в больнице, несмотря на все боли «в области головы и сердца», прокурор даром не потерял. Быстро подгреб все дела, так или иначе связанные с политикой. Сегодня «звучит» только одно из них — о ремонте Кремля. Но тогда Юрий Ильич принес на Совет Федерации целый ворох, на выбор: дело о незаконном назначении Чубайса главой РАО ЕЭС; дело о виновниках 17 августа; письмо «О мерах по возвращению из-за рубежа отечественного капитала»; дело о злоупотреблениях в Центральном банке. Как потом выяснилось, все эти «громкие» дела гроша ломаного не стоили.

Теперь я видел перед собой не смятого, униженного, потерявшегося и запутавшегося человека. Это был человек, четко сделавший свой выбор и четко обозначивший свое место на политической сцене.

Старательно и настойчиво, в своей незаметной манере он вовсю пытался угодить новым союзникам. До него столкнуть президента лоб в лоб с Советом Федерации не удавалось никому.

Скуратову — удалось.

Впрочем, «тихий прокурор» был, конечно, только пешкой в игре больших людей.

Поддержку в Совете Федерации ему обеспечивал Юрий Лужков.

Именно это, пожалуй, волновало меня тогда больше всего. После той памятной встречи 18 марта мне со Скуратовым все стало абсолютно ясно. Дальше терпеть его присутствие в прокуратуре я просто не имел права.

Но вот поведение Лужкова в Совете Федерации, его речи в защиту Скуратова стали для меня новым неприятным откровением. И если честно, настоящим открытием не только в политическом смысле.

Да, я знал, что ради своих амбиций Юрий Михайлович может пойти на многое. Осенью, во время истории с Черномырдиным, он, например, пошел в открытую атаку на президента. Но тут его выпады можно было оправдать горячим желанием занять место премьера.

Сегодня Лужков бросился спасать Скуратова... Почему?

Как образцовый семьянин, примерный муж и отец, Лужков не мог не знать, насколько отвратительна в глазах общества открывшаяся правда о прокуроре. И насколько важно дать ему жесткую моральную оценку.

Как руководитель огромного города, он не мог не знать и о том, как важна чистота прокурора, как могут быть социально опасны криминальные связи человека, охраняющего закон и облеченного столь мощными полномочиями.

Как государственный деятель, Лужков тоже понимал, что он делает, практически разрушая вертикаль государственного управления, сталкивая президента и губернаторов, ломая баланс властных полномочий.

Как политик, Лужков понимал, что защита Скуратова вряд ли украсит его в глазах нормальных людей.

И все-таки — решился.

Я не находил никакого другого объяснения или оправдания поведению Юрия Михайловича в Совете Федерации, кроме одного — для меня было очевидно его желание во что бы то ни стало спровоцировать кризис и выступить во главе части губернаторов в качестве нового центра власти. Центра нелегитимного, неконституционного, грубо ломающего рамки политического процесса.

Но этого я сделать не позволю. Ни Лужкову, ни кому-либо другому. Никому еще не удавалось загнать меня в угол. Не удастся и на этот раз тандему генпрокурора и мэра, несмотря на то что история эта, конечно, обескураживает, сбивает с толку — и своим душком, и грязной прилипчивостью.

Кстати, я потом размышлял, почему итоги первого голосования 17 марта оказались столь единодушными? Ведь за отставку Скуратова проголосовало всего шесть сенаторов.

Неужели только политический расчет? Нет, наверняка было и что-то еще...

В то, что сенаторы сразу поверили в версию о нашем русском «комиссаре Каттани» в лице несчастного Юрия Ильича, не верю.

Были и более примитивные причины.

Наверное, некоторые в тот момент думали и о себе, вспоминали свои сауны и «домики отдыха», оставшиеся еще с советских времен. Не все, конечно. Но многие.

К сожалению, человек слаб. Моральная чистота, простая порядочность политика, чиновника, руководителя — в нашей стране пока еще только идеал.

Жизнь по-прежнему далека от идеала. Традиционное русское неверие в то, что можно жить по правилам, по писаным и неписаным законам, угрюмо проступает во всей скуратовской истории.

27 марта следователи Генпрокуратуры обыскали Кремль и произвели «выемку документов» из 14-го корпуса. Этот факт, честно признаюсь, меня обрадовал. Я был уверен, что скуратовский шантаж, возбужденное им в глубочайшей тайне дело «Мабетекс» — всего лишь мелкая уловка, хорошая мина при плохой игре. Я понял, что иду абсолютно правиль-

ным путем. Пусть следователи и прокуроры продолжают свое дело в рамках закона. Точно такие же задачи и перед президентом — отстаивать государственные интересы, несмотря ни на что. Я должен отстранить нечистоплотного прокурора, и я это сделаю.

2 апреля заместитель прокурора Москвы возбудил уголовное дело по факту злоупотребления служебным положением со стороны генпрокурора.

Сразу после этого я подписал указ об отстранении Скуратова от должности в связи с проведением расследования. Указ был подготовлен в строгом соответствии с Законом о прокуратуре и с Конституцией России.

Это уголовное дело пока не закончено. (В дальнейшем проверка следствия показала, что только документально зафиксированных встреч Юрия Ильича с девицами легкого поведения было не меньше семи, и каждый раз — за счет «друзей», которые, в свою очередь, проходили по другим уголовным делам.) Но я надеюсь, что и в этом деле когда-нибудь расставят все точки над i.

Однако тогда, в апреле, мое жесткое отношение к Скуратову далеко не всеми было воспринято с пониманием. И особенно — в Совете Федерации.

Губернаторы всегда были в России крупной политической силой. Даже в советское время первые секретари обкомов (знаю это по себе) — люди, казалось бы, назначаемые, а не выборные, в решающие моменты истории становились тем самым «красноречиво молчащим» большинством, с помощью которого руль удавалось вывернуть то резко вправо, то резко влево. Снятие Хрущева происходило на фоне партийного заговора, когда группа Брежнева сумела тайно договориться с большинством первых секретарей обкомов. И назначение Горбачева сопровождалось чем-то похожим — ни одно такое решение не принимается без согласия «первых». Правда, в случае с назначением Горбачева обходились вполне откровенными встречами в фойе Дворца съездов, в специально отведенных комнатах, в гостинице. Без излишней конспирации.

Кстати, в новой Конституции, которую называют «ельцинской» — хотя принимали участие в ее создании эксперты, юристы, политики, — роль региональных лидеров прописана четко. И впервые, пожалуй, чуть ли не за всю новую и новейшую историю роль эта стала открытой. Больше не нужно встречаться в фойе, больше не нужно устраивать тайные вечери за спинами вождей.

Совет Федерации утверждает каждый закон и каждое крупное решение в государстве обсуждает гласно.

На такой шаг мы пошли вполне сознательно, прописав в Конституции роль Совета Федерации как защиту от шатаний и разброда в государстве, от политических кризисов. Дума — та донельзя политизирована, особенно в эпоху посткоммунизма, эпоху резких перемен. Совет Федерации — максимально выдержан, политически взвешен. Ведь каждый губернатор несет на своих плечах груз огромной ответственности за свой регион.

Столкновение президента и губернаторов для страны крайне опасно.

Для того чтобы создать атмосферу смуты и раскола, им вовсе не требуется ни военного переворота, ни импичмента, ни вотума недоверия правительству. В зале заседаний сидит сто хозяев России, сто князей — не знаю уж, как их точнее назвать... С самых древних времен такое собрание в глазах народа обладало колоссальными полномочиями, могло, если потребуется, и царя лишить короны.

Еще осенью Юрий Лужков активно поддержал линию коммунистов на постановку вопроса о моей недееспособности как президента.

«В России установлена президентская республика, — говорил он, — которая предполагает активную роль президента в деятельности государства... Общество, государство должны получить ответ от президента, как он сам намерен решать проблему, связанную с состоянием его здоровья».

21 апреля Юрий Лужков произнес на заседании Совета Федерации новую пламенную речь в защиту законности. И в защиту Скуратова.

Но любому нормальному человеку было видно невооруженным глазом — как тогда, так и сейчас Лужков сделал ставку и пытается сорвать политический куш.

Губернаторы в споре о генпрокуроре сплотились вокруг Лужкова по двум причинам. Первая — им очень хотелось иметь своего, карманного, прокурора. И вторая, более важная — именно тогда они поняли, прочувствовали слабое место нашей Конституции: с помощью простого голосования по прокурорской отставке региональные лидеры получают мощнейший инструмент власти в стране. Мощнейший инструмент давления на президента. Как им воспользоваться, они пока не знали, но очень хотелось попробовать.

Увидев во время осеннего кризиса слабость исполнительной власти, губернаторы пытались снова и снова проверить ее на прочность, сформировать свою политическую конфигурацию современной России.

...Мне думается, реформа Совета Федерации, которая происходит сегодня, поможет избегать в будущем подобных столкновений между президентом и лидерами регионов. Это слишком опасно для страны: когда губернаторы, обеспечивающие стабильность в российских провинциях, влезают в политические интриги.

Я встречался с некоторыми губернаторами, спрашивал об их отношении к делу Скуратова. В основном они поддерживали мою позицию, говорили, что такой прокурор стране не нужен.

Лужков в кулуарах настраивал губернаторов на конституционный бунт, на «легальный протест», используя свое влияние, зависимость от Москвы многих слабых регионов.

За отставку прокурора был подан 61 голос из 178. Против — 79. Из них большая часть — руководители законодательных собраний регионов. Первое голосование дало, если помните, совсем другие цифры. Тогда за отставку Скуратова проголосовало всего шестеро...

Многие ли из этих 79 действительно верили в то, что Скуратов вот-вот достанет волшебный портфель и откроет номера счетов в швейцарских банках, назовет заказчиков громких убийств? Думаю, почти никто. Голосование было продиктовано чисто политическим азартом. Кроме того, в поддержку Скуратова работал целый штаб, где встречались с сенаторами и люди Лужкова, и представители компартии, ну а в день голосования в Совет Федерации пришли все: и Зюганов, и Илюхин, и многие другие депутаты, которые были заинтересованы в раскручивании скандала.

Думаю, что в течение всего последующего года эти люди имели возможность убедиться: заветный портфель Скуратова пуст, как и его хозяин. Ни одного нового факта, ни одного документа Скуратов оттуда так и не вытащил.

Кстати, перед вторым голосованием в Совете Федерации моя команда пыталась мирно договориться с Лужковым. Среди кандидатов в генпрокуроры мной рассматривалась кандидатура бывшего руководителя Московской прокуратуры Геннадия Пономарева. Я о нем подробно расспрашивал заместителя главы администрации Лисова, который не так давно работал в Генпрокуратуре и хорошо знал Пономарева. Лисов считал, что это сильный, независимый прокурор и достойный кандидат. Поддерживал его и Лужков. Однако в обмен на поддержку отставки Скуратова Юрий Михайлович потребовал выдать ему лично в руки уже подписанное мной представление с фамилией Пономарева в Совет Федерации. Лужков пытался диктовать свои условия мне. Это меня поразило.

Все эти дни в конце апреля я пытался понять: как случилось, что история о прокурорских похождениях приобрела вдруг такой политический размах? Только ли в Совете Федерации тут дело?

Да нет, конечно, не только...

За считанные недели стало очевидно: в России может начаться новая эпоха — эпоха экономических репрессий.

Происходило это постепенно, исподволь. И вот уже приобрело масштабы почти государственной идеологии.

Да, сравнение вроде бы сильно грешит против исторической истины. В стране давно нет коммунистической диктатуры, нет массовых арестов и «черных воронков» по ночам.

...Однако посадить человека в следственный изолятор до суда, даже по экономической статье, у нас почему-то не считается зазорным. Хотя международный опыт показывает: такой меры пресечения заслуживают лишь те, кого подозревают в особо тяжких преступлениях. При несовершенстве нашей налоговой системы, нашей бухгалтерской отчетности «привлечь и посадить» можно было практически каждого гражданина! А некоторые наши прокуроры, при существующей пустоте в законодательной базе, иногда готовы были подписать ордер на арест любого банкира, среднего и мелкого бизнесмена, даже просто бухгалтера или экономиста — был бы лишь «заказ».

Экономические преступления, трактуемые прокуратурой или некоторыми сотрудниками спецслужб очень вольно, таким образом, становились почвой для шантажа, компромата, взяток, злоупотреблений. Именно из этой мутной воды, кстати говоря, выплыла скуратовская кассета.

Прокуратура «сажала на крючок» бизнесменов. Те, в свою очередь, видимо, «брали на крючок» прокуратуру. Постепенно эта система давления на фактически нормальных, честных людей переросла рамки отдельных уголовных дел. Страх и ужас перед людьми в форме охватил отечественный бизнес весной 1999-го. Примеры «показательных» арестов, обысков, изъятий в офисах банков и фирм множились и множились.

...А начиналось все для меня с «дела Собчака», когда в 1996 году, в момент выборов питерского губернатора, над городом были разбросаны с самолета листовки: «Анатолий Собчак проходит по двум уголовным делам». Действительно, Собчак проходил по двум делам, но только как свидетель.

Конечно, не все в его окружении было чисто. Но, будучи глубоко порядочным, честным человеком, кстати, профессиональным юристом, он никогда не пытался воспользоваться «телефонным правом», на кого-то нажать или надавить, используя свой властный ресурс, как частенько это делают другие губернаторы или мэры. Его чистоплотность использовали в борьбе за власть. Кто использовал?

Тогда, в 1996-м, за спиной кандидата в губернаторы Яковлева стояли московские политики, главным образом Коржаков. Без их прямого участия самолет с листовками вряд ли смог бы подняться в небо... Силовые структуры — прокуратура, МВД, ФСБ — напрямую стали бороться против Анатолия Собчака.

После выборов ко мне зачастил генеральный прокурор Скуратов по поводу «питерского дела».

«Есть необходимость в следственных действиях, — говорил он. — Собчак подозревается в крупных хищениях». Я всегда отвечал одинаково: «Действуйте строго по закону».

У меня был один простой принцип — перед правосудием все равны. В этом вопросе нет «своих» и «чужих». Если подходить к этому иначе, нельзя считаться политиком. Да и просто называться честным человеком тоже.

...Но мои помощники имели из Петербурга свою информацию о «деле Собчака».

«Борис Николаевич, там создано несколько следственных бригад. Найти ничего не могут. Пытаются подкопаться к его квартире, к банковским кредитам. И опять ноль. Сколько может это продолжаться?» Тем, кто заступался за Собчака — Чубайсу, Юмашеву, Немцову, — я повторял одно и то же: «Если подозрение есть, нужно расследовать и доказывать, виновен человек или нет».

А тем временем следственная бригада МВД и прокуратуры продолжала работать в Петербурге. Очень надеялись получить на Собчака большой компромат. Чтобы потянуло на серьезное дело о коррупции.

Так продолжалось долго. Юмашев еще раз встретился в Кремле со Скуратовым, затем с министром внутренних дел Куликовым, сказал им, что в действиях милиции и прокуратуры видит политический заказ, а не желание докопаться до истины. Они по очереди отправлялись ко мне, просили оградить их от вмешательства администрации. Я вновь гарантировал им, что никакого вмешательства нет и не будет.

Осенью 98-го после очередного допроса Собчак с сердечным приступом слег в больницу.

...Я хорошо помню один наш разговор с Немцовым. Дело происходило в Завидове. Была какая-то плановая встреча. Борис Ефимович вдруг рассказал мне, что у Собчака очень плохо с сердцем. И в то же время прокуратура на днях выдала ордер на его арест.

Все это было уже похоже на травлю. Долго, помнится, я молчал, смотрел в одну точку. Мысли были мучительные, тяжелые.

Я попросил передать Скуратову мои слова: «Нельзя травить больного человека».

В ситуацию с Собчаком вмешался и руководитель ФСБ.

Путин лучше чем кто бы то ни было понимал всю несправедливость происходящего в отношении своего бывшего шефа и политического учителя. Он немедленно выехал в Петербург. Встретился с бригадой врачей, в частности с теперешним министром здравоохранения Шевченко, сказал о том, что попытается вывезти больного Собчака за границу. Благодаря ноябрьским праздникам обстановка в городе была спокойная. Используя свои связи в Петербурге, Путин договорился с частной авиакомпанией и на самолете вывез Собчака в Финляндию. И уже оттуда Анатолий Александрович перебрался в Париж...

За Собчаком следили, выполняли инструкцию не выпускать его из города. Но следили не очень бдительно, думали, вряд ли кто-то будет помогать без пяти минут арестанту «Крестов» — в наше-то прагматичное время.

Но один такой человек все же нашелся.

Позже, узнав о поступке Путина, я испытал чувство глубокого уважения и благодарности к этому человеку.

Коррупция в России — огромная и больная тема. Я абсолютно убежден, что виной всему — неэффективная экономика и неработающие законы.

Ни разу за все время своей работы президентом России я никого не «прикрывал» от уголовного преследования, никого не выгораживал, не защищал перед лицом суда, милиции, прокуратуры, ФСБ. Еще раз повторяю, был за равенство перед законом абсолютно всех. И тем не менее проблему коррупции решить не удалось. В любой экономике, переживающей процесс передела собственности, она неминуемо возникает. Бороться с ней можно только общими, объединенными усилиями. Как заставить не брать взятки чиновника, который кормит семью на пять-шесть тысяч рублей в месяц (такова его средняя зарплата в России), а решает при этом судьбу многомиллионных сделок? Естественно, единственный путь — сделать его обеспеченным, повысить ему зарплату. Но коммунистическая Госдума, политики всех мастей, общественное мнение всегда были резко против. Да и как поднимать зарплату чиновникам, если у бюджетников — учителей, врачей — она остается низкой? Зарплаты у чиновников остались маленькими, взятки и поборы — высокими. Не было консолидированных мнений в обществе и по многим другим вопросам: по налогам, по поводу несоответствия местных и федеральных законов, по освобождению российского бизнеса от разных ненужных и даже нелепых запретов и инструкций. А мешая бизнесу, мы невольно создаем почву для коррупции.

...Наверное, дело не только в законах. Сам наш менталитет толкает рядового бизнесмена и рядового госслужащего давать и получать взятки — мы еще с советских времен приучены обходить запреты и инструкции «левым» путем. Но я глубоко убежден, что жить по совести уже готовы все. Все понимают — так дальше нельзя.

Для того чтобы этот процесс очищения пошел быстрее, нужно только одно: вернуть права здравому смыслу. Нужны работающая экономика, низкие налоги, высокие зарплаты госслужащих. При этом не сажать, не наказывать выборочных «козлов отпущения», а самим продемонстрировать свою моральную чистоту. Только чистыми руками можно победить коррупцию. И только с честной командой.

Я в свою команду верил всегда...

Думаю, что все здравомыслящие люди в правоохранительных органах прекрасно понимали: история со скуратовской кассетой — лишь логическое завершение той двойной или тройной игры, которую все эти годы вели в кабинетах

Генпрокуратуры, ФСБ или МВД такие же скуратовы. Облеченные властью, но потерявшие моральные ориентиры.

Конечно, были настоящие профессионалы, следователи прокуратуры, которые пашут, как говорится, «на земле», были и есть работники МВД и ФСБ, расследующие экономические преступления, — вот они действительно пытались бороться с организованной преступностью, с коррупцией. Трудно сказать, какие чувства они испытывали в связи с историей Скуратова — стыд, недоумение, ненависть? Что они должны были делать, как поступать после того, как самый главный прокурор России оказался связан с сомнительными людьми, поставлявшими ему девушек по вызову?

Кстати, история с генпрокурором продолжалась еще много месяцев. Было и третье голосование, уже осенью 99-го. Сенаторы вновь проголосовали против отставки.

Но тем не менее это дело уже не вызывало столь повышенного интереса. Политическая его составляющая была исчерпана. Юридическая — оказалась скучна и банальна.

Отстраненный от должности Скуратов продолжал произносить громкие слова, разоблачать, но его уже почти никто не слушал. Во-первых, комичной выглядела сама его фигура. Он продолжал ездить на черной машине с мигалкой, жить на госдаче, играть в футбол с охраной — и, видимо, получал удовольствие от столь свободного и необременительного образа жизни.

Но за все это время, встречаясь со швейцарским прокурором Карлой дель Понте, периодически выдавая громкие интервью и пресс-конференции, Скуратов не сказал ничего, что хоть на шаг продвинуло бы обвинения, выдвинутые им весной.

Несмотря на всю свою громкую международную репутацию «борца с русской мафией», у себя на родине Юрий Ильич оказался в полном забвении.

Меня не раз упрекали в том, что я проиграл «раунд со Скуратовым». Что своими действиями мы искусственно «раздули» Скуратова, создали ему политический вес.

Нет, оставлять Скуратова в Генпрокуратуре было нельзя. Не только нельзя — смертельно опасно. По моему мнению, человек без принципов, Юрий Ильич мог наворотить в стране бог знает что, пользуясь своими прокурорскими полномочиями. Да, в России не было долгое время генерального прокурора. Но в данном случае это было меньшее зло.

Думаю, что и в политическом смысле моя решительность в деле Скуратова отрезвила многие горячие головы в Совете Федерации.

...Однако сейчас, возвращаясь к событиям той весны, я думаю о другом. Скуратов, да и не только он один, пытался «подсадить на крючок» многих бизнесменов, руководителей, многих представителей российской элиты. Уроки скуратовской истории еще и в том, что нельзя оставлять надолго, на годы в подвешенном состоянии ни уволенного прокурора, ни уголовное дело, ни громкое расследование, ни вопрос о моральной ответственности. Если в демократической стране не исполняется закон, не работают институты гражданского общества — демократия рискует переродиться в свою противоположность.

В мае 2000-го решением все того же Совета Федерации Скуратов все-таки был отправлен в отставку. Так закончилась эта эпопея с прокурором.

КОСОВО

Вскоре на всем этом сложном внутриполитическом фоне неожиданно разорвалась и другая бомба — международная. В конце марта разразился глобальный кризис в мировой политике: война в Югославии.

...В чем разница подходов России и стран Западной Европы к косовскому кризису?

Войну, развязанную в Югославии, Запад упорно продолжает считать конкретным возмездием Милошевичу, борьбой за права национальных меньшинств, за права человека.

Мы же считаем косовский кризис глобальным.

После бомбардировок Белграда рухнул весь послевоенный

уклад жизни. Рухнули все правила, которые были установлены ООН в течение долгих послевоенных десятилетий.

Да, конфликт в Косово остановлен. Но проблемы этого края не решены. Что делать с Косово дальше — никто не знает. Война лишь укрепила режим Милошевича, пусть даже и на некоторое время. Применение международных сил для расправы над любой страной, над ее жителями, над ее экономикой, над ее культурой — а в Югославии разрушены промышленность, памятники старины, святыни, музеи — нет ничего более опасного для мировой политики. Принимая такие правила игры, мы рискуем оказаться перед глобальным кризисом демократических ценностей. Скоро сила, и только сила, одной страны или группы стран будет решать в мире все. Вместо психологии всемирного миротворца явно просматривается психология всемирного вышибалы, а в конечном итоге — психология страны-диктатора.

Все это я понял уже давно. Но югославский кризис заставил не только думать, но и принимать быстрые, порой мгновенные решения.

...24 марта, буквально накануне начала бомбардировок, мне позвонил Билл Клинтон. Он сказал, что хочет обсудить со мной ситуацию, сложившуюся вокруг Косово. Милошевич продолжает наступление, вводя туда дополнительные войска, убивая ни в чем не повинных людей и сжигая целые деревни.

Да, я это знал. Но знал я и другое: надо было пытаться вести политические переговоры. Любые переговоры, даже безуспешные, лучше, чем один раз все разбомбить и разрушить. В это время самолет премьер-министра уже разворачивался над Атлантикой. Отзыв Примакова — это только первый шаг, сказал я. Будет много и других шагов...

Клинтон настаивал, говорил, что от меня зависит, позволить ли Милошевичу, этому громиле, сломать наши отношения, все то, что нам стоило такого труда создать за последние шесть лет, или все-таки нет. Я же, сказал мне Клинтон, со своей стороны, этого не позволю. Он приводил конкретные цифры: в Европе уже льется кровь, 250 тысяч беженцев покинули Косово. Если это не остановить, то на положении беженцев окажется еще 2,5 миллиона человек. Если мы ничего не предпримем сейчас, то получим новую Боснию. Милошевич хочет просто раздавить косовских албанцев с помощью военной силы.

Меня поразил еще один аргумент Клинтона. Он выразился примерно так: жаль, конечно, что Милошевич — серб. Для общей солидарности было бы лучше, если бы он был ирландцем или кем-то еще.

Неужели он думает, что дело только в нашем национальном сочувствии сербам? Неужели не понимает, что речь идет о самом подходе американцев к косовской проблеме, о судьбе всей Европы, всего мира?

Дело отнюдь не только в каком-то особенном «славянском братстве», которое приписывается российско-сербским отношениям. Мы бы реагировали точно так же, если бы речь шла о любой другой стране — Польше, Испании, Турции, совершенно не важно, какой именно.

Я ответил Биллу следующее: «Уверен, что, если бы мы продолжали действовать сообща, мы свернули бы Милошевича».

Клинтон вновь и вновь ссылался на общее мнение европейских лидеров. Мол, европейцы настроены еще более решительно по поводу того, что сейчас происходит в Косово. Надо нанести первый воздушный удар, и Милошевич сразу же пойдет на переговоры. Такова была логика НАТО.

К сожалению, Клинтон ошибался: бомбардировки не остановили Милошевича ни в марте, ни в апреле, ни в мае, остановили его только совместные дипломатические усилия России, Финляндии и США.

Я сказал Биллу: «Нельзя допустить, чтобы из-за одного человека гибли сотни и тысячи людей, чтобы его слова и действия руководили нами. Надо добиваться того, чтобы его окружали другие люди, чтобы для него стало невозможно вести себя так, как он ведет себя сейчас. Тут многое можно сделать, в том числе и по линии внешней разведки. Ради будущего наших отношений и будущего безопасности в Европе прошу тебя отменить этот удар. Мы могли бы встретиться на какой-то территории и выработать тактику борьбы лично с Милошевичем. Мы умнее и мудрее и наверняка смогли бы этого добиться. По большому счету, это надо сделать ради наших отношений и мира в Европе. Неизвестно, кто придет после нас с тобой. Я имею в виду тех, кто будет заниматься сокращением стратегических ядерных вооружений. Но ясно, что надо делать нам самим, — сокращать и сокращать эти горы оружия. Вот чем нам надо заниматься».

Я помню, как во время разговора пытался чеканить каждое слово. Старался как-то эмоционально воздействовать на своего собеседника.

Клинтон в ответ сказал, что не разделяет моего оптимизма в отношении методов, которыми можно воздействовать на Милошевича.

Это значило одно — война...

По-человечески у меня не было претензий к Биллу. В его голосе я слышал даже сочувствие. Но, как президент США, он жестко и однозначно давал понять: переговоры бессмысленны.

Это была ошибка. Очень большая ошибка.

Клинтон привел еще один, самый серьезный для меня аргумент: Милошевич — это последний коммунистический диктатор, который хочет разрушить союз между Россией и Европой, выступает против демократизации континента.

Но и у меня были свои аргументы: «Народ наш теперь будет очень плохо относиться к Америке и НАТО. Я помню, с каким трудом менял отношение простых людей и политиков здесь, в России, к США и Западу. Было очень трудно, но мне это удалось. И теперь все это терять?»

...Этот разговор состоялся в тот момент, когда самолеты НАТО уже были в воздухе. А завтра была война.

Недавно я посмотрел фильм «Плутовство» (по-английски он, кажется, называется «Хвост виляет собакой»). Очень интересный фильм. Снят он еще до косовского кризиса. Но с удивительной прозорливостью создатели этой картины предвидели все: и критическую точку в мире, откуда придет беда (Балканы), и внутриполитический фон в США, и вообще механизм возникновения войны как компенсатора или регулятора каких-то других, внутренних, проблем.

Но в жизни война не бывает «виртуальной». Она вполне реальная, кровавая, с человеческими жертвами. Она развращает тех, кто ее ведет, — ибо приучает людей к диктату силы. Приучает их не задумываться над причинами того, что же происходит на самом деле.

А происходило, на мой взгляд, вот что.

Американцам было крайне необходимо любыми средствами стимулировать североатлантическую солидарность. Для них кризис послевоенных ценностей тоже являлся серьезной угрозой, но совсем с другой стороны, в другой плоскости, чем для России. Они боялись набирающей силы европейской самостоятельности. Экономической, политической, нравственной.

Это моя личная версия событий. Я ее никому не навязываю, просто предлагаю задуматься над этой стороной косовского кризиса.

Однако вернусь к событиям тех дней.

Вот фрагмент из текста моего заявления, опубликованного 25 марта 1999 года, сразу после начала бомбардировок: «...Фактически речь идет о попытке НАТО вступить в XXI век в униформе мирового жандарма. Россия с этим никогда не согласится».

Одним политическим заявлением, конечно, дело не ограничилось.

Я понимал, что остановить эту войну можно только в случае одновременных и огромных усилий России на обоих фронтах — необходимо и давление на НАТО, и давление на Югославию.

Если же война продолжится дольше, чем месяц-два, Россия неминуемо будет втянута в конфликт. Грядет новая «холодная война». Внутриполитическая стабильность у нас в стране после начала бомбардировок стала серьезнейшим образом зависеть от ситуации на Балканах. Коммунисты и националисты пытались использовать балканскую карту, чтобы разрушить баланс политических сил в нашем обществе. «Теперь-то мы знаем настоящую цену Западу, — раздавались истеричные голоса. — Мы всегда говорили, предупреждали, что такое НАТО, что могут сотворить эти проклятые американцы! Сегодня Югославия, а завтра — Россия!»

И что дальше? Что будет, если этот процесс агрессивного антиамериканизма, антизападничества не удастся остановить?

Кризис в России еще более обострит кризис в мире. Кризис доверия к власти мог привести к серьезным внутриполитическим последствиям, и я в тот момент даже не исключал и возникновения массовых беспорядков, неконституционных действий. В конце концов, войны всегда провоцировали революции.

Именно это вызывало мое особенное раздражение: как они не понимают? Ведь это лидеры, с которыми мы встречались десятки раз! Многие из них называют меня своим другом. Неужели для них не очевидна простая вещь: бомбардировки, да что там — каждая выпущенная ракета, наносят удар не только по Югославии, но и косвенно — по России.

А у нас в Москве действительно наступили тревожные дни. У стен американского посольства бушевала толпа. В окна летели бутылки, камни. На стенах писали непристойности. Особняк на Садовом кольце находится в двух шагах от проезжей части. Охранная зона — три метра асфальта. Любая экстремистская выходка с применением оружия могла привести к непредсказуемым последствиям. В тот момент милиция задержала группу экстремистов, которые проезжали мимо американского посольства с приготовленным к стрельбе гранатометом. Трудно себе сейчас представить последствия такого выстрела.

Парламент принимал резолюцию за резолюцией. Думские коммунисты вели активные переговоры с Милошевичем о создании военно-стратегического союза двух государств. Началась вербовка добровольцев для войны на стороне сербов. Политики всех мастей пытались набрать очки на косовском конфликте. Например, мэр Москвы Юрий Лужков прямо высказывал поддержку демонстрантам у посольства. Милиция в большей степени охраняла не посольство, а демонстрантов.

И хотя далеко не все общество занимало в те дни столь же яростно антинатовскую позицию, как красные депутаты в Думе, но в целом настроение у россиян было и вправду крайне тревожным, напряженным. Люди принимали югославскую трагедию очень близко к сердцу.

Россиян волновала не только судьба сербов и Сербии. В каждой российской семье есть фронтовики, есть «дети войны», то есть дети, оставшиеся без отцов. Та война для нас очень близка, так уж мы воспитаны, что не воспринимаем ее далекой историей.

Поэтому любое обострение в Европе ощущаем как самый тревожный сигнал. Агрессия НАТО, какими бы благородными причинами она ни обосновывалась, для россиян психологически стала настоящим потрясением.

В Белграде выступали наши артисты, газеты и журналы были полны антиамериканских статей.

За несколько лет после 1991 года наше общество действительно стало другим. Новые отношения, новые ценности — демократические, порой наивно и безоглядно западнические — незаметно входили в быт и образ жизни каждого россиянина. Не все это приняли сразу, не все были довольны взаимопроникновением культур, идеологий, экономик, политических и духовных систем. Но постепенно ценой больших усилий наш народ начал понимать и принимать этот совершенно новый и непривычный для нас мир.

И вот из-за югославской войны в течение нескольких недель все это могло быть разрушено, окончательно и бесповоротно.

Примириться с этим я не мог.

Как я уже говорил, действовал по двум направлениям: давление на НАТО и давление на Милошевича. Нужно было остановить эту войну — во что бы то ни стало.

Между тем расчет натовских стратегов и политиков явно срывался. Югославский народ консолидировался перед лицом внешнего врага. Югославская армия, не имевшая прикрытия с воздуха, но вполне боеспособная на земле, готова была к вторжению сухопутных войск, могла упорно сражаться на своей территории.

Россия активно искала мирный выход из кризиса. 14 апреля своим представителем по урегулированию ситуации в Югославии я назначил Виктора Степановича Черномырдина. Он провел много десятков часов с Милошевичем — наедине и вместе с финским президентом Мартти Ахтисаари.

Мой выбор Черномырдина был, естественно, не случаен. Было сильное давление со стороны профессионалов-мидовцев, которые считали, что для такого рода переговоров необходим дипломат со стажем, высокого ранга, может быть, замминистра иностранных дел. Другие, напротив, говорили, что в связи с обострением отношений с Западом возглавить российскую миссию должен известный политик, которого там уважают. Например, активно советовали назначить Гайдара, который долго жил в Югославии вместе с отцом, корреспондентом «Правды». После долгих размышлений я остановил свой выбор на Черномырдине.

Я доверил Виктору Степановичу очень трудную миссию. Пожалуй, никакому другому политику я бы в тот момент ее доверить не мог. У Черномырдина был огромный вес и авторитет как в Югославии, так и на Западе, в глазах американской политической элиты. Это уникальное сочетание давало ему возможность строить переговорную линию свободно, ориентируясь только на конечный результат: скорейшее прекращение военных действий.

Именно здесь Черномырдин проявил свои лучшие качества, качества старого политического бойца: выдержанность, гибкость, твердую волю к разумному компромиссу.

22 апреля мне позвонил Тони Блэр. Это был уже не первый наш разговор. Мы созванивались в третий или четвертый раз с начала кризиса. У нас состоялась беседа, которая тоже очень показательна для тех дней.

Вот выдержки из стенограммы моего разговора с Тони Блэром. Я говорил:

«Убежден, что НАТО делает большую ошибку, продолжая бомбить югославские территории. Последствия были неверно просчитаны. Вместо давления на Милошевича вы укрепили его позиции. Вместо решения гуманитарной проблемы сегодня мы имеем дело с подлинной гуманитарной катастрофой. Вместо переговорного процесса, для запуска которого Лондон сделал немало, мы имеем откат к военной конфронтации. Нас тревожат сообщения о планах проведения наземной операции альянса в Косово. Скажу прямо: это путь в пропасть.

...Тони, призываю тебя: найди силы остановить безумие. Это — европейская, а может быть, и мировая война. Милошевич не капитулирует. Если будут прекращены бомбежки, откроется путь к восстановлению переговорного процесса между сербами и албанцами, Югославией и НАТО, включая США и Великобританию.

Опомнитесь сейчас, ибо завтра будет поздно. Отвечать за все, что может произойти, будет тот, кто без согласования с Советом Безопасности ООН развязал эту войну».

Специально привожу здесь эту длинную цитату целиком. За время, которое прошло после нашего разговора с Клинтоном, ситуация ушла далеко вперед. Стало ясно, что бомбежки ничего не дадут. Но позиция НАТО не претерпела никаких изменений. Блэр слово в слово повторял мне все то же самое, что и Клинтон месяц назад: мы прилагали максимальные усилия на переговорах в Рамбуйе, чтобы найти политическое, мирное решение этой проблемы. Но то, что Милошевич сделал с беженцами, действия с его ведома сербских военных и полиции мы не можем позволить с моральной точки зрения...

Я спросил: а бомбежка колонны беженцев, в которой находились и албанцы, и сербы, — что, тоже морально оправданна?

Блэр ушел от ответа. В конце разговора пожелал успеха переговорам Черномырдина с Милошевичем.

...Переговоры топтались на месте. Бомбардировки продолжались. Югославия постепенно превращалась в руины —

в страну без электростанций, мостов, промышленности, без административных объектов, без дорог, без топлива и продуктов питания. Ежедневно пилоты НАТО делали до тысячи самолето-вылетов. Перед ними ставилась конкретная цель: разрушить экономику страны. Чужой страны.

13 мая ко мне в Москву со срочным визитом приехал президент Франции Жак Ширак.

«Вы продолжаете безжалостные бомбардировки Югославии, а России отводите роль натовского спецкурьера для навязывания ваших ультиматумов Белграду. Неужели не ясно, что вы бомбите не только Югославию? — спросил я его. — Хочу тебе сказать откровенно и по-дружески, — продолжал я, — в эти игры мы играть не можем и не будем. Мы требуем если не прекратить, то хотя бы приостановить бомбардировки».

Ширак сказал, что он приехал в Москву говорить не только о Косово. Он напомнил мне, что я двигаю Россию в будущее, возвращаю ее в сообщество наций, а вот Милошевич — это человек из прошлого, из плохого прошлого.

...Я внимательно слушал Жака.

Разговор неожиданно принял совсем другой оборот.

Ширак дал мне понять, что среди союзников по НАТО существует мировоззрение США и мировоззрение Франции. Ви́дение США простое — мир под руководством США в плане политики. Но Франция с этим не согласна. Он сказал, что не хочет, чтобы побеждала эта плоская концепция однополярного мира. Но дело в том, что сегодня у американцев есть средства для ведения такой политики.

Жак в двух словах объяснил мне, как в последнее время, буквально в течение последнего года, изменилась обстановка в Европе из-за смены правительств. Все началось с Испании, потом появились Блэр, Шрёдер. Все они неожиданно поддержали жесткий американский курс — возможно, в связи с внутриполитической конъюнктурой. По крайней мере так я понял мысль Ширака.

Но, продолжал французский президент, Франция придерживается другой концепции, концепции многополярного мира. Даже наш батальон в Косово выполняет исключительно гуманитарную миссию, сказал он.

В конце разговора Жак неожиданно решительно заявил, что я должен наконец определиться: я за Милошевича или против. У России, говорил он, есть всего два пути: остаться в стороне и стать маргиналом или входить в современный мир под твоим руководством. Россия должна утверждать общечеловеческие, демократические принципы.

Все правильно, думал я. Только как мне утверждать эти демократические принципы под грохот косовских бомбежек?

Виктор Степанович пять раз встречался с Милошевичем. Четыре раза один на один. Порой переговоры велись по девять часов подряд, без перерыва. Черномырдин рассказывал мне, что в самые тупиковые моменты переговоров спрашивал Милошевича напрямую: неужели ты считаешь, что сможешь выиграть войну?

Милошевич отвечал: нет, но мы и не проиграем. Нас 400 лет не могли покорить. Пусть сейчас попробуют. Пусть только попробуют сунуться! Наземная операция обязательно провалится.

У Милошевича были свои причины для уверенности в провале наземной операции НАТО. Югославская армия, обстрелянная и боеспособная, была готова воевать. Югославский народ был готов сплотиться вокруг Милошевича. Больше того, Милошевич порой прямо просил Черномырдина вести переговоры таким образом, чтобы наземная операция началась как можно быстрее!

Примерно через месяц позиция Милошевича изменилась — он уже не хотел эскалации конфликта, просил остановить войну. «Но побежденным все равно быть не могу!» — заявлял он Черномырдину. Россия не могла равнодушно взирать на то, как погибают люди, как страдает мирное население. Черномырдин подталкивал Милошевича к переговорам, несмотря на то что тот выдвигал неприемлемые условия: требовал, например, чтобы вместо войск НАТО в Косово были введены войска России, Украины, Индии, третьих стран.

Свою роль сыграл здесь и проект вхождения Югославии в союз России и Белоруссии, который активно обсуждала наша Дума. Идея была абсолютно политиканская, агрессивная, да и нереальная. Тем не менее я пошел даже на то, что разрешил оперировать на переговорах этой конструкцией, чтобы усыпить бдительность Милошевича.

На самом же деле главной целью этой работы Черномырдина было склонить, заставить Милошевича вести с Западом мирные переговоры. Черномырдин жестко давил на последнего коммунистического лидера Европы, давая ему понять, что военной поддержки от России не будет, а ресурсы политической поддержки уже исчерпаны.

А от американцев Черномырдин добивался передачи политического механизма урегулирования кризиса в руки ООН. Вывода НАТО за рамки политической составляющей переговоров. Милошевич не мог принять капитуляцию ни от России, ни от НАТО. Виктор Степанович дважды летал в США, два часа вел переговоры с Клинтоном, четыре часа — с Альбертом Гором. Восемь условий капитуляции, согласованных с Милошевичем, хотя и в измененном виде, попали в резолюцию ООН. Капитуляция перестала быть унизительной. Она была оформлена как резолюция Совета Безопасности ООН.

Милошевич попросил время подумать, согласовать документ со Скупщиной (югославским парламентом), с военными. В результате документ был принят без единой поправки.

Черномырдин сделал все, что мог. Война была остановлена.

И все это при том, что Милошевич вел себя абсолютно беспринципно. В отношениях с Россией его главной ставкой были взрыв недовольства россиян моей внешней политикой, раскол в обществе, подталкивание нас к политической и военной конфронтации с Западом.

28 мая в ходе нового визита Черномырдина в Белград югославская сторона сообщила, что принимает общие принципы косовского урегулирования, предложенные «восьмеркой» (созыв министров иностранных дел «восьмерки» для специального обсуждения косовской проблемы).

1—2 июня в Бонне Черномырдин, Ахтисаари и Тэлботт договорились, что в Косово будет два международных присутствия — российское и НАТО.

2—3 июня в Белграде состоялись переговоры Черномырдина и Ахтисаари с Милошевичем. Власти Югославии согласились с планом мирного урегулирования, принятым в Бонне. План Черномырдина—Ахтисаари состоял из 10 пунктов. Наиболее важные из них представляли изначальные требования альянса, выдвинутые еще до начала бомбардировок. Возвращение всех беженцев, размещение международных сил сдерживания, отвод сербских военных и полицейских частей и урегулирование политического статуса Косово на основе соглашений, выработанных в Рамбуйе.

По сути дела, Милошевич был вынужден вернуться к исходной точке. Он потерял еще больше, чем предусматривалось на переговорах в Рамбуйе. С помощью войны он добился единственной цели: убрал с политической сцены всех своих оппонентов и противников внутри страны. Ценой разрухи и полной международной изоляции. Думаю, это один из самых циничных политиков, с которыми я когда-либо имел дело.

И тем не менее в косовском конфликте проявились худшие политические тенденции современной Европы: например, двойные стандарты. Утверждалось, что права человека выше прав отдельного государства. Но, нарушая права государства, вы автоматически и грубо нарушаете права его граждан — прежде всего право на безопасность. В войне пострадали тысячи югославских граждан. На какой чаше весов взвесить права косовских сербов и права косовских албанцев? Да, при Милошевиче албанцы подвергались жестоким репрессиям, были вынуждены бежать из края. Теперь то же самое происходит с сербами. Разница только одна: в первом случае репрессии проводила югославская армия, теперь — Армия освобождения Косово (АОК). Это к вопросу об эффективности военной операции.

И последнее. Ночью 4 июня я принимал решение, согласиться ли с планом военных по переброске колонны десантников в приштинский аэропорт. Уже подписаны все документы. Существуют договоренности: миротворческие войска одновременно занимают выделенные им позиции. Нужно ли?

Я долго сомневался. Слишком опасно. Да и зачем теперь демонстрировать смелость, махать кулаками после драки?

И все-таки в обстановке тотального неприятия нашей позиции европейским общественным мнением я решил, что Россия обязана сделать завершающий жест.

Пусть даже и не имеющий никакого военного значения.

Дело было не в конкретных дипломатических победах или поражениях. Дело было в том, что мы выиграли главное — Россия не дала себя победить в моральном плане. Не дала расколоть себя. Не дала втянуть в войну.

Этот жест моральной победы и был продемонстрирован всей Европе, всему миру под носом огромной военной группировки НАТО.

Печальная страница новейшей истории была перевернута, на Югославию перестали падать ракеты и бомбы. Надолго ли?

ОТСТАВКА ПРИМАКОВА

Где-то примерно в январе 1999-го фонд «Общественное мнение» провел интересный социологический опрос: кто из руководителей России в XX веке оказал наибольшее влияние на судьбу страны? Результат был совершенно обескураживающим. На первом месте Брежнев, на втором Сталин, на третьем Ленин.

Я попытался понять логику отвечавших. Вряд ли за последнее время в мировоззрении людей произошел такой гигантский откат назад, к коммунистической идеологии.

Дело было в другом — все это время, особенно в течение последнего года, после осеннего кризиса 98-го, в обществе нарастала внутренняя тяга к стабильности, активное неприятие любых перемен.

На фоне президента, который пытается ускорить реформы, обостряет политический процесс, премьер-министр смотрелся главным фактором этой внешней стабильности и спокойствия. Отвечая тем самым на основной социальный запрос масс: «Оставьте нас в покое!»

...Имел ли я право отойти в сторону? Имел ли я право позволять Примакову медленно, но верно перехватывать политическую инициативу, вести страну обратно в социализм, в историческое вчера? Было ли это благом для России?

Глубоко убежден — нет, не имел. Не имел ни морального, ни политического, ни человеческого права. Мы с огромным трудом вытащили страну, ее людей из социализма, из очередей и дефицита, из страха перед парткомом, и теперь одним махом возвращать все назад было бы настоящим преступлением.

Первый неприятный разговор с Евгением Максимовичем произошел у нас в январе. Примаков предложил Думе обсудить некий план политического урегулирования на ближайший год, до выборов. В чем была его суть?

Президент берет на себя обязательство не распускать Думу и не отправлять правительство в отставку. Дума прекращает процедуру импичмента и не выражает недоверия правительству. Правительство не имеет права вносить в Думу вопрос о недоверии себе (есть в Конституции такая процедура).

Текст этого соглашения, все его ключевые моменты были мне хорошо знакомы.

Это были тезисы того знаменитого соглашения, которое было разработано осенью, при утверждении кандидатуры Черномырдина.

Однако Черномырдина Дума «прокатила», и политическое соглашение на этом приказало долго жить. В политическом смысле документ этот умер именно тогда, в сентябре.

...Почему Примаков решил реанимировать его?

С точки зрения логики все было вроде бы гладко: готовящаяся в Думе процедура импичмента, моя болезнь — факты указывали на то, что политическому процессу необходимы какие-то рессоры.

Но власть — не арифметика и не детский конструктор. Это живой организм, в котором все меняется каждую неделю, иногда каждый день. Если тогда, осенью, при утверждении Черномырдина этот «пакт о ненападении», как его назвали газеты, был уступкой, то сейчас, в конце января, тот же пакт выглядел актом полной капитуляции президентской власти.

Вместе с письмом о политическом соглашении Примаков обсудил с председателем Госдумы Геннадием Селезневым законопроект о гарантиях президенту после окончания срока его полномочий. Получалось, как будто это я что-то прошу для себя. Хотите принимать такой закон — принимайте. Такова всегда была моя позиция. Но при чем тут ограничение полномочий? В таком сочетании закон выглядел не просто ущербно, а как прямая подножка мне, действующему президенту.

Примаков приехал с этим документом ко мне в больницу. «Евгений Максимович, — спросил я, — как можно было вносить документ, значительно урезающий президентские полномочия, говорить по нему с Думой и Советом Федерации, даже не поставив меня в известность, не посоветовавшись со мной? Как это все понимать?»

Примаков смутился, стал оправдываться: «Борис Николаевич, я же действовал в ваших интересах, в интересах всего общества, в государственных интересах. Простите, что не согласовал, документ немедленно отзываю...»

Разговор был неприятный, но необходимый. Выходя, Примаков бросил моим помощникам что-то вроде того, что, видимо, Борис Николаевич его неправильно понял.

...Он сидел с кожаной папочкой на коленях. Я такие папочки хорошо помнил: в них руководящие партийные работники, в том числе ЦК КПСС, носили важнейшие документы. Таскать с собой портфель им было по статусу не положено. Примаков, видимо, хотел раскрыть папочку, поговорить по тексту политического соглашения, но я не дал ему такой возможности, и он так и просидел весь разговор с этой папочкой. Мне даже стало как-то жалко его.

Всей этой истории можно было бы и не придавать никакого значения. Да и намерения Евгения Максимовича, вполне возможно, были искренними. Но случай дал мне повод задуматься совсем о другом: о том, как плавно могут быть размыты основы Конституции, какой тихой может быть реформа власти — от президентской республики к парламентской.

Я по-прежнему считал Примакова «своим» премьером и прекрасно помнил, ценой каких невероятных усилий нам удалось буквально уломать его занять это кресло.

Однако политическая атмосфера в стране, как я уже говорил, за эти месяцы кардинально изменилась.

...Примаков на всех своих постах был исключительно лоялен ко мне. Очень вежлив, внимателен, по-человечески близок. Среди когорты молодых политиков, которая пришла во власть после 91-го, мы с ним были настоящими «мастодонтами», начинавшими еще в то, советское, время. И он всегда ненавязчиво давал мне знать об этом своем особом, поколенческом, понимании. Не шел на конфликт. Демонстративно дистанцировался от всей кремлевской борьбы, от всех закулисных перипетий. Сидел у себя в Ясеневе, в СВР, потом на Смоленской площади, в МИДе, спокойно работал, заботясь прежде всего о своей репутации настоящего профессионала. И знал, что я за это высоко ценю его.

Именно эти качества были для меня решающим аргументом при назначении его премьером — опыт, знания.

Почему я так подробно говорю об этом? Мне хочется, чтобы читатель уловил очень неоднозначную подоплеку наших отношений: ведь при назначении Евгения Максимовича я и подумать не мог, что спустя всего несколько месяцев между нами глухой стеной встанет непонимание.

«Примиряющий» и «объединяющий» Примаков, как это ни парадоксально, с каждым днем становился для огромной части бизнеса, а значит, и среднего класса, СМИ, для многих политиков и целых думских фракций главным раздражающим фактором. Вольно или невольно Евгений

Максимович консолидировал вокруг себя антирыночные, антилиберальные силы, вольно или невольно наступал на свободу слова, и журналистов не могло это не волновать.

Особенно памятен разнос, который Евгений Максимович устроил Российскому телевидению. Собрав творческий коллектив, он в течение чуть ли не часа распекал журналистов, указывал на недопустимый тон, на ошибки, на то, что можно и нельзя говорить о правительстве.

Я помню, как во время одной из наших встреч, когда он опять и опять бранил журналистов, я в сердцах сказал ему: «Евгений Максимович, да не обращайте внимания, никто нас не поссорит, как и договорились, будем работать вместе!» — «До 2000 года?» — «Да!»

Примаков на минуту задумался. «Борис Николаевич, — вдруг предложил он, — а давайте прямо сейчас вызовем бригаду с телевидения, и вы повторите свои слова так, чтобы они все услышали».

Через некоторое время в кабинет вошли телевизионщики, и я сказал, жестко фиксируя каждое слово: «...Позиция моя — я работаю до выборов 2000 года. Позиция премьера — он работает до выборов нового президента».

Я снова и снова протягивал ему руку, демонстрируя всем, что мы в одной связке, что мы делаем одно дело.

Я говорил, но Примаков меня не слышал — не мог или не хотел, не знаю. Иногда мне очень хотелось ему сказать: «Евгений Максимович, очнитесь, сейчас другое время! Вокруг нас другая страна!» Но... боялся обидеть, оскорбить.

Возможно, в этом и была моя ошибка.

А весной того, 1999 года произошел еще один очень знаменательный эпизод нашей общественной жизни. На заседании правительства министр юстиции Павел Крашенинников докладывал вопрос об амнистии. Очередная амнистия состоится в мае, говорил он, по традиции освобождаются от уголовной ответственности лица, которые не проходят по «тяжелым» статьям. Всего из мест заключения выйдут на свободу 94 тысячи человек.

Неожиданно министра юстиции перебил Евгений Максимович Примаков. Это проявление гуманизма, все правильно, сказал он. Но это необходимо сделать и для того, чтобы «освободить место для тех, кого сажать будем за экономические преступления».

Эту фразу наверняка запомнили многие. Той весной многие российские граждане в массовом порядке начали паковать чемоданы. Стало окончательно ясно, что популярный премьер-министр, претендующий на роль общенационального лидера, живет в плену советских стереотипов.

...Мне было по-настоящему горько. Это была не вина, а трагедия Примакова. Евгений Максимович загонял и себя, и всех нас в тупик.

В стране происходили, как я уже говорил, довольно тревожные процессы. Возбуждались непонятные уголовные дела. Под арест попадали невиновные люди. Часть сотрудников спецслужб не скрывали при допросах и обысках бизнесменов, что ждут реванша за прежние годы. Почти весь российский бизнес, деловая элита пребывали в тоске и унынии по поводу своего ближайшего будущего. Эта ситуация грозила настоящим расколом страны в главном вопросе, вопросе экономических реформ.

Косовский кризис усилил в обществе антизападные настроения, и Примаков был вполне способен объединить ту часть политиков, которые мечтали о новой изоляции России, о новой «холодной войне».

Дальнейшее пребывание Примакова у власти грозило поляризацией общества. Разделением его на два активно враждующих лагеря. Это была тяжелая тенденция.

Затягивание этого процесса, сползание к прежним, советским, методам руководства могли превратить его отставку в настоящий гражданский конфликт.

Стало понятно, что ждать до осени, тем более до 2000 года, как я запланировал раньше, просто нельзя. Невозможно.

В марте я поменял главу администрации и вместо Николая Бордюжи назначил Александра Волошина.

Решение о том, что именно Волошин займет это место, созрело больше месяца назад. В администрации он работал давно, последние полгода был заместителем главы администрации по экономическим вопросам. Раньше я его знал не слишком хорошо, все больше читал его экономические доклады на мое имя. Но последние несколько месяцев наше общение с ним стало чуть ли не ежедневным.

Волошин отвечал за экономический блок послания президента Федеральному Собранию. Естественно, по ходу такой сложной работы все время возникает масса вопросов. У меня — к разработчикам, у них — ко мне.

На наших с ним встречах мы подолгу обсуждали, какие моменты необходимо акцентировать, какие проблемы требуют детализации. Мне нравилась его спокойная, чуть сухая манера излагать свои мысли, нравилось, как он аргументирует свою позицию, как спорит, без излишних эмоций, ровно. Он был из того поколения молодых политиков, которым чуть за сорок и которые пришли во власть не из-за самой власти, не из-за карьеры. Она им не нужна. Любой из них (Волошин, пожалуй, даже больше других) в любой момент готов был вернуться назад, к своей спокойной частной жизни. Нет, они пришли во власть, чтобы попытаться сделать ее сильной, эффективной. Они пришли, чтобы доказать всем, и себе в том числе, что Россия будет цивилизованной, демократической страной.

Внешне Волошин — типичный кабинетный ученый. Бесстрастное лицо вроде бы очень закрытого человека. Нарочито тихая речь. При этом Александр Стальевич — абсолютно нормальный, живой, остроумный собеседник, когда узнаешь его поближе.

Я встаю обычно в 5 или 6 утра, рано. После чашки чаю иду на второй этаж в свой кабинет, там на столе лежат срочные документы. Беру один из них — текст послания. Читаю, дохожу до места, которое меня не устраивает. Поднимаю трубку телефона «СК», прошу соединить с Волошиным. Через несколько секунд голос оператора: «Борис Николаевич, Волошин у телефона, связь открытая».

«Открытая» — значит, не шифруется. Дело в том, что он живет в квартире в обычном жилом доме на Ленинском, естественно, туда спецсвязь была не подведена, поэтому общаемся с ним по его городскому телефону.

(Так как с Волошиным приходилось вести и конфиденциальные разговоры, через какое-то время проблему решили. Специалисты ФАПСИ поставили ему в квартиру особый ящик — шифратор. Волошин был не слишком доволен, поскольку ящик занимал половину 9-метровой комнаты.)

Постепенно, во время этих и других разговоров, у нас сложился с ним особый, человеческий, контакт. И когда я понял, что настала пора менять руководителя администрации, другой кандидатуры, кроме Волошина, у меня не было.

Правда, перед подписанием указа я позвал к себе Чубайса и Юмашева. Два бывших шефа моей администрации. Прекрасно знают эту работу, чувствуют, какими качествами должен обладать человек на таком месте. Спросил, что они думают о Волошине. Оба твердо поддержали мой вариант.

Когда Примаков узнал об этом решении, он сильно расстроился. Даже обиделся на меня. Позже не удержался, спросил: «Борис Николаевич, зачем вы Бордюжу уволили?» Я ответил: «Не справлялся».

Кстати, сообщить Примакову о снятии Бордюжи и назначении нового главы администрации я попросил самого Волошина. Он позвонил ему и сказал: «Евгений Максимович, это Волошин. С сегодняшнего дня президент назначил меня главой администрации».

Это, еще раз повторю, сильно расстроило Примакова. И с самого начала у них отношения не сложились. Волошин был совсем чужим для премьера.

Россия — страна настроений, эмоций. Так уж мы устроены, тут ничего не поделаешь. В политике эти эмоции и настроения людей переплетаются порой самым причудливым образом.

...Скажем, человек, находящийся в России у власти, всегда вызывает ожесточенную критику, порой даже немотивированную злобу, какую бы политическую позицию он ни занимал. С другой стороны, именно руководитель страны (в данном случае премьер-министр) в России автоматически становится мощным политическим центром, консолидирующим самые различные силы.

За полгода своего премьерства Евгений Максимович наверняка почувствовал эту тенденцию. Почувствовал свою политическую перспективу как премьера, который может идти на выборы 2000 года во главе какого-то нового общественного движения.

Однако меня эта тенденция совершенно не устраивала. При всей своей честности, порядочности, даже верности президенту Примаков категорически не мог быть тем премьером, который будет бороться за президентство в 2000 году. В этой роли России нужен был, по моей оценке, человек совсем другого склада ума, другого поколения, другой ментальности.

Вольно или невольно, но Примаков в свой политический спектр собирал слишком много красного цвета.

Кстати, в том, что отставка Примакова произошла довольно резко и быстро, виноваты именно те, кто рьяно собирался ограждать его от президента, возводить между нами какие-то политические бастионы. Еще 19 марта Зюганов призвал защищать правительство с помощью стачкомов и массовых выступлений. (Консультации Примакова с руководством КПРФ, кстати, стали практически постоянными. Я в них уже не вмешивался, предпочитая ни о чем не спрашивать Евгения Максимовича.) Так вот, коммунисты запланировали на май еще один раунд политического обострения — решающее голосование в Думе по импичменту. Комиссия по импичменту работала вовсю уже больше года. Было пять пунктов обвинения: уже упоминавшийся «геноцид русского народа», развал армии, 93-й год, Беловежские соглашения и образование СНГ, война в Чечне...

Именно на май коммунисты и подгадали это голосование. Возможно, считали, что находящийся в процедуре импичмента президент, как бы подвешенный на ниточке неопределенности, вряд ли решится отправить в отставку премьера. Возможно, хотели спровоцировать открытое столкновение президента и правительства, вызвать массовые беспорядки, добиться новой атаки на меня в Совете Федерации. Но так или иначе, именно думский импичмент ускорил отставку Примакова. Потому что проблема теперь формулировалась для меня предельно просто: увольнять Примакова до голосования или все-таки после?

...Значительная часть администрации была против отставки до голосования. Их аргументация была простой: после отставки Примакова импичмент неизбежен. Больше того, получается, что президент сам идет на импичмент: после отставки близкого к коммунистам правительства левые в Думе во что бы то ни стало захотят компенсировать свое политическое поражение.

Я же считал по-другому.

Резкий, неожиданный, агрессивный ход всегда сбивает с ног, обезоруживает противника. Тем более если выглядит он абсолютно нелогично, непредсказуемо. В этом я не раз убеждался на протяжении всей своей президентской биографии.

Занимать выжидательную позицию было опасно не только в психологическом плане. Если бы голосование в Думе состоялось и была начата процедура отстранения от должности, в этом неопределенном состоянии мне было бы уже гораздо сложнее снимать Примакова. И думцы это понимали не хуже меня!

Сразу после голосования, буквально через несколько дней, 17 мая, планировалось заседание Совета Федерации, на котором должна была быть принята специальная резолюция в поддержку правительства. По моим оценкам, поддержать премьера были готовы подавляющее большинство сенаторов, порядка 120—130 человек.

Голосование по импичменту, поддержка Совета Федерации... Да, такой расклад очень сильно укреплял позиции Евгения Максимовича.

Ну и наконец последнее: существование на политической сцене такой серьезной фигуры, как Примаков, и психологически, и непосредственно через контакты, различные договоренности очень сильно влияло на настроение депутатов.

Как бы хорошо я ни относился к Евгению Максимовичу, рисковать будущим страны я просто не имел права.

Решение по его отставке было практически предрешено уже в середине апреля.

Первым шагом в этом направлении было назначение Сергея Степашина вице-премьером.

По Конституции исполняющим обязанности премьер-министра может быть назначен только человек, занимающий вице-премьерскую должность. Ни один из замов Примакова меня в этом качестве не устраивал.

К Сергею Степашину, министру внутренних дел, Евгений Максимович относился спокойно, ровно, он был единственным человеком в правительстве, который Примакова называл на ты. Евгений Максимович считал, что Степашин для него не опасен. И дал согласие.

С этого момента в прессе начали спорить о том, кого видит президент в качестве преемника Примакова — хозяйственника Аксененко или силовика Степашина.

Ожидание перемен просто висело в воздухе. Все чего-то ждали. И я на очередном заседании в Кремле (это было заседание Комитета по встрече третьего тысячелетия) решил подыграть, еще больше разбередить ожидания. Я посреди речи вдруг сделал паузу и попросил Степашина пересесть от меня по правую руку, и перед зрачками телекамер состоялась непонятная для многих, но важная в тот момент процедура пересадки Сергея Вадимовича из одного кресла в другое, ближе ко мне.

Однако было тогда и раздражение от накопившегося чувства неопределенности. Это чувство возникало по одной простой причине: я все еще не мог принять решение, кто будет следующим премьер-министром! Причем не мог принять до самого последнего дня...

«Я довольно часто нарушал установленные правила, ломал заданные рамки. Просто из чувства внутренней свободы...»

XXVIII
съезд
КПСС

Обсуждать этот вопрос я практически ни с кем не мог, это должно было быть и неожиданное, и, самое главное, максимально точное решение.

Главный парадокс заключался в том, что выбор-то я уже сделал.

Это Владимир Путин, директор ФСБ. Но поставить его на должность премьер-министра я не мог. Еще рано, рано, рано...

12 мая, в хороший солнечный день, я уезжал на работу в Кремль. Завтракали вместе, как всегда. Я подумал: сегодня жена включит телевизор и узнает об отставке Примакова.

Глядя ей прямо в глаза, уже у самого выхода, я неожиданно для себя сказал: «Ты только не волнуйся, не переживай тут. Все будет хорошо...»

Расставание с Примаковым было чрезвычайно коротким. Я сообщил ему об отставке, сказал, что благодарен за его работу.

Примаков помедлил. «Принимаю ваше решение, — сказал он, — по Конституции вы имеете на это право, но считаю его ошибкой».

Еще раз посмотрел на Евгения Максимовича. Жаль. Ужасно жаль.

Это была самая достойная отставка из всех, которые я видел. Самая мужественная. Это был в политическом смысле очень сильный премьер. Масштабная, крупная фигура.

Примаков вышел, тяжело ступая, глядя под ноги. И я пригласил в кабинет Степашина.

Прошло время. Но ничего не изменилось в той моей прежней оценке. Несмотря на различные трудные моменты, которые были в наших отношениях, я продолжаю относиться к Евгению Максимовичу с большим уважением.

Я очень рад, что теперь мы можем не обращать внимания на то, кто из нас по какую сторону политических баррикад. Теперь вместе радуемся за нового президента, переживаем за его первые шаги.

...А при желании можем и рыбу поудить. Хотя тогда, 12 мая, это было трудно себе представить.

«ПРЕМЬЕРСКИЙ ПОКЕР»

Подсчет голосов сопровождал всю мою политическую карьеру. Помню прекрасно, как считали «по головам» в немыслимо огромном зале Дворца съездов, как академик математики ходил по рядам с бумажкой и карандашом на горбачевском съезде народных депутатов СССР. Это когда меня выбирали членом Верховного Совета в 89-м году, а Политбюро этого очень не хотело.

Помню страсти уже в хасбулатовском российском Верховном Совете. Когда мне пытались объявить недоверие, отправить в отставку весной 93-го. Все эти крики из зала. Вытаращенные глаза депутатов, как всегда, с пафосом: «обнищание народа», «разворовали Россию». Сколько лет одно и то же.

Я всегда себя убеждал: и это тоже демократия.

И вот, в самом конце моей политической карьеры, — импичмент. Сколько лет шли к этому коммунисты? Почти восемь лет. Или шесть? Не знаю, с какого момента считать. Я эти бесконечные попытки меня устранить, вычеркнуть помню гораздо раньше 1991-го. Странно, что и они, и я прекрасно понимаем: это уже ничего не решает. Это спектакль. И тем не менее...

И тем не менее в России мышление символическое у всех. Импичмент — символ долгожданного для коммунистов конца ельцинской эпохи. Принудительного конца. Преждевременного. Хоть на месяц, но раньше положенного срока.

Ради этого символа, ради очередного политического шоу ведется огромная, напряженная работа.

Процедура импичмента — юридическая. В сущности, это суд. Меня судят люди, никогда не принимавшие крупных политических решений. Не знакомые с механизмом принятия этих решений. И тем не менее в их руках сегодня — судьба президента России. Несмотря на то что голосование поименное, решение это будет безличным: сотни депутатов прячутся за спины друг друга, в мелькающих на синем экране цифрах нет живых лиц, глаз, голосов. Есть механика политической интриги, вечная, как сама жизнь, переманивание на свою сторону колеблющихся и неустойчивых.

Я столько лет тащу этот груз ответственности за все и за всех, что одно это голосование не может, не должно изменить и не изменит итог всей моей биографии.

Ну, так что там у нас на синем экране для цифр?

Противостояние с парламентом, с законодателями — моя боль. Нет, не моя. Боль всей страны. Поэтому итоги парламентских выборов важны сейчас, в 99-м, не менее, чем выборы президента. Парламент должен наконец представлять реальные общественные интересы.

Все понимают, что эти коммунисты — не хозяева страны, не имеют они ни поддержки в обществе, ни политической воли, ни интеллектуального ресурса. И все-таки им удается консолидировать ту часть народа, которая не смогла найти себя в новой жизни, находится в подавленном, неустроенном состоянии.

И благодаря этой «консолидации от противного», консолидации слабых, обездоленных, неуверенных в себе и своей жизни людей, коммунисты получали до 1999-го стабильное большинство в парламенте. Другая, здоровая, более или менее активная часть общества разобщена, разбита. Не видит своих лидеров.

Чубайс, Немцов, Кириенко, Хакамада, по сути дела, не стали еще настоящими лидерами. Технологи, менеджеры, специалисты. Нет у молодого поколения политиков общенациональной фигуры, способной сплотить целые социальные слои. Наверное, кто-то из них может стать символом нового поколения, лидером студенчества, молодежи, компьютерных мальчиков и девочек, людей XXI века. Но и для этого нужно еще много работать, долго развиваться их движению. Хотя, безусловно, это мои политические «крестники».

Явлинский долгое время казался мне хорошей, сильной фигурой, я думал, настанет тот момент, когда он сможет собрать вокруг себя мощное демократическое движение.

Однако «Яблоко» все больше и больше превращается в «раскольничью секту». В кружок диссидентов, инакомыслящих, которые действуют по старому шаблону советской эпохи: все, что от власти, — это зло. Все компромиссы — зло. Любые договоренности — на наших условиях. Все, что происходит, — осуждаем. Голосуем всегда против.

Такого подхода современная политика не приемлет. Вокруг давно другая, реальная страна, другая, реальная жизнь. Лидеры «Яблока» этого признавать не хотят.

Позиция Явлинского, его фракции такая — голосование по пункту обвинения о Чечне будет свободным. Явлинский голосует против меня. Но члены его фракции — по свободному выбору. Не вижу смысла в этой политической каше. Давление? Демонстрация?

Мне кажется, Явлинский запутался в своей стратегии. Возглавлять протестный, но при этом демократический электорат (знаю по себе, по демократам конца 80-х) — значит, быть в необычайно сильном энергетическом поле, иметь большое преимущество в инициативе и идеях.

Но как раз в этом у Явлинского есть огромный пробел. Молодежь, интеллигенция хотят получить от «Яблока» позитивную программу. А ее нет.

...Сегодняшнее голосование в этом смысле чрезвычайно показательно.

«Предметный урок демократии», который хочет преподать всем Явлинский, слишком дорого может стоить тем, у кого есть желание жить в нормальной, демократической России.

Так кто же такие они, парламентарии, накопившие против меня столько обвинений — в развале того, сего, в очередном «геноциде русского народа», в чеченской трагедии?

В сущности, настоящих политических лидеров (кроме Зюганова, Явлинского, Жириновского, которые жестко работают на свой электорат) среди них нет. Но эти трое — лидеры, скажем так, специфические. А все остальные?

По сути дела, в российском парламенте образца 1995 года достаточно много случайных людей. Наш политический спектр пока еще очень рыхл, в нем нет настоящих партий, нет устоявшихся демократических традиций, нет этики политической борьбы.

Поэтому в парламенте так мало профессионалов. И довольно много примитивных лоббистов. Но я уверен, что это — дело поправимое. Когда-нибудь будет у нас хороший, приличный парламент. Пока же нужно работать с таким, какой есть.

Я не верю, что депутаты проголосуют за импичмент. Их болтовня о принципах в очередной раз станет бесплатной рекламой в программах новостей. Я знаю, что у них нет шансов противостоять моей политической воле.

Геннадий Селезнев, спикер Думы, после отставки Примакова твердо пообещал: «Вот теперь импичмент действительно неизбежен». Я же был убежден в обратном: после отставки Примакова отрицательного результата голосования уже не будет. Я обезоружил депутатов, тех, кто еще в чем-то сомневался, своей твердой решимостью.

...Иду дышать в сад. Смотреть на майское небо. Все равно голосов им не хватит и на этот раз.

После отставки Примакова был один для меня очень важный, но почти никем не замеченный психологический момент.

Несмотря на все угрозы стачек, демонстраций, несмотря на обещания губернаторов пойти в атаку на президента, если он тронет правительство, несмотря на устойчиво высокий рейтинг Примакова, его отставка была воспринята всеми очень спокойно.

Внимание общества тут же переключилось на проблему импичмента. Импичмент психологически «съел» отставку. И еще одна, самая главная причина: общество категорически не хотело никаких политических потрясений, оно было против любых слишком активных действий.

То есть мой расчет оказался точен. Ну а теперь все зависело от результатов голосования.

Сам Евгений Максимович молчал, ничего не комментировал, ждал. Надо отдать ему должное — очень не хотелось ему, опытному, мудрому политику, втягиваться в опасные игры. Расчет у него был совершенно другой. Тем не менее взрывоопасная ситуация с импичментом могла затянуть и его, со всей его неспешностью и аккуратностью. Его пытались использовать, вовлечь в политическую драку.

Очень многое зависело от того, какую кандидатуру премьер-министра внесет президент после голосования. Ведь с этого момента, по сути, начинался старт президентской кампании 2000 года.

Вариантов у меня было несколько. Точнее, всего три. И очень важно было правильно их взвесить, соотнести, распределить на будущее.

...Хотя на самом деле существовала и четвертая кандидатура.

Но сейчас, в конце апреля — начале мая, я ее уже не рассматривал. Игорь Иванов, министр иностранных дел. К Иванову долго и внимательно присматривалась моя администрация, имея в виду то обстоятельство, что он долго проработал вместе с Примаковым. С ним провели ряд предварительных разговоров. «На президентские и парламентские выборы пойду только в тандеме с Евгением Максимовичем, — говорил Иванов. — Пусть он возглавит проправительственную партию на думских выборах. В этом случае мне будет гораздо спокойнее работать премьером».

Нормальная цеховая солидарность дипломатов. Но политическая борьба летом этого года обещает быть настолько жаркой, что тут уже не до солидарности. Иванов из премьерского списка выпал. А жаль. Иметь такую молодую сильную фигуру в запасе было бы хорошо.

Итак, кто у меня в списке сейчас? Николай Аксененко, министр путей сообщения. Тоже хороший запасной игрок. Опять он в моей «премьерской картотеке». Аксененко вроде бы по всем статьям подходит. Решительный, твердый, обаятельный, знает, как с людьми говорить, прошел долгий трудовой путь, поднялся, что называется, от земли. Сильный руководитель.

Однако Дума изначально относится к нему неприязненно, встретит в штыки. Это хороший вариант, чтобы заранее разозлить, раздразнить Думу. Подготовить ее к конфронтации. А потом выдать ей совсем другую кандидатуру.

Вот только какую? Степашина или Путина?

Путина или Степашина?

Министр внутренних дел и директор Федеральной службы безопасности. Оба начинали в Петербурге, оба работали с Собчаком. Оба — интеллигентные силовики. Люди нового поколения, молодые, энергичные, мыслящие. Но какая огромная разница в характерах!

Степашин слишком мягок, немножко любит позировать, любит театральные жесты. Я не уверен в том, что он будет идти до конца, если потребуется, сможет проявить ту огромную волю, огромную решительность, которая нужна в политической борьбе. Без этих черт характера я президента России себе не представляю.

У Путина, наоборот, воля и решительность есть. Знаю, что есть. Но интуиция подсказывает: выводить Путина на ринг политической борьбы еще преждевременно.

Он должен появиться позже. Когда слишком мало времени для политического разгона — плохо. Когда слишком много — может быть еще хуже. Общество не должно за эти «ленивые» летние месяцы привыкнуть к Путину. Не должна исчезнуть его загадка, не должен пропасть фактор неожиданности, внезапности. Это так важно для выборов. Фактор ожиданий, связанных с новым сильным политиком.

Чрезвычайно тяжелая ситуация. Путина ставить пока еще рано. Эту паузу нужно кем-то заполнить. Заполнить чисто технически. Что называется, для отвода глаз.

Ничего не поделаешь, эту роль придется доверить симпатичному, порядочному Сергею Вадимовичу. Разумеется, я постараюсь объяснить ему, что вопрос о будущем, о президентских выборах еще открыт. И у него тоже есть шанс себя проявить.

А фамилию Путина называть не буду. Ни в коем случае!

Практически об этом варианте не знает еще никто. В том числе и сам Путин. В этом сила. Огромная сила неожиданного политического хода. Такие ходы всегда помогали мне выигрывать всю партию, порой даже безнадежную. Реакция Думы и Совета Федерации после голосования по импичменту на фамилию «Путин» непредсказуема. Они его плохо знают, не понимают, что это за фигура. Но главная опасность заключена в другом.

Путин и Примаков — два бывших разведчика, два представителя спецслужб, занимают в общественном сознании одну нишу, они как бы вытесняют друг друга. Для Примакова фамилия «Путин» — мощнейший раздражитель. Реакция Евгения Максимовича может быть тяжелой. Возможно, будет полное отторжение и даже, это я тоже не могу исключать, ответная атака со стороны Примакова. А после его отставки, после голосования по импичменту нужна хотя бы какая-то предсказуемость. Передышка.

...Эту передышку может дать только Степашин. К нему Примаков относится доброжелательно. (Позднее, летом, когда Евгений Максимович вплотную задумался о президентстве, у него даже возникла идея внести изменения в Конституцию, вновь ввести пост вице-президента, и все это для того, чтобы предложить Сергею Вадимовичу вместе идти на выборы: Примаков — президент, Степашин — вице-президент.)

Тем не менее тактический ход с «временным премьером» таит в себе определенную угрозу. За несколько месяцев своего премьерства Степашин да и многие другие наверняка поверят в то, что он — основной кандидат власти на выборах-2000. Не слишком ли я усложняю ситуацию? Не закладываю ли мину замедленного действия?

Короче говоря, стоит ли ждать с Путиным?

Возвращаясь теперь, почти год спустя, к событиям тех майских дней, не могу не признать — внутреннее мое состояние было довольно тревожным. Слишком долго, практически с начала 1998 года, продолжался в России правительственный кризис. Почти полтора года. Такие случаи бывали, конечно, в мировой практике. Бывали и в развитых странах — Италии, Японии, Франции. Но даже в Италии 70-х годов, где премьер менялся несколько раз в год (республика-то парламентская), в экономическом смысле была гораздо более стабильная обстановка.

...В России каждый новый премьер порождал свою специфическую проблему. Например, оставить у власти молодых реформаторов в августе 1998 года можно было, только установив в стране чрезвычайное положение! Ни больше ни меньше. Менеджерское, технократическое правительство Кириенко не имело никакого политического ресурса (проще говоря, доверия, влияния на общество). Не могло договориться ни с Думой, ни с профсоюзами, которые устроили нам «рельсовую войну», ни с деловой элитой. И при этом для проведения в жизнь своего жесткого курса ему была необходима полная, абсолютная поддержка общества. Или — беспрекословное подчинение! Ну не мог я пойти на чрезвычайное положение. Не те годы, не та эпоха. И Россия — это не Чили, не Аргентина.

Примаков, наоборот, обладал огромным политическим ресурсом. Но его правление грозило полным откатом реформ. Полным крахом даже тех зачатков экономической свободы, да и вообще демократических свобод, которые удалось выпестовать и сохранить за эти годы. Не говоря уж о свободе слова, сохранении нормальной политической конкуренции.

Казалось бы, у каждой отставки были свои веские причины...

Но тогда, в мае 1999-го, затянувшийся правительственный кризис висел надо мной как дамоклов меч.

И все-таки после мучительных раздумий я пошел на то, чтобы растянуть этот кризис еще на несколько месяцев. То есть предложил Думе кандидатуру Степашина. Зная, что почти неминуемо буду с ним расставаться.

Идти на третье подряд политическое обострение (после отставки Примакова и голосования по импичменту) было слишком рискованно. Степашин был стопроцентно проходной кандидатурой в Думе, во многом благодаря лояльному отношению Примакова.

Да, уже внося кандидатуру Степашина, я знал, что сниму его. И это знание тяжелым грузом висело на мне.

Честно говоря, чувство страшноватое. Ведь люди воспринимают события непосредственно, сегодня, сейчас. Они радуются и волнуются, негодуют и страдают — в этой, нынешней, ситуации. А ты живешь и знаешь, что эта ситуация изменится, причем ровно через два месяца или через месяц, причем именно таким образом. И нет никакой радости от этого знания. Наоборот — тяжесть. Приходится брать на себя ответственность за судьбы людей, за порой трудно прогнозируемые последствия того или иного шага. Я знаю это чувство — когда посреди разговора, посреди обычной встречи вдруг как черная тень по комнате пробежит. Предрешенность того или иного поступка, той или иной политической судьбы дает о себе знать постоянно. И ты вынужден крепко держать эту ношу, не выпускать наружу свои мысли.

И вот еще что.

Путин должен появиться неожиданно. Когда наши политические оппоненты проявятся до конца. Когда в разгаре будет настоящая предвыборная борьба. Когда его решительный характер и жесткость пригодятся в полной мере.

...Но не только этот политический анализ останавливал меня от последнего, откровенного разговора с Путиным, который продолжал руководить Советом безопасности и ФСБ, ведать не ведая о моих планах.

Мне его было и по-человечески жалко. Я собирался предложить ему не просто «повышение по службе». Я хотел передать ему шапку Мономаха. Передать ему свое политическое завещание: через победу на выборах, через нелюбимую им публичную политику во что бы то ни стало удержать в стране демократические свободы, нормальную рыночную экономику.

Донести эту ношу до 2000 года будет очень и очень непросто. Даже такому сильному, как он.

Итак, решено. Вношу кандидатуру Степашина. Но мне нравится, как я завернул интригу с Аксененко. Этакая загогулина. Думцы ждут именно его, готовятся к бою. А я в этот момент дам им другую кандидатуру.

Вызываю главу администрации Александра Волошина. Он идет писать представление, а я нажимаю кнопку телефона Геннадия Селезнева, спикера Думы.

Произнес длинную вводную фразу и, в конце концов «оговорившись», сказал: «Аксененко». Положил трубку и подумал: вот удивятся, когда прочитают — Степашин. Ничего, полезно будет.

Кандидатура Степашина прошла с первого раза. Легко, без напряжения. В газетах на следующий день писали, что Кремль очень хитро построил игру. Все ждали неприятного Аксененко и с облегчением проголосовали за приятного Степашина.

МЭР ИДЕТ В АТАКУ, ИЛИ БЕСПЛАТНАЯ КЕПКА

В начале лета Москва, как обычно, замирает. Пустеют улицы. Как-то обыденней и скучней становятся голоса ведущих теленовостей. Дума разъезжается на каникулы.

Многие вывозят детей за город, да и сами живут в основном на даче, пользуясь редкими хорошими солнечными днями. Элита тоже начинает жить тихой садово-дачной жизнью, стараясь скорей удрать из душной столицы.

Это — всего лишь настроение. Но настроение, бывает, очень многое определяет в обществе.

Начало лета 1999-го тоже не стало исключением из этого правила. Было видно невооруженным глазом, как народ устал от политики. Не прекращавшийся с сентября по май кризис утомил буквально все слои населения. Не было сил ни протестовать по поводу Примакова, ни строиться в коммунистические колонны, ни даже обсуждать нового премьера.

Премьер между тем всем нравился. Если оставить в стороне внутренние склоки в правительстве — а широкой публике они совершенно неинтересны, — перед телекамерами Степашин просто расцветал. Много ездил, встречался с губернаторами. Активно, живо, с удовольствием проводил заседания правительства. Произвел очень хорошее впечатление на западных лидеров. Но самое главное — он создавал в обществе своим немножко наивным оптимизмом ту самую атмосферу, по которой все так соскучились, атмосферу пусть непрочной, но все-таки передышки.

Широкие массы быстро восприняли этот импульс и... на время забыли о текущей политике.

...Однако главные силы вовсе не собирались разбегаться на каникулы. Все участники политического процесса были готовы к решающему сражению. И вскоре оно началось.

После отставки, причины которой действительно не были очевидны для широких слоев общества, рейтинг Евгения Максимовича Примакова еще вырос — от двадцати процентов в мае до тридцати к июлю. Аналитики дружно заговорили о том, что с таким-то запасом прочности бывший премьер-министр может смело идти на думские выборы — конечно, во главе нового движения. А потом, как победитель, и на президентские.

Движение, позвавшее Примакова, очень быстро нашлось. Его формальным и неформальным лидером был Юрий Михайлович Лужков. Оно называлось «Отечество», и на него были потрачены все ресурсы московского мэра. Лужков ездил по стране, лично встречался с региональными лидерами. Губернаторы, обеспокоенные отсутствием на горизонте сильного премьера, будущего центра власти, той пустотой, которая образовалась после отставки Примакова, начали быстро становиться под знамена московского мэра.

Одна область, другая, третья, десятая, двадцатая бодро салютовали своему новому «Отечеству». Идеологией движения стал центризм. Идейно-политическим рупором — «третья кнопка», или «новое центральное телевидение», финансировавшееся также Лужковым.

Казалось бы, центристы. Что ж тут плохого? На фоне раздробленных демократических сил, которые раз за разом проигрывали коммунистам парламентские выборы, можно было бы только приветствовать и эту партию, и эту идеологию. Но...

Критику политического оппонента, особенно в предвыборный период, я понимаю и вполне приемлю. Это почти обязательная для цивилизованного общества политическая практика.

Но когда идет не критика, а целенаправленное создание образа общенационального врага — извините. Вот это уже не нормальная предвыборная борьба, а советская пропаганда. Именно советские методы борьбы с политическим противником и были избраны промосковскими СМИ.

Ельцинский режим продал Родину иностранному капиталу. Это он виноват в том, что за рубеж вывозятся миллиарды долларов ежегодно. Это он создал систему коррупции. Это он устроил «геноцид русского народа», это он повинен в падении рождаемости, в катастрофическом положении отечественной науки и образования, медицины и культуры. Вокруг президента сложилась мафиозная семья, настоящий бандитский клан.

...Таково было содержание ежедневных политических программ третьего канала телевидения. Этот нехитрый набор идей транслировался, внедрялся в сознание по-разному: и дежурными клише, и конкретными «сенсационными» разоблачениями — там украли завод, а там — целую нефтяную отрасль положили в карман. Темой номер один, конечно, была тесная связь Кремля и Бориса Березовского, этого политического «монстра» современной России, который все и устроил из-за плеча Бориса Ельцина. Обвиняли, конечно, и в том, что я спровоцировал финансовый кризис (чуть ли не мировой), и в том, что едва ли не уничтожил «честного» прокурора Скуратова.

Я пытался понять: неужели те, кто все это затеял, думают, что именно такая грубая, топорная работа сможет принести им успех на выборах, доверие населения?

Долгое время я пытался разобраться: что же произошло в наших отношениях с Юрием Михайловичем? Ведь мы когда-то были друзьями. Я с огромным уважением относился (и продолжаю, кстати, относиться) к его градостроительной деятельности, к его неутомимости и энергии. Мэр всегда поддерживал политический курс на реформы, на свободное предпринимательство, потому что именно этот курс давал ему возможность превратить Москву в красивый, благоустроенный город, с чистыми улицами, сияющими витринами, с современной инфраструктурой. Город, в котором приятно жить.

Но после невероятно помпезного, пышного 850-летия Москвы у мэра, очевидно, совсем закружилась голова. Он стал все больше вмешиваться в общероссийские политические дела, при этом не желая замечать, по пословице, огромных бревен в своем мэрском глазу.

А бревна были не маленькие. Москва действительно собирала в местную казну такое количество денег с банков и фирм, которые они вынуждены были платить именно Москве, а не стране, что хватало и на пышные празднества, и на невероятную архитектуру, и на политические амбиции. При этом мэр Москвы яростно отрицал все: и этот дикий налоговый перекос, и мздоимство своих чиновников, и беспомощность своей московской милиции. Не только отрицал, но и подавал в суд на журналистов после каждой критической публикации. Любил Лужков, разумеется, только тех журналистов, которые боролись со мной. Суды аккуратно присуждали победу Лужкову — вероятно, «за явным преимуществом». Ведь судьи в Москве получают надбавку от московского правительства и поэтому зависят от мэрии.

Все это я до поры до времени не замечал... просто из любви к нашему городу, из-за того, что московские экономические реформы были для меня важнее отдельных административных недостатков и политических заскоков неутомимого градоначальника.

Однако во время осеннего кризиса 1998-го мне, после почти годичного перерыва в общении (в последний раз мы близко сталкивались как раз на праздновании юбилея Москвы в 1997-м), пришлось все же обратить внимание на изменения в личности Юрия Михайловича. Или на те его черты, которые я раньше просто не замечал.

Не могу назвать это прямым лицемерием. Тем не менее в острых ситуациях, которые касались его лично, Юрий Михайлович научился занимать удивительную позицию: внешне — принципиальность и искренность, а внутри — жесткий, абсолютно холодный расчет.

...Так случилось во время осеннего кризиса 98-го, когда Юрий Михайлович публично, перед телекамерами пообещал не мешать Черномырдину при его утверждении в Думе и не сдержал этого слова.

Он ухитрился «не заметить» очевидного в деле Скуратова и сделал все от него зависящее, чтобы заблокировать его отставку.

Наконец, он стал открыто нападать на президента.

Летом началась кампания дискредитации меня и моей семьи, серия проплаченных публикаций в нашей, а потом и в зарубежной прессе, причем именно в той прессе, которая многие годы была каналом «слива информации» для КГБ. И Лужков не погнушался немедленно выступить с официальным заявлением, в котором потребовал (именно так!) предъявить доказательства моей невиновности. Говорил, что будет верить во все, пока не будет этих доказательств. Помнится, это меня особенно поразило. А как же презумпция невиновности?

...Я привык к оскорблениям в желтой прессе, в неразборчивой в средствах депутатской среде. Но еще никогда политик федерального уровня не попирал мои человеческие права так грубо и беззастенчиво.

Для меня очевидно: Лужков не мог не знать, что обо мне пишут заведомую ложь, ничем не доказанную и не подтвержденную. Но видимо, азарт политического игрока заставил его не считаться с этим.

...Все это, наверное, было бы смешно. Но — при других обстоятельствах. По характеру Юрий Михайлович — совсем не политик. Все его «чрезвычайные» выступления — то по поводу защиты российского производителя, то по поводу Севастополя, то по поводу пересмотра итогов приватизации — вызывают у серьезных людей оторопь. Ценят, конечно, Лужкова москвичи, прощают все его политические слабости, но по причинам, очень далеким от политики. Просто москвичи, как и все нормальные люди, любят, когда о них заботятся.

И мэр вполне мог бы и дальше заниматься любимым делом, любимым городом, я бы тоже его с удовольствием в этом поддерживал. Наверное, критиковал бы, но все-таки поддерживал. Но Москвы Лужкову было уже мало. Ему хотелось гораздо большего.

Летом 1999 года началось медленное сближение Примакова и Лужкова. Примаков, как всегда, отмалчивался, осторожничал. Лужков, пока еще на ощупь, пытался просчитать варианты: кто из них может быть при определенном раскладе президентом, кто премьером или лидером крупнейшей фракции. ...Кстати, Лужков вовсе не собирался уступать дорогу отставному премьеру. Наоборот, расчет мэра был другим: «тяжеловес» Примаков со своим высоким рейтингом прокладывает дорогу в Думу «Отечеству», Лужков консолидирует вокруг себя абсолютное большинство депутатов, становится премьером, а затем, автоматически, и президентом 2000 года.

Этот тандем на выборах в Думу мог получить такой оглушительный перевес (тем более с коммунистами Примаков договариваться уже умел, и неплохо), что дальнейшие выборы — президентские — теряли бы всякий смысл.

Ведь если мои прогнозы верны и на выборах в Думу красно-розовые (коммунисты и «Отечество») возьмут твердое конституционное большинство, они сразу же получат не только колоссальное политическое преимущество, но и вполне легитимную возможность двумя третями голосов внести любые поправки в Конституцию! В частности, и отменить институт президентства в стране.

То есть президентские выборы им могут просто не понадобиться...

В любом случае они получат такой разгон, такой широкий маневр (в их руках будут судьба правительства, любые законопроекты, Уголовный, Гражданский, Налоговый кодексы), что дальнейшая борьба с ними станет просто бессмысленной.

Иными словами — все должно решиться не летом 2000-го, а осенью 1999-го.

Оставалось буквально два-три месяца.

В июле я не раз и не два говорил с Сергеем Степашиным об этой ситуации. Спрашивал: как он считает, почему губернаторы идут к Лужкову, которого раньше порой весьма недолюбливали, как всегда недолюбливают столицу в губерниях? «Ведь это же очевидно, Сергей Вадимович. Нужно создать твердый центр власти, собрать вокруг себя политическую элиту страны. Проявите решимость, попробуйте перехватить у них инициативу».

И в какой-то момент я понял, что наш диалог не получается. Степашин всячески подчеркивал, что он член президентской команды, верный и преданный, вдохновенно рассказывал о планах. Но как только речь заходила о главной политической проблеме, немедленно сникал.

«Осенью все наладится, Борис Николаевич, я вас уверяю».

А что наладится?

Мне было ясно, что неотвратимо близится новый раунд острейшей политической борьбы. Последняя схватка за политический выбор страны. Степашин способен кого-то на время примирить, но не способен стать политическим лидером, бойцом, идейным противником Лужкова и Примакова на выборах в Думу. А надо создавать новую политическую партию. И к этому я готов.

Но вот к чему я не был готов совершенно — так это к удару в спину со стороны единомышленников.

А удар не замедлил последовать. От умного, интеллигентного телеканала — НТВ. В передаче «Итоги» обозреватель Евгений Киселев показал «схему президентской семьи». Эти фотографии на экране чем-то напомнили мне стенд «Их разыскивает милиция». Я такие стенды в Свердловске очень часто видел: на территории заводов, на автобусных остановках, возле кинотеатров. Там красовались личности пьяниц, воров, убийц, насильников.

Теперь «милиция» в лице НТВ «разыскивала» мою так называемую Семью: мою дочь, Волошина, Юмашева...

Всем этим людям, включая меня, приписывалось подряд все что можно: счета в швейцарских банках, виллы и замки в Италии и Франции, взятки, коррупция...

Передача по НТВ повергла меня в шок. Скучный поток демагогии по третьему каналу, в мэрской прессе, по большому счету, был безвреден, хоть и неприятен: от него за версту разило ремесленной, наспех состряпанной пропагандой. А вот здесь, конечно, поработали мастера своего дела. Ложь умело пряталась за «фактическими деталями». Это уже была настоящая провокация. И настоящая травля.

Впрочем, тогда, летом 99-го, меня интересовало не происхождение всей этой лжи, а совсем другие вещи. Как вообще могли Малашенко и Гусинский, люди, достаточно близко знавшие Таню, ее характер, довольно тесно с ней общавшиеся, вылить на экран эти потоки грязи? Ведь они-то лучше всех остальных понимали, что это ложь.

...В середине лета Валентин Юмашев, который, как и прежде, старался найти какой-то выход из этого конфликта, встретился с Гусинским и Малашенко. На прямой вопрос: «Что происходит?» — был получен не менее прямой ответ: «Уберите Волошина».

Волошина требовали убрать, потому что он попытался поставить заслон системе, при которой холдинг «Медиа-Мост» Гусинского брал у государства кредиты, но не возвращал их, продлевая год за годом. А Волошин потребовал, чтобы кредит, полученный у Внешэкономбанка, был наконец Гусинским возвращен. За что и получил мгновенный ответный удар.

«Но при чем тут Борис Николаевич? При чем тут Таня? Какое она имеет отношение ко всему этому? Вы же прекрасно знаете, что никаких счетов, никаких замков нет. Вы сознательно врете», — ответил тогда Юмашев.

«Уберите Волошина, и давление прекратится».

Валентин пытался объяснить, что шантаж, грубый «наезд» не сработают никогда. Так действуют гангстеры, да и то только в гангстерских романах. Но его собеседники были глухи к этим аргументам. Да и ко всем остальным тоже.

Валентин, с трудом подбирая слова, передал мне содержание разговора с Гусинским и его замом. Непонимание и горечь были еще больше, чем тогда, когда я смотрел ту передачу. Когда же прекратится эта война компроматов?

Сколько можно?

В то же время удивляться тут было нечему. Меня травили всегда. В разное время, по разным поводам. При Горбачеве — за инакомыслие, в 91—93-м годах — за непопулярные меры, за «шоковую терапию», после 96-го — за мои болезни. Били всем, что попадалось под руку. Это то, с чем мне всегда приходилось жить. Выдержу и теперь.

Правда всегда одна. Правда остается, ложь рано или поздно исчезает. Что они будут делать потом, после выборов, когда выяснится, что у меня, моей семьи всего этого нет: нет вилл, замков, нет алмазных копей и золотых рудников, нет многомиллионных счетов за границей? Снова будут врать, изворачиваться?

Сейчас надо думать не об этом. Главное — это успех на парламентских выборах. На политическое давление мы ответим своим политическим давлением. На их информационную войну — своей ответной кампанией, не менее жесткой. Сейчас надо взять себя в руки. До декабря, до выборов, остается совсем немного времени...

Кстати, сейчас лучше видны причины возникшего тогда политического противостояния без коммунистов.

Вообще это было необычно, непривычно и для граждан России. Некоторых даже повергало в растерянность. Если происходит схватка двух партий или групп, ориентированных на реформы, на рыночную экономику, — значит, победят в итоге коммунисты. Так тогда думали многие.

Но в том-то и был парадокс политической ситуации: чтобы не победило тоталитарное прошлое, и нужно было противостоять лужковскому «Отечеству».

Дело в том, что в тот момент столкнулись два понимания новой России, две силы, которые по-разному видели этот путь.

Лужковская модель капитализма не предполагала свободы слова, свободы в идеологии, свободы политической конкуренции. Это была модель сословного, чиновничьего, жестко-бюрократического капитализма «для своих».

...И другая модель, к которой стремились и деловая элита России, и президентская команда, — это модель демократического рынка, где нет диктата чиновника и государства.

Вот перед таким выбором стояла страна, быть может, даже не осознавая этого.

...Да, схемы политического противостояния меняются, но остаются общие закономерности. Среди таких закономерностей лета 99-го я хочу назвать еще две. Первая — травля президента была первым по-настоящему сильным информационным вирусом, поразившим общество. От такого вируса, навязанного электронными средствами массовой информации — какой-то фобии, кампании запугивания или охоты на информационного «врага», — не застраховано сегодня ни одно общество. Такова сила СМИ, которые сегодня могут оказаться сильнее всей государственной машины. Запустить такой вирус, такой «черный шар» способен любой фанатичный, предвзятый или охваченный жаждой политической мести «независимый» прокурор, любое частное лицо, любая финансовая группировка, были бы деньги. А влияние на политику таких «черных шаров» огромно. На Западе, как мы видим, не меньше, чем у нас. Защищаться от такого вируса, отличать политический «заказ» от нормального общественного мнения очень трудно. Журналисты утверждают, что защититься нельзя.

Да, человек, который вступает в публичную политику, обязан знать, что таковы правила игры, что он должен быть готов к потокам лжи. Но все-таки очень хочется, чтобы игра была честной.

И вторая закономерность — в обществе еще существует тоска по «партии старого типа». Эту тоску воплотил в жизнь Лужков в своем «Отечестве». Вдруг по Москве зашагали дружными рядами люди в одинаковых синих куртках, одинаковых кепках, зашагали стройными колоннами, поехали на хорошо организованные митинги на бесплатных автобусах. Похоже, именно такую «новую партию» готовили нам чиновники московской мэрии. Что это было? Фантом «советской демократии», когда партия, комсомол и профсоюзы вот так выстраивали людей «для свободного волеизъявления»? Или тоска по чему-то хорошо организованному, управляемому, безгласному?

Не знаю. Но людей в синих куртках и коричневых кепках запомнил хорошо. Что ж! Зато теперь у каждого есть по хорошей бесплатной куртке. И по бесплатной кепке.

ОЧЕНЬ ЛИЧНОЕ

Написал название главы и задумался. Что такое личное в моей жизни? Есть ли у президента личное? Остается ли в его жизни хоть один уголок для себя? Сложный вопрос.

Я хочу рассказать об эпизоде, который полностью личным назвать трудно. Со стороны, наверное, казалось, что это лишь часть моей работы. Но для меня он был глубоко личным. Настолько остро я все это прочувствовал.

17 июля 1998 года, за месяц до кризиса, я прилетел в Петербург, чтобы участвовать в церемонии захоронения останков царской семьи.

...Вообще судьба этих царских похорон была драматична и достаточно печальна.

Примерно за год до восьмидесятилетия страшного знаменитого расстрела (напомню, что Николай Второй, Александра Федоровна, все их дети и близкие люди были расстреляны в подвале так называемого Ипатьевского дома в Екатеринбурге) по инициативе Бориса Немцова начала работать официальная государственная комиссия по идентификации останков, найденных на Урале, в окрестностях города, в колодце заброшенной шахты.

Через столько лет установить подлинность останков, конечно, было крайне нелегко. Наши ученые-криминалисты использовали все новейшие технологии, и в частности анализ молекул ДНК. Провели десятки экспертиз. Отправляли образцы и в Лондон, в специальную лабораторию, на спектральный анализ.

30 января комиссией был вынесен окончательный вердикт: останки подлинные. 2 марта я утвердил решение о захоронении останков в Петропавловском соборе. И тут началось странное.

Вокруг похорон разгорелась огромная и малопонятная для меня дискуссия.

Прежде всего в нее включились региональные лидеры: уральский губернатор Эдуард Россель и московский мэр Юрий Лужков. Оба настаивали на том, что хоронить царскую семью следует у них, соответственно или в Екатеринбурге, где произошла трагедия, или в Москве, в храме Христа Спасителя, символе нового российского возрождения. Для меня же как раз все было ясно: фамильный склеп семьи Романовых находится в Петербурге, в Петропавловской крепости, в кафедральном соборе Св. Петра и Павла. Тут двух мнений быть не могло: могилы предков должны быть священны для любой семьи.

...Подлила масла в огонь и позиция иерархов Русской православной церкви. Они продолжали упорно сомневаться в подлинности останков. Не признавали метода идентификации по ДНК.

Но дело-то ведь не сугубо церковное. Дело общегражданское. Россия должна отдать свой долг Николаю Второму, Александре Федоровне, их несчастным детям. Этого требуют наша память, наша совесть. Это — дело международного престижа России. И с обычной, человеческой точки зрения — когда-то они должны наконец найти покой рядом со своими предками. Сколько это может продолжаться...

7 мая в дело вмешался Лужков, неожиданно поменял свою позицию и поддержал Алексия. Священный Синод предложил захоронить останки во временном склепе — до святейшего решения. И настаивал на том, чтобы при отпевании не называть имена убитых.

12 мая и 5 июня я встречался с Алексием, пытался понять его позицию. Патриарх продолжал настаивать.

Как я узнал позднее, существовали и другие останки, вывезенные белогвардейцами за границу сразу после гражданской войны. Тогда же их захоронили как останки членов царской фамилии. И церковь до сих пор не может решить для себя этот сложный вопрос, поскольку в отношениях русской и зарубежной православной церкви и так слишком много острых углов.

Патриарх, не вдаваясь в детали, отказался принимать участие в захоронении, настаивая на том, что анализ ДНК — слишком новое, не апробированное в мире исследование далеко не везде признается законом.

А подготовка к захоронению тем не менее шла полным ходом.

Что делать? Необычная проблема для главы государства. И все-таки что-то подсказало мне: я в эти церковные тонкости вникать не должен. Пресса каждый день повторяла: похороны под вопросом, обстановка почти скандальная, всё зависит от того, какое решение примет президент, поедет он в Петербург или нет.

...Ехать или не ехать?

Я к этому вопросу — к захоронению останков царя, его жены, детей, близких — относился не только как президент. Был и личный момент.

Более двадцати лет назад, когда я еще работал в Свердловске первым секретарем, ко мне поступило решение Политбюро о сносе Ипатьевского дома. Это обусловливалось тем, что власти боялись приезда в Свердловск на 80-летний юбилей коронации Николая Второго большого количества эмигрантов, диссидентов, иностранных журналистов. И советская власть в свойственной ей манере решила этому помешать.

Сейчас по моей просьбе архивисты нашли этот документ. Читаешь его, и даже не верится, что в этот стиль, в этот дух вся страна была погружена еще совсем недавно.

ЦК КПСС. Секретно. О сносе особняка Ипатьева в городе Свердловске.

Антисоветскими кругами на Западе периодически инспирируются различного рода пропагандистские кампании вокруг царской семьи Романовых, и в этой связи нередко упоминается бывший особняк купца Ипатьева в г. Свердловске.

Дом Ипатьева продолжает стоять в центре города. В нем размещается учебный пункт областного управления культуры. Архитектурной и иной ценности особняк не представляет, к нему проявляет интерес лишь незначительная часть горожан и туристов.

В последнее время Свердловск начали посещать зарубежные специалисты. В дальнейшем круг иностранцев может значительно расшириться и дом Ипатьева станет объектом их серьезного внимания.

В связи с этим представляется целесообразным поручить Свердловскому обкому КПСС решить вопрос о сносе особняка в порядке плановой реконструкции города.

Председатель Комитета госбезопасности при Совете Министров СССР Ю. Андропов

26 июля 1975 года

А дальше все было как положено:

По записке КГБ при СМ СССР № 2004-А от 26 июля 1975 года Политбюро ЦК КПСС приняло 4 августа 1975 года решение «О сносе особняка Ипатьева в г. Свердловске», в котором одобрило предложение КГБ и поручило «Свердловскому обкому КПСС решить вопрос о сносе особняка Ипатьева в порядке плановой реконструкции города».

Сейчас читаешь эти сухие строки и не веришь глазам своим. Все абсолютно цинично, даже нет попытки придумать внятное объяснение. Примитивные формулировки: «в порядке плановой реконструкции», «архитектурной и иной ценности не представляет»...

Но это мои эмоции и вопросы из сегодняшнего времени. А тогда, в середине 70-х, я воспринял это решение достаточно спокойно. Просто как хозяин города. Лишних скандалов тоже не хотел. К тому же помешать этому я не мог — решение высшего органа страны, официальное, подписанное и оформленное соответствующим образом.

Не выполнить постановление Политбюро? Я, как первый секретарь обкома, даже представить себе этого не мог. Но если бы даже и ослушался — остался бы без работы. Не говоря уж про все остальное. А новый первый секретарь обкома, который бы пришел на освободившееся место, все равно выполнил бы приказ.

...Однако с тех пор, оказывается, заноза осталась. Любое упоминание о расстреле бередило душу. Задевало.

Царские похороны я воспринимал не только как свой гражданский, политический, но и как личный долг памяти.

Перед самым отъездом позвонил академику Дмитрию Сергеевичу Лихачеву. Это фигура уникальная в нашей культуре, для меня его позиция была очень важна. Его слова были простыми: «Борис Николаевич, вы обязательно должны быть здесь, в Петербурге».

17 июля в 11.15 самолет приземлился в аэропорту «Пулково». Губернатор Яковлев сел в мою машину. Поехали.

Было довольно жарко, но люди стояли на солнцепеке вдоль всей Кронверкской протоки, опоясывающей крепость, толпились на пятачке у ее восточных ворот со стороны Троицкой площади, заняли места даже на Троицком мосту через Неву, движение по которому было перекрыто.

Я появился в соборе ровно в тот момент, когда колокола Петропавловской крепости отбивали полдень.

Мое внезапное решение приехать в Питер было полной неожиданностью для московского политического бомонда, застало его врасплох. Тем не менее здесь, на панихиде, я увидел много знакомых лиц: Явлинский, Немцов, Лебедь...

В соборе Св. Петра и Павла я встретил члена британского королевского дома принца Майкла Кентского — внука великого князя Владимира Александровича, дяди Николая Второго...

И — вот это да! — сколько же еще людей здесь с такими неуловимо романовскими лицами? Здесь собрались (впервые за очень долгое время!) члены императорской фамилии. Всего 52 человека.

Лебедь, тогда еще только баллотировавшийся на пост губернатора, вдруг встал среди Романовых. Я подумал: даже здесь, в храме, в такой момент, люди продолжают заниматься политикой.

Вот передо мной моя речь. Приведу лишь короткий фрагмент того, что я сказал 17 июля:

«Долгие годы мы замалчивали это чудовищное преступление, но надо сказать правду: расправа в Екатеринбурге стала одной из самых постыдных страниц нашей истории. Предавая земле останки невинно убиенных, мы хотим искупить грехи своих предков. Виновны те, кто совершил это злодеяние, и те, кто его десятилетиями оправдывал... Я склоняю голову перед жертвами безжалостного смертоубийства. Любые попытки изменить жизнь путем насилия обречены».

В церкви было светло, солнечно.

Расшитые белые ризы священников. Имен усопших не произносят. Но эти имена знают здесь все. Эти имена в нашей душе.

Все время стоял рядом с Лихачевым, свою свечу зажег от его свечи. Наина была рядом.

Короткий скорбный обряд. Здесь были семейные, а не государственные похороны.

Потомки Романовых бросали по горсти земли. Этот сухой стук, солнечные лучи, толпы людей — тяжкое, острое, сильное, разрывающее душу впечатление. Я постоял немного у входа в придел с усыпальницей. По небу плывут облака, воздух какой-то особенный, питерский, и мне кажется, что согласие и примирение действительно у нас когда-нибудь наступят.

Как жаль, в сущности, что мы потеряли ощущение целостности, непрерывности нашей истории. И как хочется, чтобы скорее это в нас восстановилось.

...Вся Россия наблюдала по телевидению за этой траурной церемонией.

Похороны в Петербурге были для меня не только публичным, но и личным событием. И событие это прозвучало на всю страну.

А о чем я могу рассказать, что вспомнить — сам для себя? Пожалуй, это будет не очень просто. Я настолько привык к политической борьбе, что свое, домашнее, незащищенное приучился прятать. Глубоко внутрь. Но вот настала пора открыть забрало... И оказалось, совсем не легко рассказывать о самых простых, человеческих вещах.

У каждого человека есть дом. То самое личное пространство, где он — только сам для себя и своих близких. У меня уже давно этого дома как бы и нет. Мы живем в основном на государственных дачах (сейчас в Горках-9), с казенной мебелью, обстановкой. Начиная с 85-го года со мной всегда, неотлучно дежурит охрана. Начиная с 91-го — два офицера с ядерным чемоданчиком. На охоте, на рыбалке, в больнице, на прогулке — везде. Всегда они были или в соседней лодке, или в соседнем шалаше, в соседней машине, в соседней комнате.

Дом всегда был полон людей: охрана, доктора, обслуживающий персонал и т.д. — никуда не спрячешься, не уйдешь. Даже двери в доме по неписаной инструкции никогда не закрываются. Разве что в ванную запереться? Хотелось иногда...

Постоянное напряжение, невозможность расслабиться. И тем не менее справиться с этим постепенно удалось. Да, привычка. Но не только.

Постепенно дом стал наполняться: зятья, внуки. Теперь вот уже и правнук есть. И у нашей большой семьи есть святые неписаные традиции.

Дни рождения, например. Каждый именинник знает, что в этот день пробуждение будет ранним и торжественным. Часов в шесть утра бужу всех без исключения. Мы собираемся вместе, входим в комнату, поздравляем, а на тумбочке уже стоят цветы и подарки. Сначала зятья бурчали: зачем вставать в такую рань? Потом привыкли.

...Таня на каждой даче упорно сажала газон. Видимо, ей хотелось украсить наше казенное жилище. Вообще человек она чрезвычайно целеустремленный. Как я. Если что-то решила — добьется обязательно. Чтобы ездить на нашу «фазенду», купила машину — «Ниву» с прицепом. Прицеп — для сельскохозяйственных нужд.

С этой «Нивой» тоже связан забавный случай. Таня сдавала экзамен на водительские права, и ей попался очень неприятный инструктор. Мало того, что во время занятий попробовал положить свою лапу ей на запястье, так, получив отпор, переключился на политику и начал что есть мочи костерить меня! Таня слушала, слушала, наконец не выдержала: «Перестаньте молоть чепуху. Все это было не так». «А ты откуда знаешь?» — опешил мужик-инструктор. «Потому что это мой папа», — ответила Таня. Взвизгнули тормоза. Инструктор совершенно обалдел: «Ты шутишь?!» «Ничего я не шучу». И началось тихое интеллигентное вождение. Так я защитил дочь своим авторитетом от «сексуальных домогательств», как теперь говорят в Америке.

Так вот, с газоном этим Таня намучилась. Его же надо сажать по инструкции. Всех мужчин в доме, помоложе, она заставляла копать, рыхлить... Однажды, когда ее не было, я решил попить чаю на новой зеленой лужайке. Вынесли столик, поставили самовар, кресло. И вдруг вся мебель ушла в землю на полметра. Утрамбовать-то забыли! Тут приходит Таня. Начинает смеяться — я уже почти лежу на газоне, вытянув ноги.

Как-то я спросил: «Ты зачем его сажаешь? Мы же все равно отсюда уедем». Она говорит: «Ну и что? Пусть растет».

...Пусть растет.

Как у Тани газон, так и у меня есть неутоленная, но пламенная страсть — автомобили. Когда-то в ранней юности я водил грузовик. А потом за баранкой посидеть не получилось. Машина для меня — рабочее место. В машине, оборудованной специальным каналом связи, довольно часто раздаются звонки. Порой от президентов других государств, от премьер-министра, от секретаря Совета безопасности, от министров. С кем-то связываюсь я. Так что машина для меня — кабинет на колесах.

Но когда кончается привычный путь из Кремля на дачу и президентский лимузин медленно-медленно подъезжает к дому, к машине бросаются внуки. Раньше это были Машка, Борька, а теперь Глеб с маленьким Ванькой. «Дедушка, прокати!» Мы садимся все вместе и делаем круг по дорожкам сада. Черная бронированная машина осторожно едет мимо тюльпанов и шиповника. Мне очень хорошо в эти минуты.

...Уже переехав в Москву, уже став опальным, я купил свою первую машину — серебристый «Москвич». Это было еще в Госстрое. Решил, что буду теперь на работу ездить сам. И вот — первый выезд.

Справа от меня сидит охранник, сзади — семья. Переполненная улица Горького. Я постоянно оборачиваюсь, чтобы посмотреть на обстановку за моей машиной. В зеркало заднего вида плохо разбираю, что там происходит. Таня мне:

«Папа, смотри вперед! Я тебя умоляю!» Еду на приличной скорости. Бледный охранник не спускает руку с ручного тормоза, чтобы в случае чего рвануть, если не будет другого выхода. Доехали без происшествий, слава Богу!

С тех пор Наина стоит насмерть, не дает мне садиться за руль. «Боря, у тебя в семье полно водителей — зятья, дочери, внуки. Все будут счастливы отвезти тебя куда захочешь». Тем не менее недавно я прокатился по дорожкам дачи на своем президентском лимузине. Теперь-то я пенсионер, мне все можно.

Но страсть к вождению все-таки компенсировал — езжу на электрокаре. Причем гоняю будь здоров. Особенно люблю с горки и — прямиком в дерево. В последний момент сворачиваю. Так расслабляюсь. Недавно «прикрепленный», то есть охранник, который сопровождал меня в этом рискованном путешествии, во время поворота не удержался, вывалился наружу. Пришлось мне извиняться перед ним...

...Свою нереализованную любовь к вождению решил передать внучке. На 18-летие Кате подарил машину. Это был тот случай, когда с подарком я, кажется, не совсем «попал». Обе дочери — и Лена, и Таня — отговаривали меня: «Папа, зачем, это очень дорогой подарок, да у нее и прав нет, ездить не сможет». Но я настоял. Совершеннолетие все-таки. Подарил красивую красную машину — «шкоду».

Года два машина простояла на улице, Катя так за руль и не села. Но вот теперь Шура, Катин муж, начал ездить, получил права. Так что хоть и через два года, но подарок мой пригодился.

Думаю, дочери в детстве считали меня строгим папой. Если они подходили с дневниками, я всегда задавал один вопрос: «Все пятерки?» Если не все, дневник в руки не брал.

Лена и Таня — очень разные. Лена была душой большой школьной компании. Они часто ходили в походы, в наши уральские леса, на все выходные. Наина волновалась, но зря — друзья у Лены были просто замечательные. До сих пор Лена встречается и переписывается с теми ребятами. В этом она похожа на нас с Наиной. (Мы тоже связей с прошлым никогда не теряли.) Поступила в тот же институт, что и родители, —

Уральский политехнический. На тот же строительный факультет. Это у нас родство душ, совершенно точно. Лена училась прекрасно, любила книги, ходила в музыкальную школу. Классическая натура. Цельная. Характер мой.

А Таня была фантазеркой. Сначала хотела стать капитаном дальнего плавания: ходила в яхт-клуб, учила семафорную азбуку. Увлеклась волейболом, играла серьезно, за сборную уральского «Локомотива». Потом, можно сказать, сбежала из дома. Уехала учиться в Москву. У нас в Москве никого абсолютно не было, кроме одной нашей однокурсницы. Но и та жила в коммуналке. Так что жить Тане предстояло в общежитии. Наина была категорически против Таниного отъезда. Но я сказал: «Раз решила, поезжай...»

Мне кажется, у нас вполне патриархальная, уральская семья. Такая же, как у моего отца. В ней есть некая условная высшая инстанция — дед. Есть человек, чье мнение авторитетно.

И если эта инстанция есть, всем становится очень удобно решать свои проблемы, которые частенько возникают между детьми и родителями. Есть проблема — иди к деду. Но все знают, что лучше решить проблему самому. Обращаются в крайних случаях. Так уж повелось.

Например, у Тани с Борей какой-то конфликт. Борька упрямо жмет на маму: а если я к деду пойду и он разрешит? Таня отвечает, подумав: ну, пойди. Но всегда успевает добежать до меня раньше, согласовать позиции. И Борька ни разу не подвел, если мы договорились. Мое слово для него — закон.

Катя и Боря — старшие мои внуки. Родились с разницей в год. Кате, дочке Лены, исполнилось 20, сейчас взяла академический отпуск, сидит с младенцем.

Борис учится за границей. Он тоже Ельцин, хотя и младший. Парень с характером, иногда непростым, но, может, именно это и нужно мужчине?

Таня очень сомневалась, когда принималось решение отправлять его учиться за границу. Долго выбирала школу.

Главным критерием считала строгую дисциплину и учебную нагрузку. Оттого и остановилась на школе для мальчиков в Винчестере.

Когда она мне рассказала об условиях жизни там, я сначала даже не поверил. Жил Борька, естественно, в общежитии, в комнате на шестерых. Спал на двухъярусной кровати, так что, когда садился на кровать, ногами сразу упирался в соседа. Для занятий — стол, компьютер, все без излишеств. Для вещей — шкаф. Плюс ранний подъем, чтобы успеть привести себя в порядок: ботинки должны быть начищенными, рубашка — белой и наглаженной.

И вот так три года.

Не мудрено, что при такой жизни все сердечные привязанности у него здесь, в уютной и ласковой Москве.

Сейчас переписывается с нами по Интернету, пишет смешные послания.

Кстати, с перепиской связан еще один забавный эпизод. Как-то в телефонном разговоре с Тони Блэром я вдруг обмолвился: «Тони, а ты знаешь, что в Англии учится мой внук, ему там довольно одиноко, может, черкнешь парню пару строк?»

Каково же было наше удивление, когда Боря позвонил и рассказал, что за переполох случился в его школе: туда пришло официальное письмо на гербовой бумаге от премьер-министра Великобритании, в котором он желал моему внуку успехов в учебе и даже... приглашал в гости. Но Борис уже настолько хорошо знал английский, что разобрался в лексических тонкостях и понял, что приглашение сугубо формальное и не нужно немедленно садиться в такси и мчаться на Даунинг-стрит.

А вот младшую мою внучку, Машу, ей сейчас 17 лет, ее родители Лена и Валера, наверное, одну за границу никогда бы не отпустили. Ни под каким видом.

Маша — прелестная девушка, очень красивая, к тому же поэтическая натура (на дни рождения часто дарила мне свои творения), ну как такую отпустишь?

Когда Лена с Валерой уехали отдыхать в отпуск за границу на пару недель, Маша жила с нами в Горках-9. И вдруг прибегает однажды вечером: «Дедушка, пожалуйста, поговори с мамой, пусть она меня отпустит на дискотеку!» Оказывается, мама строго руководит Машей даже из-за границы.

Я как мог строго сказал: «Маша, можешь идти на дискотеку. Под мою ответственность!»

Или случай с Катей.

Когда она поступила на исторический факультет МГУ и проучилась несколько недель, у нас с ней произошло «выяснение отношений». Она пришла и сказала чуть не плача: «Деда, пожалуйста, прикажи, чтобы с меня сняли охрану!» Пока я работал президентом, у всех членов семьи были так называемые прикрепленные. Такова неписаная кремлевская традиция, которой уже много десятков лет.

Но Катя взяла и разрушила эту традицию. «Понимаешь, деда, ну, это... смешно. Я выхожу из аудитории, а они, бедные, там стоят. Ну пожалуйста, ну я прошу!» Наверное, Кате было и впрямь не очень ловко перед однокурсниками. И пришлось разрешить. Даже, помнится, что-то вроде расписки я писал начальнику службы. Под мою ответственность сняли с девушки охрану. А другая бы, наверное, гордилась и нос задирала.

Очень хочется защитить моих дочерей, внуков от постоянного, назойливого внимания журналистов. После 96-го года накатила эта волна пошлых, лживых публикаций о них в желтой прессе.

И то, что у Тани бурный роман с Чубайсом, и что Катя на самом деле в вуз не поступала, а прошла по блату, и что Боря в Лондоне влюбился в какую-то русскую фотомодель, а Маша сама стала фотомоделью, сбежала из дома, рекламирует одежду то ли Гуччи, то ли Версаче. И прочая чепуха.

Ну ладно, несправедливо достается взрослым — Тане, Лене, зятьям Валере и Леше, — они за эти годы закалились, уже не удивляются ничему. Но вот когда внуков задевают этой ложью, ранят их, я с трудом сдерживаюсь. Они ведь сильно переживают.

Помню, после той публикации про Борин лондонский роман от него тут в Москве чуть не ушла девушка, с которой он дружил. Понятно, как это все остро воспринимают подростки!..

Мои дочери пролили много слез, потеряли много нервов и здоровья из-за этих статей. Ведь материнскому сердцу не объяснишь, что это крест, который несут все известные люди, его надо терпеть и не обращать ни на что внимания.

Мне бы очень не хотелось, чтобы тень от моего имени еще долго вот так ложилась на дочерей и внуков. Надеюсь, постепенно эта волна все-таки сойдет на нет.

Многих, наверное, интересует: что там с нашими сверхдоходами? Иными словами — богатый ли я человек? Честно говоря, не знаю... Смотря по каким меркам судить. Давайте посмотрим, что у меня есть, чего у меня нет.

Итак, я живу на государственной даче.
Владею (совместно с женой) недвижимым имуществом, а именно дачей в Одинцовском районе Московской области. Площадь дачи — 452 квадратных метра. Площадь участка — четыре гектара.
Есть у меня и машина марки «БМВ», купленная в 1995 году.
Есть квартира в Москве, на Осенней улице.
Есть холодильники на даче и холодильник дома.
Есть несколько телевизоров.
Мебель (диваны, кресла, пуфики, шкафы — и так далее).
Кое-какая одежда.
Украшения жены и дочерей.
Теннисные ракетки.
Весы напольные.
Ружья охотничьи.
Книги.
Музыкальный центр.
Диктофон.

Теперь немного о том, чего у меня нет совсем.

Ценных бумаг, акций, векселей — нет.

Недвижимости за рубежом (вилл, замков, дворцов, ранчо, ферм, фазенд и асиенд) — нет.

Счетов в зарубежных банках — нет.

Отдельных драгоценных камней — нет.

Золотых рудников, нефтяных скважин, алмазных копей, земельных участков за рубежом — нет.

Яхт, самолетов, вертолетов и прочего — нет.

Моя жена, мои дочери, Лена и Таня, не открывали банковских счетов ни в швейцарских, ни в английских, ни в каких-либо еще зарубежных банках, у них нет замков и вилл, земельных участков за границей, нет акций зарубежных компаний, заводов или шахт. Нет и никогда не было.

Так, ну а сколько у меня денег? Тут должно быть все точно, до копеечки. Для этого нужно взять мою последнюю декларацию о доходах. На счетах в Сбербанке России (валютном и рублевом) по состоянию на 1 января 1999 года у меня находилось восемь миллионов четыреста тридцать шесть тысяч рублей. За 98-й мой доход составил сто восемьдесят три тысячи восемьсот тридцать семь рублей.

...Да, я не бедный человек. Мои книги издавались и продолжают издаваться во всем мире. Деньги российского президента лежат в российском банке. Так оно и должно быть...

Никогда ни я, ни члены моей семьи не получали никаких доходов от приватизации, от каких-либо сделок, связанных или с моей должностью или с моим влиянием. Все наши доходы абсолютно открыты и прозрачны.

А то, что я могу поехать со всей семьей в любую точку земного шара, отдохнуть и попутешествовать, — мне кажется, я это заслужил.

Необходимое дополнение: все сведения взяты из декларации, поданной в Министерство по налогам и сборам 31 марта 1999 года. Это моя последняя декларация, которую я заполнял как президент.

Надеюсь, на эту тему — достаточно?

...На Новый год у меня всегда одна и та же роль — я Дед Мороз. Всегда собираемся всей семьей: я, Наина; Лена и ее муж Валера; Таня и ее муж Леша; три моих внука, дети Лены, — 20-летняя Катя, 17-летняя Маша и двухлетний маленький Ванька; два внука, дети Тани, — 19-летний Борис и четырехлетний Глеб. Итого пять внуков и один правнук, сын Кати, Санечка.

В этот последний Новый год Катя впервые пришла со своим мужем, Шурой. Я еще раз внимательно к нему присмотрелся: отличный парень. Катя учится на историческом факультете МГУ, а Шура — там же, в университете, на факультете психологии. Познакомились, между прочим, еще в школе. А говорят, романтики больше нет.

Недавно у Кати родился сын. Я стал прадедом, а Наина — прабабушкой.

...Кстати, Катина самостоятельность проявилась не только в этом раннем браке. Она вообще у нас девушка своевольная, с моим характером.

На Катиной свадьбе я, к огромному сожалению, присутствовать не мог: лежал в больнице с пневмонией. Катя и Шура сами приехали ко мне, я их поздравил, пожелал счастья. Говорят, свадьба была совершенно необычная: веселая, без официоза и помпезности, заводная. Мама Шуры — учитель русского языка и литературы в той же школе, где они и учились вместе. На ее глазах весь этот роман происходил. Не каждая мама проявит столько выдержки и понимания — дети же!

А на свадьбе был забавный случай. Внук Борька, который слегка опоздал, да и вообще оказался не совсем в курсе происходящего, потому что примчался на свадьбу из Англии, увидел Шуру, которого знал по Катиной компании, и удивленно спросил: «Шур, а ты что здесь делаешь?» На что Шура ответил: «Как что? Я жених!»

С подарками и поздравлениями вообще бывали некоторые казусы. Году в восьмидесятом сделал Тане шикарный подарок: фирменные горные лыжи и ботинки. Это тогда был жуткий дефицит, а я знал, что Таня мечтает о настоящей горнолыжной экипировке. Купил ей лыжи «Элан» — так горнолыжная фирма называлась. Таня поехала в зимние каникулы на Домбай. И тут выяснилось, что подарить-то я подарил, но и лыжи, и ботинки чуть ли не на мой рост и размер. Лыжи длинные, ботинки на ноге болтаются. В общем, каждый съезд с горы стал для нее настоящим мучением. Но зато потом, когда она купила себе лыжи нормального размера, уже не каталась, а просто летала.

Вообще все даты и дни рождения членов нашей семьи я запомнить, конечно, не в состоянии. Наина всегда мне подсказывает. Мы договариваемся о подарке от всей семьи. В последнее время «проколов» почти не бывает.

Порой посреди семейного торжества, посреди шума, смеха, праздничной суеты вдруг наступает тишина. Тогда ко мне подходит кто-нибудь из дочерей: «Папа, ты здесь?» Это значит, я застыл на полуслове, задумался. Мне очень неудобно за такие внезапные паузы перед своими домашними, я изо всех сил пытаюсь себя контролировать — но... ничего не выходит. Вроде бы я весь погружен в эту домашнюю жизнь, в эти счастливые минуты покоя — и вдруг откуда-то из глубины, из подсознания выплывает мысль о том, что было вчера, или о том, что будет завтра. Политика, который мирно прогуливается в воскресный день с семьей по дорожке парка, многое может заставить оцепенеть — то, чего уже не поправишь, и то, что завтра ждет своего решения. То, что необходимо сделать сейчас или через месяц. То, что ждет страну после очередного политического решения. И я застываю на месте, замолкаю, ухожу в себя.

Лена, моя старшая дочь, как я уже сказал, окончила Уральский политехнический институт. Как и мы с Наиной, выбрала профессию строителя. Но переехала в Москву, и по семейным обстоятельствам пришлось уйти с работы. Посвятила себя семье, дому.

Честно говоря, я немного переживал из-за этого. Да и она переживала. У нее были прекрасные способности. Она в школе, в институте легко и хорошо училась. Но... сидела с маленькой Катей, потом с Машей, устраивала дом, быт. И увлеклась этой стороной жизни.

Лена, например, потрясающе вяжет. Причем только руками, никаких вязальных машин она не признает. Может одновременно читать, смотреть телевизор, разговаривать и... вязать. За день, по-моему, может связать любую вещь. Ее кофты, свитеры, шарфы я ношу не просто как мягкую теплую одежду. Это для меня нечто большее, как... пироги Наины... Как стихотворения Маши. Это мои жизненные талисманы. Они защитят от всех страхов и тревог.

Лена — человек, который любит во всем порядок, гармонию, красоту. Сейчас занялась своим садом (хотя поначалу не очень-то любила садово-огородную жизнь), и в саду у нее появилась экзотическая «альпийская горка»: цветы, камни. Кусочек альпийских лугов в Подмосковье. Лена не пропускает ни одной крупной выставки, обожает импрессионистов, интересуется старинной архитектурой, историческими памятниками. В общем, отвечает в нашей семье за эстетику.

Но когда началась моя предвыборная кампания 96-го года, Лена тоже по-настоящему включилась в политику. Она помогала в организации поездок по стране Наины, вычитывала и помогала править все ее интервью, готовила выступления, короче, работала в предвыборном штабе. И ни разу не пожаловалась, не попыталась отстраниться.

Господи, сколько же было связано страхов, тревог, даже страданий с появлением на свет Ваньки!

Как мы с Наиной волновались!

Лене было уже около сорока, когда она решилась на третьего ребенка. По-моему, смелый поступок.

Впрочем, смелый поступок Лена совершила уже тогда, когда вышла замуж за штурмана гражданской авиации Валеру Окулова. Проводы — каждый день. Несколько часов дома — и снова в небо. Лена стала разбираться в моделях самолетов, выучила все их технические характеристики, стала различать самолеты даже по звуку. И мы все понимали — почему. Лена волновалась за мужа, который летал по всей стране, а потом и по всему миру.

К тому же Валера был любителем совершенно уникального вида спорта — спускался по горным рекам на катамаранах, причем по рекам шестой, высшей категории сложности. И ждать его — тоже было непросто.

Пешком Лена с Валерой исходили Камчатку, на катамаранах проплыли почти по всей Карелии. А в тяжелые спортивные походы Валера ходил с друзьями, без Лены.

Однажды Валерин катамаран перевернулся, и товарищи искали его целые сутки. Он все-таки выплыл, чудом остался жив. С трудом представляю себе, что пережила Лена.

Лена совершенно беззаветно предана дому, семье, своим близким, своим детям. Для нее в этом нет мелочей, нет «проходных» моментов. Бездна вкуса, упорства. Для нее всегда очень важно жить своим домом, самой «выращивать свой сад». Особенно теперь, с появлением Ваньки и внука Санечки (моего правнука), я просто физически порой ощущаю, как она держит на плечах весь свой дом, воспитание и образование детей. Это огромная работа для женщины. Всю душу строителя Лена вложила в эту работу. Пожалуй, только теперь я начал осознавать это в полной мере, когда подросли девочки — Катя и Маша — и я вдруг воочию увидел, сколько в них вложено Лениной любви и тепла.

Лена все делает идеально, все — на сто процентов. Это уникальный человек. Ничего наполовину, ничего кое-как. Иногда я даже удивляюсь. Однажды я увидел, как Лена читает полугодовалому Ваньке сказки Пушкина. «Лена, ты что, он же ничего пока не понимает». «Нет, папа, — сказала она, — я хочу, чтобы он уже сейчас слышал настоящую музыку слов». Засыпает у нас Ванька только под классическую музыку.

Муж Лены, Валерий Окулов, руководит компанией «Аэрофлот». Крупнейшей российской авиакомпанией. А быть женой большого руководителя очень тяжело.

Когда Валеру выдвинули на этот пост, он пришел со мной посоветоваться. Не помешает ли это мне, не создаст ли неловких ситуаций? Я сказал, что такие вещи надо решать самому. Препятствовать карьере я ни в коем случае не хочу.

Надо отдать должное Валере — он никогда не заводит дома разговоров о работе, о своих проблемах. Отвечает иногда на мои вопросы: как дела? какие перспективы? Но не больше. Я благодарен ему за понимание и такт. В этом есть настоящий мужской характер.

Мужчины работают, женщины воспитывают внуков. Для Наины роль сначала бабушки, потом прабабушки оказалась совершенно естественной. Она готова тратить на это столько времени, сколько нужно. Лена и Таня, например, часто пытаются освободить ее от части работы по дому и уговаривают не готовить на обед малышам домашние котлеты.

«Мама, — говорят они, — когда приходят гости, ты и так по три часа стоишь у плиты. Ну хотя бы в обычные дни побереги себя! Этим мелким все равно что есть. Для них пока все равно, какая еда — твоя или не твоя, просто мясо или котлеты».

Но бабушка считает, что ее котлеты гораздо лучше, чем все то, что может приготовить повар.

Убедить ее готовить реже практически невозможно. Торты из множества коржей от Наины Иосифовны помнят, наверное, все наши гости. В этом есть что-то трогательное — своим домашним, собственноручным угощением Наина как будто пытается нас всех от чего-то уберечь, оградить.

Впрочем, этому имеется и более прозаическое объяснение — Наина просто очень любит готовить. Кроме того, десять лет подряд есть одно и то же, только то, что готовят повара, одну и ту же «правильную» кухню, по рецептам бывшего девятого управления, подчас надоедает.

На нашей даче есть одно чудесное сооружение — русская печь под навесом. Там мы иногда встречали Новый год. Наина пекла блины. И тут же, у печи, мы их ели, пили шампанское, а стол заносило снегом, да и блины тоже.

Уха, шашлыки, блины на природе — моя давняя любовь. Особенно люблю завидовскую уху, по специальному егерскому рецепту. В ведре варится чуть не десять сортов рыбы, потом, помимо всего прочего, закладываются огромные помидоры, и в самом конце в ведро на секунду с шипением опускается большая дымящаяся головешка, чтобы был запах костра, и заодно специфический вкус рыбьего жира отбивается.

...На островках посреди завидовских озер летом стоят копны сена. Иногда забирался туда, забывал обо всем на свете. Засыпал.

И напряжение уходило.

Вообще охота, рыбалка — дело особое. Я начал охотиться в Свердловске, там пристрастился. Был у нас специально оборудованный «уазик» с двумя печками, чтобы зимой отогреваться. Охотился на лося. Как обычно, охотники строятся в линию, стоят «на номерах». На чей номер лось выйдет, тому повезло — стреляй. Там научился и ходить на глухаря.

Но приехал в Москву и за политическими страстями напрочь забыл об охоте. Хватало для психологической разгрузки нового увлечения — тенниса.

...А в 91-м году с мужем Тани, моим зятем Лешей, в небольшой компании, впервые поехали в Завидово. Леша тоже оказался страстным охотником. Вот тогда я и увидел, какое это уникальное, потрясающее место — Завидово. Благородный олень, марал, лесной кабан — всех этих животных здесь разводят в охотхозяйстве. Озера, болота. Утиная и гусиная охота. Охота на глухарей с подхода.

Весной, когда глухарь поет брачную песню, нужно в лесу ждать рассвета, выбрать место, чтобы в первых солнечных лучах он запел где-то рядом с тобой. И когда глухарь токует, в самом конце, когда он уже захлебывается от любви и перестает слышать весь мир от своих глухариных чувств, ты делаешь несколько шагов и в предрассветном сумраке видишь его силуэт.

Это очень редкая, очень таинственная и волнующая охота.

Утиная охота на зорьке — самая динамичная. Бьешь птицу влет, стараешься достать ее точным выстрелом с лодки. Это уже почти спорт. Настолько азартный, что иногда возвращаешься домой с огромным, величиной с ладонь, черным синяком на плече.

...Мне подарили за мою жизнь множество ружей, у меня их целая коллекция. Но вот парадокс — ни с одним ружьем мне не было охотиться так комфортно, так удобно, как с первым моим карабином «Чески-Зброев» («чезет», называют его охотники) калибра 30-0,6. Охочусь с ним уже двадцать лет. Так привык, столько стрелял из этого карабина, что даже когда ложе приклада у него треснуло, попросил замотать изолентой и продолжал стрелять. Конечно, заказал «чезет» новой модели, привезли мне его — нет, не те ощущения. И вот хожу со старым. Удивительная штука — привычка.

Охота — дело коллективное. Но я не люблю собирать большие мужские компании, езжу в Завидово чаще всего с Наиной. А охочусь с егерями, реже — в обществе Леши или других гостей. В этом целительном охотничьем одиночестве для меня есть что-то важное. Какая-то компенсация.

Мне нужно побыть одному.

На охоте царит особый, бодрый, здоровый дух. Никогда не забуду, как один зарубежный гость, когда плыли на катере по озеру, все посматривал на черный чемоданчик на дне лодки. Думал, что ядерный. Старался держаться от чемоданчика подальше, все норовил на краешек лодки отсесть. Я его не разубеждал. А когда на острове чемоданчик открыли и достали оттуда две бутылки водки и соленые огурчики, гость долго смеялся. Ядерный же чемоданчик «плыл» в соседнем катере, под охраной офицеров.

В свое время я, как и большинство людей, не считал зазорным поднять на празднике рюмку-другую за здоровье. Но какой же вал слухов, сплетен, политической возни поднимался в обществе, на страницах газет по этому поводу! Теперь даже трудно в это поверить...

Традиционно русский образ жизни жестко диктовал: не пить на дне рождения — нельзя, не пить на свадьбе друга — нельзя, не пить с товарищами по работе — нельзя. Я к этой обязаловке всегда относился с тоской, пьяных людей не выносил, но... в какой-то момент почувствовал, что алкоголь действительно средство, которое быстро снимает стресс.

Кстати, в связи со всем этим в памяти всплывает одна история, 94-го года. Тогда, во время поездки в Берлин, все телекомпании мира передали кадры: нетрезвый Ельцин дирижирует военным оркестром.

Это были тяжелые для меня дни. Со стороны такое поведение могло показаться диким, нелепым. Но я-то знал, чего не знали ни мои помощники, ни журналисты, ни все яростные обличители. Стресс, пережитый в конце 93-го года, во время путча и после него, был настолько сильным, что я до сих пор не понимаю, как организм вышел из него, как справился. Напряжение и усталость искали выхода. Там, в Берлине, когда вся Европа отмечала вывод наших последних войск, я вдруг почувствовал, что не выдерживаю. Давила ответственность, давила вся заряженная ожиданием исторического шага атмосфера события. Неожиданно для себя не выдержал. Сорвался...

Что я чувствую сейчас, когда показывают ставшие уже журналистским штампом кадры, на которых я дирижирую тем злополучным оркестром? Не стыд, не безразличие, не раздражение, тут другое какое-то чувство. Я кожей начинаю ощущать состояние тревоги, напряжения, безмерной тяжести, которая давила, прижимала меня к земле.

Я помню, что тяжесть отступила после нескольких рюмок. И тогда, в этом состоянии легкости, можно было и оркестром дирижировать.

После этого случая группа помощников президента обратилась ко мне с письмом: я своим поведением, своими экспромтами наношу вред самому себе, наношу вред всей нашей совместной работе.

Извиняться перед помощниками не стал. Вряд ли кто-то из них мог помочь мне. Дистанция между нами была слишком велика. Я ходил по сочинскому пляжу и думал: надо жить дальше. Надо восстанавливать силы. Постепенно пришел в себя.

С тех пор все, что вызывало изменения в моем обычном состоянии — бессонницу, простуду, обычную слабость, — списывали на влияние алкоголя. Я знал об этих разговорах, но отвечать на них считал ниже своего достоинства.

...Ну а что было делать? Доказывать всем, что сердце и давление, которые оказывают влияние на речь и походку, постоянные стрессы и бессонница, лекарства, которые мне приходилось в связи с этим принимать, не стоит путать с алкогольным синдромом? Бить себя в грудь?

Все это было унизительно и противно. И в какой-то момент я понял: что бы я ни говорил по этому поводу — не поверят, сочтут за слабость.

Я понял главное: ненависть, истерику, клевету вызывают сама моя фигура, моя упрямая воля, мой характер. Если бы не пресловутый алкоголь — били бы за что-то другое. Нашли бы другую уязвимую точку. Но били бы все равно обязательно.

Не лучше ли просто не замечать?

И я действительно перестал замечать эти разговоры.

Затем был тяжелейший 95-й год. Инфаркт. А после операции врачи сказали: максимум, что вы можете себе позволить, — бокал вина. С тех пор я не нарушаю этот запрет.

Мы с Наиной вместе вот уже больше сорока лет. Никогда не расставались. Никогда не уезжали отдельно в отпуск. Никогда не делили пополам нашу жизнь...

Я помню ее молоденькой восемнадцатилетней девчонкой, студенткой. Помню, когда она работала в крупнейшем проектном институте Свердловска, успевала не только позаниматься с девочками и приготовить ужин, но еще полночи гладила мне костюм. Пока он не становился идеальным. Я же был первым секретарем. Первым. И должен был выглядеть соответственно.

Наина отдала мне столько душевных и физических сил, что говорить об этом — у меня не хватает слов. Без нее я никогда бы не выдержал стольких политических бурь. Не выстоял. Ни тогда, в 87-м, ни в 91-м, ни позже. И до сих пор, когда она уже счастливая бабушка, могла бы спокойно заниматься внуками, ей приходится столько сил отдавать мне.

Наина — удивительно искренний, непосредственный человек. Она очень своеобразно переживает наши политические драмы. Не раз обращалась ко мне с такими словами: «Боря, может, поговорите с Лужковым? Может быть, он просто ошибается? Ведь должен он прозреть!» Я улыбаюсь, обещаю: да, конечно, встретимся, поговорим. Если бы политику делали такие люди, как Наина, другая была бы у нас политика.

Кстати, с Лужковым связана одна интересная, даже смешная деталь. Долгое время Юрий Михайлович, который живет с нами по соседству, присылал нам молоко со своей фермы, от своей, так сказать, коровы. А потом перестал. Как раз летом 98-го, когда возглавил свою партию. Такое вот совпадение.

Передал через нарочного, что, к сожалению, корова заболела. Наина до сих пор удивляется, что корова заболела так сильно. И так надолго.

Интересно, что Наине пишут очень много писем (они попадают к нам либо через почтовое отделение на Осенней улице, либо через Главпочтамт), и почта эта совершенно другая, чем та, что я получал на свое имя как президент. Принципиально другая!

С одной стороны, это легко объяснимо: на имя первого лица приходят тысячи прошений, жалоб, бытовых просьб, проектов переустройства нашего государства, проектов изобретений — словом, чего только не пишут.

А вот у моей жены почта другая — личная. Теплая, искренняя, понимающая.

Люди чувствуют ее характер, ее глубокую порядочность. В этой почте практически нет злобы, даже критики почти нет. Когда я объявил стране о своей операции, Наина стала получать множество посланий с медицинскими советами от тех, кто пережил инфаркт, — как лечиться, что принимать. Пользуясь случаем, хочу сказать всем этим корреспондентам Наины Иосифовны: огромнейшее вам спасибо.

Больше всего меня поражают эти письма своей добротой еще и потому, что их авторы имеют полное право обижаться на жизнь: часто ведь за перо берутся люди обездоленные, одинокие или просто больные. Однажды письмо такого рода особенно поразило Наину. Поразило своим искренним, человеческим тоном, скромностью. Писала женщина из Петербурга, мать девушки-инвалида.

Наина, узнав, что я отправляюсь в Петербург и беру с собой Таню, попросила ее отвезти этой женщине подарок: телевизор и видеомагнитофон. В Петербурге Таня целый день звонила, никто не отвечал, и она поехала по указанному адресу, решив, что оставит подарок для нее хотя бы у соседей.

Но дверь открыли... Девушка, открывшая дверь, долго не могла понять, в чем дело, поверить в то, что к ней пришли от Наины Иосифовны, принесли подарок. К сожалению, мать девушки была на работе. Живут они, как рассказала Таня, очень бедно. И телевизора у них действительно не было.

Вскоре Наина получила письмо из Питера: подарок попал в точку. Писала мать. Девушка, практически не выходящая из дому, получила хоть какую-то возможность общаться с миром.

Когда Наина едет в детский дом, или в детскую лечебницу, или в больницу к любимой актрисе, она никогда никому об этом не рассказывает.

Она искренне считает благотворительность, добрые дела своим частным делом.

С одной стороны, это абсолютно правильная позиция. Я бы поступал точно так же. С другой...

Наина очень много занималась детьми, которые страдают неизлечимой болезнью, приводящей в раннем возрасте почти к полному распаду личности. Если бы об этом знала страна, я думаю, и другие захотели бы последовать ее примеру.

Но она всегда чуралась публичности.

Эти черты ее характера — скромность, такт, человечность — люди чувствуют по тем немногочисленным и очень немногословным интервью, которые она давала телевидению, по тем ее редким появлениям на публике, когда она сопровождала меня.

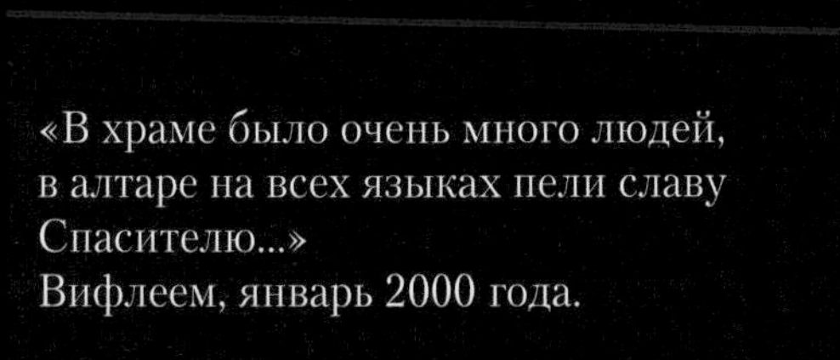

«В храме было очень много людей, в алтаре на всех языках пели славу Спасителю...»
Вифлеем, январь 2000 года.

Борис Ельцин. 1955 год.

Из семейного альбома. С родителями и младшим братом. ►

10/x 39 г.

Боря Ельцин —
девятиклассник...

...и студент (1953 год).

Перед забегом на длинную дистанцию. 1954 год.

Уральский политехнический. Выпуск 1955 года.

троителей
Специальности
ПГС
У.П.И. им. С
Доросинский Г.П.
Пономарев И.И.
Воронина Е.В.
Смагин Г.Н.
Антипин А.А.
Ельцин Б.Н.
Соснин Г.Г.
Петров А.Я.
1955 г.г.

1955 год.

Ная.

С дочкой Леной. 1957 год.

Лена и Таня. 1962 год.

На первомайскую демонстрацию. Наина, Таня и Лена Ельцины.

Семья президента (слева направо): Валерий и Елена Окуловы; внуки: Маша, Катя, Борис; Татьяна и Алексей Дьяченко с внуком Глебом; Борис и Наина Ельцины.

◀ Семья Ельциных в 60-е годы (слева направо):
Борис Ельцин, брат Михаил, мама Клавдия Васильевна,
отец Николай Игнатьевич, сестра Валентина,
Наина Ельцина, дочери Таня и Лена.

«Лена и Таня – самые любимые,
самые мои дорогие люди».

«Думаю, дочери считали меня в детстве строгим папой». 1963 год.

С внучкой Машей. 1984 год.

С внучкой Катей. 1997 год.

С внуком Глебом. 1999 год.

«Но страсть к вождению все-таки компенсировал — езжу на снегоходе...»

«Охота, рыбалка — дело особое». ►

С мамой.

«Без нее я бы никогда не перенес всех этих политических бурь».

◄ «Наина — удивительно искренний, непосредственный человек».

Чувствуют — и тянутся к ней.

Мне всегда казалось совершенно уникальным ее общение с небольшим кругом московских актрис: Галиной Волчек, Софьей Пилявской, Мариной Ладыниной, Марией Мироновой, Верой Васильевой и другими. Это просто дружба, без тени кокетства и рекламы.

Нет, все-таки личное у президента — есть. Это близкие люди. Это святые традиции семьи. Это светлая радость от общения с детьми и внуками.

Это моя настоящая семья. А не та — придуманная, из телевизора.

...Когда я смотрю порой, как возятся где-то рядом с нами, взрослыми, малыши Глеб и Ванька, стараюсь представить их будущее, их судьбы — им-то достанется совсем другая Россия, совсем другой мир, другое тысячелетие. Вот только какая Россия? Будут ли они гордиться тем, что выросли в нашей стране, в нашем городе, в нашем доме?

Уверен — будут.

Иначе и быть не может.

«ЕЛЬЦИН СОШЕЛ С УМА»

4 августа, в среду, утром я встречался с Волошиным.

Хотел посоветоваться с Александром Стальевичем, когда все-таки решать вопрос о новом премьере. В сентябре—октябре или сейчас — в августе.

Осенью, вполне возможно, внешние причины для отставки найдутся. Понятные для всех. Но нужно ли ждать, пока ситуация дозреет сама? Причина-то, в сущности, одна: Степашин не может быть политическим лидером на парламентских и президентских выборах.

Да, сейчас отставка будет выглядеть совершенно нелогичной. Ну так и не нужно искать для нее логичных причин: якобы не справляется с тем или с этим. Нужно назвать реальную причину отставки: Путин! Путин — тот человек, с которым я связываю свои главные надежды. Тот человек, в которого я верю и которому могу доверить страну.

Август — самая отпускная пора. Назначение Путина будет как гром среди ясного неба. Все мгновенно накалится. Но несколько амортизирующих недель, когда людям так не хочется влезать в политику, выходить из благостного настроения, у нас будут.

У Путина будет время, чтобы взять разгон.

...Вызвал секретаря и сообщил ему, что завтра две встречи. С кем — скажу позже. Волошина попросил готовить документы.

5-го, рано утром, я встретился с Путиным.

Я объяснил положение вещей. Предстоит жестокая борьба. Прежде всего — предвыборная. Но не только. Удержать ситуацию в стране под контролем будет непросто во всех областях. Очень тревожно на Северном Кавказе. Возможны какие-то политические провокации в Москве. Трудно понять, способен ли нынешний состав правительства удержать инфляцию. От того, как новый премьер поведет себя в течение ближайших не только месяцев, но и недель, зависит буквально все. Зависит будущее страны.

«Я принял решение, Владимир Владимирович, и предлагаю вам пост премьер-министра».

Путин смотрел на меня внимательно. Молчал.

«Но это еще не все, — продолжил я. — Вы примерно представляете, почему я вынужден отставить вашего предшественника. Я знаю, что Степашин ваш друг, тоже петербуржец, но сейчас нужно думать о другом. Ваша позиция должна быть предельно корректной, выдержанной, но твердой. Только так вы достигнете и авторитета в обществе, и успешного итога парламентских выборов».

«На кого будем опираться на выборах?» — спросил Путин. «Не знаю, — честно ответил я. — Будем строить новую партию. Я, как человек, который намучился с парламентом больше, чем кто бы то ни было в истории, знаю, насколько вам необходима твердая опора в Думе. Но главное — это ваш собственный политический ресурс, ваш образ. Создавать его искусственно не надо. Но и забывать об этой проблеме нельзя».

Путин задумался.

«Предвыборной борьбы не люблю, — признался он. — Очень. Не умею ею заниматься и не люблю».

«А вам и не придется ею заниматься. Главное — ваша воля, уверенность. Ваши поступки. От этого все зависит. Политический авторитет либо приходит, либо нет. Вы готовы?»

«Буду работать там, куда назначите», — немногословно ответил Путин.

По-военному...

«А на самый высокий пост?»

Путин замешкался с ответом. Чувствовалось, что он впервые по-настоящему осознал, о чем идет разговор.

«Не знаю, Борис Николаевич. Не думаю, что я к этому готов». — «Подумайте. Я верю в вас».

В кабинете висела напряженная тишина. Каждый мельчайший звук я слышал очень отчетливо. Особенно ход часов.

У Путина очень интересные глаза. Кажется, что они говорят больше, чем его слова.

Кстати, как вообще появилась на моем горизонте кандидатура Путина?

Существует такое ненавистное мне понятие: «доступ к телу». Противно чувствовать себя «телом». Но это понятие обозначает, хотя и предельно цинично, реальную проблему любой власти. Регулярность и открытость контактов первого лица: с журналистами, творческой интеллигенцией, деловой элитой, представителями самых разных социальных слоев и групп, наконец, со своими помощниками. Этим определяются работоспособность и демократичность аппарата. Не всегда работоспособный аппарат демократичен. И наоборот. В этом сложность и тонкая грань, которую надо уметь чувствовать.

В бытность Сергея Филатова главой администрации, а Виктора Илюшина моим первым помощником (потом эти две должности были совмещены) встречи с Батуриным, Лившицем, Сатаровым, Пихоей, Красновым и другими помощниками были регулярными — раз в месяц, иногда раз в два месяца. Именно Илюшин был инициатором этих встреч. Иногда наступала длительная пауза. «Доступ к телу» бдительно перекрывался службой безопасности. Коржаков ревновал к «гнилым интеллигентам». Так продолжалось до начала президентских выборов 1996 года.

Потом наступил второй срок моего президентства. И Чубайс, и Юмашев, и Волошин сделали встречи с заместителями главы администрации рутинным ритуалом, обязательным еженедельным событием. Слушая, как новые молодые ребята раз в неделю докладывают мне о своих делах, я не мог не отметить эти разительные перемены. Знали бы они, какая борьба раньше шла за прием в этом кабинете, какие кипели страсти. Только по контрасту с этой системой работы я наконец осознал, в каких советских рамках мыслил общение с президентом мой прежний аппарат, «ближний круг».

Путина я приметил, когда он возглавил главное контрольное управление администрации, затем стал первым заместителем Юмашева (по региональной работе). В Кремле он появился в марте 1997 года. Иногда Путин оставался за старшего. И тогда встречаться нам приходилось чаще. Путинские доклады были образцом ясности. Он старательно не хотел «общаться», как другие замы, то есть излагать свои концепции, воззрения на мир и на Россию; казалось, специально убирал из наших контактов какой бы то ни было личный элемент. Но именно поэтому мне и хотелось с ним поговорить! Поразила меня и молниеносная реакция Путина. Порой мои вопросы, даже самые незамысловатые, заставляли людей краснеть и мучительно подыскивать слова. Путин отвечал настолько спокойно и естественно, что было ощущение, будто этот молодой, по моим меркам, человек готов абсолютно ко всему в жизни, причем ответит на любой вызов ясно и четко.

Вначале меня это даже настораживало, но потом я понял — такой характер.

...Летом 1998-го нас застала практически врасплох «рельсовая война». Бастующие шахтеры перегораживали железнодорожные магистрали, отрезая от центра Сибирь и юг России. Это была катастрофическая ситуация, каждый такой день приносил многомиллионные убытки, которые били по наименее обеспеченным людям — пенсионерам и бюджетникам, но главное — это создавало реальную угрозу массовых политических беспорядков. Во всероссийском масштабе. Я встретился с Николаем Ковалевым, тогдашним директором ФСБ. Он был почти что в панике, по разговору я понял, что ситуация для него новая и как с ней быть, он не знает. Я мог его понять — вроде бы забастовки не по его ведомству, но тем не менее угроза безопасности страны явно существовала. Политическая борьба — это одно, перерезанные транспортные артерии — совсем другое.

Ковалев, кадровый чекист, хороший профессионал, испытывал внутреннюю огромную антипатию к бизнесу, к его представителям. Ничего не мог с собой поделать, не любил людей с большими деньгами, и постепенно его ведомство переключилось на поиск новых врагов: искало компромат на коммерческие банки, на отдельных бизнесменов. Я не забыл и то, как в 1996-м следователи ФСБ активно занялись выдуманным «делом Собчака». Все это была единая политическая линия.

...Тогда, летом 1998-го, я задумался: кого ставить вместо Ковалева? Ответ пришел мгновенно: Путина!

Во-первых, он немало лет проработал в органах. Во-вторых, прошел огромную управленческую школу. Но главное, чем дольше я его знал, тем больше убеждался: в этом человеке сочетаются огромная приверженность демократии, рыночным реформам и твердый государственный патриотизм.

Путину сообщили о его назначении в момент вручения указа. Вот как это было.

Я находился в отпуске в Шуйской Чупе. Туда ко мне прилетел Кириенко и привез проект указа о назначении Путина. Я подписал его не колеблясь. 25 июля 1998 года Путин был назначен директором ФСБ.

После возвращения из отпуска я имел с ним большой разговор. Предложил вернуться на военную службу, получить генеральское звание.

«А зачем? — неожиданно ответил Путин. — Я уволился из органов 20 августа 1991 года. Я гражданский человек. Важно, чтобы силовое ведомство возглавил именно гражданский. Если позволите, останусь полковником запаса».

Довольно долго мы обсуждали кадровые проблемы ФСБ. Ситуация там была сложная. Многие сильные профессионалы ушли в частные структуры, многие готовы к увольнению в запас. Надо восстанавливать авторитет спецслужб, который был так сильно подорван в обществе после 1991 года. Надо сохранить традиции, оставшихся профессионалов и вместе с тем сделать их работу менее политизированной.

Путин очень грамотно провел реорганизацию ФСБ. По-человечески поступил с Ковалевым, не мешал ему решать какие-то свои бытовые проблемы. Мелочь, но в военной среде очень важная. Составил новое штатное расписание. Новая коллегия включала в себя, помимо замов, начальников Московского и Ленинградского УФСБ. Несмотря на то что впоследствии пришлось вывести за штат многих сотрудников, реорганизация прошла спокойно, я бы сказал, чисто. Путинская структура ФСБ, как показало время, оказалась вполне рабочей.

...Он вступил в должность в очень сложное время. Не время, а пороховая бочка.

Путин сделал очень жесткое заявление осенью по поводу политического экстремизма, когда казалось, что антисемитская волна, поднятая Макашовым, вот-вот выплеснется на улицы. Думаю, что многих его холодный взгляд и почти военная точность формулировок удержали от хулиганства и провокаций. Путин пытался не оставлять в покое ни одну радикальную группировку в Москве. Все они стали кричать в прессе, что наступила эпоха «полицейского государства».

Но самое главное — Путин занял очень твердую политическую позицию. Я уже писал об этом выше. Постоянные столкновения с премьер-министром, который хотел включить ФСБ в круг своего влияния, не смущали Путина. Он не давал себя использовать в политических играх. И в этом отношении его моральный кодекс был настолько тверд, что даже я поражался, — в тогдашних хитросплетениях власти было не мудрено запутаться и более опытному человеку, но у Владимира Владимировича всегда был единственный четкий критерий — моральность того или иного поступка. Порядочность того или иного человека. Он всегда был готов расстаться со своей высокой должностью, но не сделать того, что шло вразрез с его пониманием чести.

Он не торопился в большую политику. Но чувствовал опасность более чутко и остро, чем другие, всегда предупреждал меня о ней.

Когда я узнал о том, как Путин переправлял Собчака за границу, у меня была сложная реакция. Путин рисковал не только собой. С другой стороны, поступок вызывал глубокое человеческое уважение.

...Понимая необходимость отставки Примакова, я постоянно и мучительно размышлял: кто меня поддержит? Кто реально стоит у меня за спиной?

И в какой-то момент понял — Путин.

5 августа. Я вызвал в кабинет Степашина и Волошина. Степашин сразу разволновался, покраснел.

«Сергей Вадимович, сегодня я принял решение отправить вас в отставку. Буду предлагать Владимира Владимировича Думе в качестве премьер-министра. А пока прошу вас завизировать указ о назначении Путина первым вице-премьером».

«Борис Николаевич, — с трудом выговорил Степашин, — это решение... преждевременное. Я считаю, что это ошибка».

«Сергей Вадимович, но президент уже принял решение», — заметил Волошин.

«Борис Николаевич, я очень вас прошу... поговорить со мной наедине».

Я кивнул, и мы остались один на один.

И он начал говорить... Говорил долго. Лейтмотивом было одно: «Я всегда был с вами и никогда вас не предавал». Сергей Вадимович вспоминал события 91-го и 93-го годов, события в Буденновске и Красноармейске. Обещал исправить все свои ошибки, немедленно заняться созданием новой партии.

Понимая всю бессмысленность этого разговора, я никак не мог прервать Степашина. Все было правильно: верный, честный. Никогда не предавал. И никаких причин для отставки. Кроме одной, самой важной: не тот человек — в нынешней борьбе нужен другой! Но как ему это объяснить?

Вот здесь я и почувствовал, что у меня кончается терпение.

«Хорошо, идите, я подумаю», — как можно более спокойно сказал я.

Степашин вышел. В дверях прошептал Волошину: «Что вы тут на меня наговорили? Вы что, с ума сошли, в такой момент?»

Настроение было ужасное.

Вызвал Волошина и зло сказал: «Что вы медлите? Несите указы! Вы же знаете мое решение!»

Он принес указы на подпись.

«Вы Степашину сами скажите об отставке. Я с ним встречаться больше не буду», — сказал я.

Волошин не стал долго спорить. Только заметил: «Борис Николаевич, может быть, подумаете до понедельника... Вы лучше меня знаете, только президент может говорить премьеру об отставке».

Да, Волошин был прав. Я решил, что встречу со Степашиным я проведу в понедельник утром.

В этот же день мне позвонил Чубайс. Очень настойчиво стал просить о встрече. Я сразу понял, о чем пойдет речь. Это ускорило решение, подстегнуло его, хотя Чубайс, напротив, хотел меня притормозить. Назначил встречу с ним на 9.15, а со Степашиным — на 8 утра.

Кстати, несколько позже я узнал, какую атаку на администрацию, и в первую очередь на Путина, предпринял Чубайс.

Он, видимо, ни на минуту не сомневался, что я принимаю ошибочное решение, ведущее нас к катастрофическим последствиям.

Прежде всего Чубайс встретился с самим Путиным. Предупредил его о том, какие страшные удары его ждут в публичной политике. Главный аргумент был таков: Путин никогда не был на виду, не знает, что это такое. И лучше отказаться сейчас самому, чем потом под влиянием обстоятельств.

Путин сказал: извини, но это решение президента. Я обязан его выполнить. Ты на моем месте поступил бы точно так же.

Тогда Чубайс решил действовать через администрацию. В воскресенье, пока возникла неожиданная пауза (не зря я так не любил этих пауз при принятии важного решения), он предложил собраться узким кругом: Волошин, Юмашев, Таня.

Чубайс приводил такие аргументы: после достаточно болезненной для общества отставки Примакова немотивированная отставка Степашина будет воспринята как полное разложение Кремля. Как политическая агония. Все решат, что президент совсем сошел с ума. Это и будет сигналом для наступления со всех сторон: Думы, Совета Федерации. Тогда остается только включить последний ресурс — «массовые выступления трудящихся». Вспомните «рельсовую войну», говорил Чубайс. Это делается «на раз». А разъяренный Лужков, который может вывести на Красную площадь десятки тысяч? Неужели вы этого не чувствуете? Да, я согласен, Путин лучше, и выбор президента правильный Но все равно, у Ельцина нет ни политических, ни моральных ресурсов снять Степашина и поставить Путина.

И тогда вдруг Волошин предложил совершенно неожиданный вариант: «Если сейчас оставить Степашина, в этом случае администрацию должны возглавить только вы, Анатолий Борисович. Я не сомневаюсь в высоких человеческих качествах Сергея Вадимовича. Но если вы уверены в его победе, становитесь мотором всей команды, мы же будем вам помогать».

Это предложение наверняка было для Чубайса абсолютным шоком. Он работал в РАО ЕЭС, ключевой монополии государства. И положение, когда он был в стороне, но при этом управлял политической ситуацией, его вполне устраивало. Он не хотел возвращаться в администрацию. Но другого выхода не было. Чубайс дал понять, что готов.

Об этом эпизоде позже мне рассказал Волошин.

Я всегда доверял политическому чутью Анатолия Борисовича. И в критические моменты он не раз убеждал меня в своей правоте. И все-таки в тот момент, говоря откровенно, шансов изменить мое решение у Чубайса не было никаких. То, что я невероятно рискую, когда ставлю практически на «чрезвычайного» премьера, было очевидно. Но в отличие от Чубайса, который просчитывал ситуацию исключительно логически, я интуитивно чувствовал мощь и силу Путина, перспективность этого шага. И еще — атмосферу, возникшую в обществе.

Общество было готово воспринять новую фигуру, и фигуру достаточно жесткую, волевую. Несмотря на полный раздрай в политическом истеблишменте, люди должны были поверить Путину. Да, это был огромный риск. Действие без всякого запаса прочности.

И тем не менее за все эти годы мне удалось создать такую ситуацию, при которой выход за рамки Конституции ни для кого уже не был возможен. Политический ресурс был именно в этом — несмотря на продолжавшийся правительственный кризис, никто бы не решился выйти с дубьем на президента и на нового премьера. Тем более если этим премьером станет Путин, недавний директор ФСБ.

Думаю, Чубайс и сам почувствовал мою решимость.

В восемь часов утра состоялась встреча у меня в Горках: Путин, Аксененко, Степашин, Волошин.

Мы поздоровались со Степашиным, но никому, кроме меня, он руки не подал. Я не стал тянуть: «Сергей Вадимович, я подписал указы о назначении Путина первым вице-премьером и о вашем уходе в отставку». Степашин насупился: «Я этот указ визировать не буду».

Вмешался Аксененко: «Перестаньте, Сергей Вадимович!»

Путин остановил Аксененко: «Николай Емельянович, человеку и так тяжело. Давайте не будем».

«Хорошо, — сказал Степашин. — Я подпишу. Из уважения к вам, Борис Николаевич».

9 августа я выступил с телеобращением к нации:

«Сегодня я принял решение об отставке правительства Сергея Вадимовича Степашина. В соответствии с Конституцией я обратился в Государственную Думу с просьбой утвердить Владимира Владимировича Путина в должности Председателя Правительства Российской Федерации. Убежден: работая на этом посту, он принесет большую пользу стране, и россияне будут иметь возможность оценить деловые и человеческие качества Путина. Я в нем уверен. Но хочу, чтобы в нем были также уверены все, кто в июле 2000 года придет на избирательные участки и сделает свой выбор. Думаю, у него достаточно времени себя проявить. Я знаю хорошо Владимира Владимировича, давно и внимательно наблюдал за ним, когда он работал первым вице-мэром Санкт-Петербурга. Последние годы мы работаем с ним бок о бок.

...Руководить правительством — это тяжелая ноша и серьезное испытание. Справится — в этом я уверен, — и россияне окажут ему поддержку».

«ВТОРАЯ ЧЕЧЕНСКАЯ»

8 сентября 1999 года, отвечая на вопрос журналистов, Владимир Путин сказал: «Россия защищается: на нас напали. И поэтому мы должны отбросить все синдромы, в том числе и синдром вины».

Много воды утекло с тех пор, как были сказаны эти слова. Многое изменилось и в Чечне, и вокруг нее. Однако синдром вины все же есть. Есть непонимание. Даже в самой России. Но чаще Запад пытается внушить нам это чувство вины. Хочу поговорить как раз на эту тему. Высказать и свою точку зрения на этот больной вопрос.

То, что ситуация в Чечне на грани, нам всем было ясно. Еще 5 марта в Грозном, прямо с борта самолета, который должен был через пару минут вылететь в Москву, был нагло, демонстративно захвачен генерал Шпигун, ни много ни мало заместитель министра внутренних дел! Аслан Масхадов, который вплоть до этого эпизода продолжал настаивать на сотрудничестве своих правоохранительных органов с Россией в деле освобождения заложников, потерял всякий контроль над ситуацией, всякую власть в Чеченской республике. Мы понимали, что ситуация может вступить в новую страшную фазу открытого противостояния.

Назначение Владимира Путина исполняющим обязанности председателя правительства происходило на фоне вторжения чеченских боевиков в Дагестан. Оно началось буквально через два дня после моего указа. Как мне потом признавался Владимир Владимирович, в тот момент он совершенно не думал ни о своей политической карьере, ни о будущем президентстве. Новый премьер решил использовать предоставленные ему, как он думал, два-три месяца для решения одной-единственной задачи — спасения федерации, спасения страны.

Ослабление государственной машины, ослабление спецслужб и армии, которое закономерно последовало после распада СССР, грозило дать вторичные метастазы уже в новый организм — в новую Россию.

Путин одним из первых почувствовал эту страшную опасность.

Он понимал, что ситуация в Чечне грозит перекинуться на весь Северный Кавказ, а затем, при таком развитии событий, мусульманские сепаратисты при поддержке извне могли бы начать процесс отделения от России и других территорий.

Такой мощный взрыв сепаратизма внутри страны грозил ее окончательным распадом на несколько частей, религиозно-этническим конфликтом по всей территории, гуманитарной катастрофой гораздо большего размера, чем это случилось в Югославии. ...Этот сценарий прочитывался легко. Гораздо сложнее было найти в себе мужество и волю не допустить такого развития событий.

Путин обратился ко мне с просьбой предоставить ему абсолютные полномочия для руководства военной операцией, для координации действий всех силовых структур. Я не колеблясь поддержал его. Практически на моих глазах, за какие-то считанные недели, он переломил ситуацию в работе наших силовых ведомств. Каждый день он собирал их руководителей у себя в кабинете, каждый день вновь и вновь заставлял объединять все ресурсы силовиков в единый кулак.

Кстати, в этот момент я сознательно и целенаправленно начал приучать общество к мысли, что Путин — это и есть будущий президент. Газетные обозреватели были полны недоумений, сомнений, тревог: я в полном объеме доверял Путину то, что прежде не доверял никому. Каждую субботу он проводил встречи с силовыми министрами по ситуации в Чечне. Вел Путин и расширенные заседания Совета безопасности. Представлял интересы России на международном саммите в Осло. Вручал награды, принимал послов иностранных государств, делал все больше и больше официальных политических заявлений. Мне было очень важно, чтобы люди начали привыкать к Путину. Начали воспринимать его как главу государства. Я был уверен в том, что все идет правильно.

Чувство правоты, точного шага. Его ни с чем не перепутаешь.

Ситуация в Дагестане постепенно возвращалась в мирное русло, под наш контроль.

...Вот тогда-то и прозвучали страшные взрывы в Буйнакске, потом в Москве. Многоэтажный жилой дом на улице Гурьянова, через неделю — на Каширском шоссе. Затем последовал взрыв дома в маленьком провинциальном Волгодонске. Из-под обломков спасатели доставали тех немногих, кто остался в живых, доставали мертвые тела. Телевидение транслировало на всю страну непрерывный страшный репортаж.

Над страной навис настоящий страх. Люди не могли спокойно спать, ночами дежурили у подъездов своих домов, в панике срочно переселялись на дачные участки, бежали в деревни, к родственникам и знакомым, даже в другие республики СНГ.

...Расчет террористов был точен. Однажды, в Буденновске, в 1995 году, они уже применяли эту тактику. Только теперь их дьявольский замысел был еще страшнее: теперь они пытались взять в заложники не районную больницу, как тогда, в Буденновске, а целую страну. Они надеялись, что, устав от страха, ожидания, ужаса, государство отступит, оставит бандитов в покое, безропотно отдаст им Дагестан.

К счастью, этого не произошло.

Нашелся человек, который остановил страх. И этим человеком стал Путин.

Его жесткие заявления, подкрепленные началом военной операции на территории Чечни — бандиты будут найдены и уничтожены везде, где бы они ни находились, — стали главным политическим событием осени 1999-го. Путина упрекали за то, что он выражается грубо, резко, употребляет жаргон. Может ли премьер великой страны говорить такие недопустимые для него в любой другой ситуации слова: «мочить в сортире»? Но именно потому, что Путин в тот момент абсолютно не думал о своей репутации, о своем имидже, не надеялся на то, что его политическая карьера будет продолжена после чеченских событий, он нашел единственно правильный тон и правильные слова. В них была не ненависть к террористам, а презрение к ним. Не тревога, не озабоченность стали лейтмотивом этих выступлений, а холодная уверенность в своей силе настоящего защитника, мужчины.

...Именно эти заявления, порой далекие от дипломатического стиля, принесли Путину в короткий срок огромную популярность в России.

Он не рисовал образ врага и не пытался разжечь в россиянах низкие шовинистические инстинкты. Я глубоко убежден, что причина популярности как раз в том, что Путин сумел внушить людям надежду, веру, дать ощущение защищенности и спокойствия. Он не играл словами, он искренне и твердо отреагировал на события, так, как ожидали от него десятки миллионов людей в России.

Путин дал людям обеспеченные государством гарантии личной безопасности. И люди поверили лично ему, Путину, что он сможет их защитить. Это стало главной причиной взлета его популярности.

Страна, загипнотизированная правительственными кризисами, давно не имела столь позитивной идеологии. И то, что создал эту идеологию молодой, только что пришедший во власть политик, произвело на всех очень сильное впечатление.

Путин избавил Россию от страха. И Россия заплатила ему глубокой благодарностью.

Но при этом нельзя забывать и о тяжких последствиях войны. Да, сегодня есть масса фактов, свидетельствующих о том, что во «второй чеченской» пострадали мирные жители. Люди потеряли свои дома, имущество, многие мирные чеченцы лишились жизни, здоровья. Однако должна ли российская армия нести ответственность за эту беду?

...Может ли кто-нибудь представить себе такую ситуацию, чтобы российские солдаты прятались в домах мирных жителей, стреляли оттуда по вооруженному противнику, подставляя тем самым своих женщин и стариков под ответный огонь? Думаю, никто.

Издали война видится совсем иначе. У нас, в России, практически все люди понимают, за что воюют российские солдаты. Почему они там воюют. Тем не менее кадры, которые день за днем в течение многих месяцев показывали телекомпании мира, убедили международное общественное мнение в том, что якобы идет агрессия против мирного населения, против народа. Повторю то, что говорил уже не раз, то, что российские представители объясняли западным партнерам тысячу раз: Россия воюет против агрессора — созданных на территории Чечни террористических банд, в составе которых множество наемников из арабского мира, из Афганистана, даже из Юго-Восточной Азии. Это хорошо вооруженная (порой по последнему слову техники), обученная армия убийц. Армия экстремистов, которые на самом деле не имеют ничего общего с подлинным исламом.

Вот передо мной наградные листы тех, кто воевал против экстремистов на территории Чечни и Дагестана.

Сержант Никишин Дмитрий Николаевич. Разведчик. На окраине поселка Тасута, в Дагестане, в жестоком бою был ранен его командир. Рискуя жизнью, сержант вынес раненого командира с поля боя. Удостоен звания Героя России.

Подполковник Стержантов Александр Линович. Командир группы разведчиков, вместе со своим отрядом захватил господствующую высоту на горе Чабан, в Дагестане. Группа боевиков, поддерживаемая огнем из минометов, гранатометов, снайперами, атаковала разведроту Стержантова. Бой длился четыре часа. Сорок один солдат был ранен, трое погибли. Александр Линович организовал выход своей группы из окружения, вынося тела погибших и эвакуируя всех раненых. Вызвал огонь артиллерии на себя. Прикрывая отход подразделения, подполковник вел огонь из автомата, пока последний солдат не оказался в безопасности. Он последним покинул поле боя. Подполковник Стержантов чудом остался жив. Удостоен звания Героя России.

Командир инженерно-саперного батальона майор Крюков Олег Васильевич. 5 сентября 1999 года в районе военного городка, около госпиталя, был обнаружен грузовой автомобиль, начиненный взрывчатой смесью. Полторы тонны взрывчатки. Майор Крюков провел инженерную разведку, обнаружил часовой механизм в машине со взрывчаткой и за пятнадцать минут до взрыва обезвредил его. Удостоен звания Героя России.

Всем этим людям я лично вручал награды в Кремле. Один сержант, совсем молоденький, так разволновался, что не смог ни слова вымолвить. Я пожал ему руку, заглянул в глаза, а в них стоят слезы. А ведь эти глаза видели смерть.

...Таких боевых эпизодов на территории Чечни и Дагестана были сотни и тысячи. Эти подвиги — борьба с террористами, но никак не война с народом. Мне кажется, это давно пора понять всем в мире.

Международное общественное мнение, которое хотело бы пригвоздить Россию к позорному столбу за «военные преступления», не знает и не хочет знать, что́ на самом деле является главной причиной гибели мирных жителей. Мы никогда не проводили в Чечне массовых расстрелов безоружных людей, не было там ни этнических чисток, ни концентрационных лагерей. Главная причина ракетных ударов и бомбежек, которые принесли боль и горе простым людям, — это война, развязанная террористами против российского народа. Главная причина — в том, что террористы прятались за спинами мирного населения.

Вызов, брошенный нам в Чечне, — это вызов глобальный, исторический.

Когда я слышу о «военных преступлениях» российской армии, мне хочется спросить: является ли «военным преступлением» тот факт, что чуть ли не основным источником своего существования бандиты сделали доход от продажи людей в рабство и получение выкупа за их жизни?

В Чечне содержалось не менее двух тысяч заложников-рабов. И их число постоянно росло не только за счет российских военнослужащих (хотя кому-то очень хочется представить дело именно таким образом). В заложники попадали и граждане других государств: например, двое англичан из гуманитарной миссии, мужчина и женщина, несколько месяцев подвергались пыткам и изнасилованиям, пока за них не был получен выкуп. Выкуп хотели получить и за представителей английской телефонной компании, устанавливавшей спутниковую связь для Масхадова и других лидеров боевиков. Но их украли другие бандиты и отрезали несчастным головы. Весь мир видел эти ужасающие фотографии, но, похоже, не весь мир понял суть происходящего.

Вывозили в Чечню крошечных детей (одному из заложников не было еще и года), молодых женщин, азербайджанских крестьян, сибирских и московских бизнесменов, простых рабочих. Издевались, пытали, насиловали.

В работорговлю были втянуты шайки ингушских, дагестанских, русских бандитов. Страшное, не укладывающееся в голове явление стало массовым!

Израильский мальчик Ади Шарон был похищен в центре Москвы. Чуть ли не в те же дни, когда были взорваны два жилых дома. Похитители, среди которых было несколько чеченцев и несколько русских, вывезли его в Пензу. Спрятали там. Требовали выкуп. Пытали, отрезали пальцы. В чем провинился израильский мальчик, которого все-таки удалось спасти? А ведь многих заложников так и не спасли...

Вот он — вызов, брошенный России, да и не только ей — всему человечеству. По крайней мере — всей Европе. И пусть никого не вводят в заблуждение зеленый мусульманский флаг террористов, цитаты из Корана, белые одежды «ваххабитского учения».

Нет у них ни учения, ни флага, ни права цитировать духовные книги. Это — изверги.

В Чечне цивилизация была отброшена минимум на несколько столетий назад. Боялись быть украденными люди даже из отдаленных уголков России, безумие чеченского рабства вошло в массовое сознание как реальная угроза.

Но это лишь одна грань подлинной чеченской трагедии. То, что волновало буквально каждого человека здесь, в России. Однако меня, как президента, волновало и другое — геополитическая составляющая бандитского сепаратизма. Новое образование грозило разорвать Россию изнутри.

Остановлюсь еще на одном крайне болезненном вопросе чеченской войны.

Владимир Путин с самого начала предупреждал: будут жертвы среди наших солдат. Но заканчивать военную операцию необходимо, доводить ее до логического конца нужно, чтобы не было потом жертв намного более страшных!

Эта простая мысль, знакомая любой стране, любому народу, который сталкивался с массовым террором (в том числе, как я уже говорил, народам Англии, Франции, Израиля), впервые столь внятно и четко была озвучена после нескольких лет сосуществования с бандитами за ширмой государственности Чечни.

И до сего дня в больших и малых городах России оплакивают тех, кто погиб, защищая Родину. Эти жертвы, безусловно, ложатся на власть нелегким грузом политической и моральной ответственности.

Но есть у этих скорбных цифр наших потерь и другой подтекст. С каждым днем в глазах людей фигура российского военного, человека, защищающего страну и порядок на ее территории, все больше очищается от наносной грязи политической конъюнктуры. Становится объединяющим, мощным национальным символом.

Страна уже не сможет забыть и предать этих ребят.

У любой войны есть оппоненты. И это — правильно. Это в природе человека. В конце концов, я тоже противник войны. И Владимир Путин — ее противник.

Военная операция была нужна не только для сохранения целостности России, для защиты наших граждан, для демонстрации политической воли и силы государства. Она была нужна в первую очередь для того, чтобы в республике установился прочный, настоящий мир. И нормальная жизнь.

Я знаю, что этот постулат воспринимается многими как «российская пропаганда». Но вот конкретные факты. Конкретные судьбы.

Россия восстанавливает в Чечне все, что можно заново отстроить и восстановить. 40 больниц, 11 поликлиник, 2 станции переливания крови, 2 госпиталя, 1 родильный дом. В районах республики начинают работать службы «Скорой помощи». Скоро чеченские дети вновь смогут нормально учиться, чего они были лишены последнее время. В Чечню возвращаются электрическая энергия и газ. Будут в Чечне и нормальная канализация, и водоснабжение. Это значит, что вновь появится чистая вода. Люди не будут умирать от тифа и дизентерии.

В каждом освобожденном районе Чечни устанавливаются станция космической связи и обычная телефонная связь. Начали ходить рейсовые автобусы.

Я знаю, что в западной прессе упорно муссируются слухи о том, что Грозный будет окончательно разрушен, стерт с лица земли. Это неправда. Несмотря на огромные трудности, столица Чечни вновь станет жилым городом, будет восстановлена.

И беженцы знают обо всем этом. Многие люди уже вернулись в Грозный, и с каждым днем на территорию Чечни возвращается все больше людей. Россия присылает в Чечню учителей, врачей, строителей. Восстанавливает мечети, железные дороги.

Врач Любовь Дорошенко ежедневно консультировала и лечила более ста жителей Грозного, благодаря ей более полутора тысяч жителей получили точные диагнозы и отправились на лечение. Врач Ирина Назарова, анестезиолог-реаниматолог, неоднократно сдавала свою кровь при операциях для спасения мирных жителей Чечни. И таких российских людей, помогающих сейчас Чечне, — сотни и тысячи.

Перед ними можно только преклоняться. Их подвиг незаметен на общем фоне военных действий. А ведь они сделали главное — именно они, строители, инженеры, врачи, убедили мирное население Чечни, что вместе с Россией сюда возвращаются медицина, культура, строительство, возвращается работа, возвращается мир.

...Я приемлю в полемике о Чечне любую позицию, любые аргументы. Кроме откровенной лжи.

А сегодня, к сожалению, и у нас, в России, и в мире есть люди, которые разговаривают с нами на языке подтасовок. Оказывается, это не чеченские террористы совершили нападение на Россию, а российская армия — на «свободную Чечню». Оказывается, это не террористы взорвали дома в Москве, а российские спецслужбы, чтобы развязать эту агрессию.

...Я бы мог понять, если бы эта версия событий была разработана чеченскими сепаратистами в целях информационной войны, распространялась только на их деньги. К большому сожалению, это не так.

На мой взгляд, внедрять сегодня такую кощунственную версию в сознание людей — профессиональное и моральное преступление.

Тем более что уже многое известно. В результате следственных действий найдены вещественные доказательства — механизмы и взрывчатые вещества, аналогичные тем, что использовались в Москве, были найдены на базах боевиков в Чечне. Установлены фамилии преступников, которые проходили подготовку на базах террористов в Чечне. Задержаны их непосредственные помощники. Я убежден, что не за горами и судебный процесс по этому делу.

Но фальсификация продолжается. Кому-то очень выгодно держать на поверхности общественного внимания ложь о том, как начиналась «вторая чеченская».

В тот момент звучала еще одна тема оппозиционных политических аналитиков: Чечня — это некий политический ресурс Путина.

В том-то и дело, что популярность Владимира Путина на фоне чеченской войны не была предсказуемым политическим рецептом. Более того, Путин повел себя в этой ситуации как политический камикадзе, бросил в эту войну весь свой ресурс, сжигая его дотла, не желая осторожничать. И тот, кто сегодня утверждает обратное, — просто врет.

Путин никогда не хотел быть президентом, не рвался к власти, напротив, долго сомневался, принимать ли мое предложение.

Да, наш мир не застрахован от любых провокаций, от любых угроз, которые могут исходить откуда угодно. Главное — как ведут себя люди. Что они делают перед лицом угрозы.

...До сих пор стоят у меня перед глазами эти тела, которые кусками доставали из сырой осенней московской земли. Из развалин взорванных домов.

Я эту картину не забуду никогда.

ПОСЛЕДНИЙ САММИТ

Прежде чем я расскажу о моей последней встрече с лидерами крупнейших мировых держав, несколько слов о том, как окончилась «новая холодная война». 20 июня 1999 года в Германии, в Кёльне, состоялся долгожданный саммит «восьмерки», в котором Россия вновь принимала участие.

Только что завершилась война в Югославии. Ситуация была крайне напряженной.

...Провел я в Германии всего семь часов. Поездка эта была нужна, в сущности, для того, чтобы сказать всего лишь одну фразу: «Нам надо после драки помириться».

Повторили мои слова, кажется, все газеты и телеканалы мира без исключения.

Это была резкая смена международных позиций Москвы. Еще недавно наши дипломаты в связи с событиями в Югославии принимали очень жесткие решения, словно готовя и наше, и зарубежное общественное мнение к длительной, затяжной конфронтации.

Нужно было срочно возвращаться на мировую дипломатическую арену, срочно что-то предпринимать.

В Кёльне мы сделали первый шаг навстречу Западу после югославского кризиса.

...Тони Блэр сказал на итоговой пресс-конференции: «У нас разные подходы к косовскому урегулированию. Но это прекрасно, что мы снова вместе. Нас объединяет стремление сделать Балканы свободными от этнических конфликтов».

Россия подтвердила свой статус равного политического партнера, без которого немыслимо разрешение мировых конфликтов и решение важных вопросов. Особенно европейских. В своих заявлениях лидеры стран старательно подчеркивали, что в клубе не семь, а восемь полноправных членов.

Причина этой искренней радости объяснялась просто: Россия дала возможность НАТО с достоинством выйти из конфликта, а затем сама решительно отказалась от возобновления «холодной войны». Самый серьезный кризис за последние чуть ли не двадцать лет в отношениях Запада и России (его сравнивали даже с карибским кризисом), к всеобщему облегчению, был исчерпан. Именно этот вздох облегчения и прозвучал наконец в Кёльне.

Покидая саммит в Германии, вместе с чувством громадного облегчения и выполненного долга я испытывал и тревогу. Легко вступить на путь конфронтации, но трудно с него уйти. В мире за время югославского кризиса накопилось слишком много отрицательных эмоций по поводу самостоятельной, независимой позиции России. И рано или поздно нам дадут это почувствовать.

Как только началась операция в Чечне, я сразу понял: вот теперь-то и настал «момент истины» для наших отношений с Западом! Теперь попытаются нас прижать по-настоящему!

...Вернувшись с международной конференции в Осло, где уже активно обсуждалась чеченская тема, Путин рассказал мне о забавном эпизоде. Прощаясь, Клинтон ему сказал: «До скорой встречи в Стамбуле, Владимир!» «Нет, мы с вами в Стамбуле не встретимся, — заметил Путин. — Туда поедет Борис Николаевич».

«О Господи, только этого не хватало!» — схватился за голову Клинтон. Путин смеялся, рассказывая мне эту историю, а смотрел испытующе. Да, в Стамбуле нас ожидали тяжелые минуты. Готов ли я к ним — и морально, и, главное, физически?

На всякий случай к поездке стал готовиться и Путин. Но мы оба знали: ехать должен только я!

...Биллу не очень хотелось встречаться со мной в Стамбуле. Западные страны готовили крайне жесткое заявление по Чечне. И все об этом прекрасно знали. По сути дела, начинался новый этап изоляции России. Этому надо было помешать во что бы то ни стало.

Постепенно, день за днем, я начал исподволь готовить себя к поездке. Думал все время о Стамбуле. Представлял себе зал, лица, атмосферу. Все это было настолько привычно, что представить себе эту обстановку мог легко.

Один из важнейших элементов работы президента во время таких визитов — подготовка выступления. Работа над текстом порой продолжается до последней минуты. На примере Стамбула хочу показать читателю, как это происходит.

Знал, что выступление будет максимально жестким. Но общая задача — это одно, конкретные слова — другое. Я всегда любил отходить от текста, не ограничиваться тем, что написано на бумаге. Так было и на этот раз.

Первый заготовленный для меня текст правил нещадно. Вставлял туда самые жесткие и резкие формулировки. Текст возвращался снова ко мне — приглаженный и прилизанный. Международники боялись жесткой конфронтации с западными партнерами. Прочитав очередной вариант, среди ночи я позвонил Волошину по телефону: «Вы что, надо мной издеваетесь, Александр Стальевич?» Я грозил всех уволить.

Тем не менее чувствовал: помощники в чем-то правы. Нельзя перегнуть палку.

Резкий, жесткий тон, но не угрозы. Это должна быть рациональная, сухая, лишенная сантиментов позиция.

А позиция наша в Чечне простая. Мы спасаем мир от международного терроризма. Мы спасаем Россию от угрозы распада.

За три дня до вылета я сказал своему «дублеру» — Путину: «Все, решено, Владимир Владимирович. Еду я».

Правку текста продолжал делать уже в самолете.

Я знал, что от самого выступления зависит многое, но не все. По огромному опыту встреч с Клинтоном знал — он живой, открытый человек. Но когда нужно, включает холодность, сухость. Вообще же на Клинтона огромное влияние оказывает само общение.

Еще раз внес рукописную правку в текст выступления: «Никто не имеет права критиковать нас за Чечню».

Отдал текст Игорю Иванову и моему помощнику Сергею Приходько для доработки. Через некоторое время они вернулись, стали убеждать, что так нельзя. Я отобрал у них текст, еще раз прочитал. «Идите, я подумаю». Утром снова перечитал и фразу оставил. Пришлось так и читать, с рукописной вставкой.

Клинтон чувствовал, что я буду резок, с первых секунд: он вошел «неправильно», не в те двери, которые были положены по протоколу, и пошел через весь зал, метров сто, стал здороваться со всеми, улыбаться, дал понять всем, кто в этом зале хозяин.

Я показал ему на часы: «Опаздываешь, Билл!» Он улыбнулся. Ну вот. Уже легче.

Почти кожей ощутил: весь огромный зал как будто усыпан осколками недоверия, непонимания. Начал читать текст, максимально вкладываясь в каждое слово. И понимал, что каждое слово попадает в цель.

На меня смотрели живые лица, одни осуждали, другие выражали свое полное одобрение. Ширак и Шрёдер сидели с тяжелыми лицами. Такого напора они явно не ожидали.

И Германия, и Франция заняли по поводу чеченской проблемы наиболее жесткую позицию. Я понимал, что оба лидера вынуждены следовать в фарватере общественного мнения в своих странах. После окончания встречи Ширак подошел ко мне, сказал, что очень хотел бы поговорить втроем — я, он и Шрёдер. Хотя бы полчаса. Это был их последний шанс добиться каких-то уступок от России. «Нет, — твердо сказал я. — У нас еще будет время».

Общая резолюция встречи в Стамбуле не обходила стороной чеченскую проблему, но главное — в заявлении не прозвучало жесткого осуждения нашей позиции в Чечне, как это планировалось. Ширак выглядел на подписании не очень здорово. Я отказался даже от пятиминутной встречи с ним. Считал, не время. Пусть подумает о своей позиции.

Это была победа...

Важная международная победа России.

Из Стамбула летел с двойственным чувством. С одной стороны — огромная радость, что дело сделано. И сделано мной.

С другой стороны — какая-то пустота, грусть. Встреча-то, наверное, последняя.

Закончилось мое, «ельцинское», десятилетие в международной политике.

В это десятилетие дипломатические контакты нашей страны были абсолютно доверительны, тесны, подкреплены личными отношениями.

Мне удалось утвердить в дипломатии новый термин — многополюсный мир. Отношения с Японией, Индией, Южной Кореей, другими азиатскими странами были подняты на новую высоту. Особенно я рад созданию очень доверительного тона в отношениях с нашими китайскими друзьями.

С другой стороны, события последнего, 1999 года в Югославии и на Кавказе увели отношения России и Запада не в ту сторону, в какую бы нам хотелось. К сожалению, это — объективная реальность, с ней ничего не поделаешь.

И все-таки наши отношения за все эти годы успели стать принципиально другими.

Мы не собираемся состязаться в военном могуществе. Не будем держать огромную армию за пределами страны. Не станем строить свою дипломатию на силе.

Россия постепенно становится частью объединенной Европы. Об этом говорит все: политика, экономика, повседневная жизнь людей. Мы сейчас уже составная часть общеевропейского рынка, общеевропейского дома. Мы зависим от его атмосферы, живем в ней — все совсем иначе, чем это было всего 10 лет назад.

Но у этого процесса есть и серьезные оппоненты. Есть они и у нас в России, и в США, и в Европе. Североатлантическая стратегия НАТО, то есть превращение блока в инструмент политического давления, пока игнорирует национальные интересы России.

К сожалению, эту проблему решать уже не мне, я оставляю ее новому российскому лидеру.

Решать ее можно по-разному. Можно было бы интегрироваться в НАТО, вписаться в европейскую безопасность как равноправный партнер. Но в НАТО нас не ждут. В ближайшие годы этот путь вряд ли станет реальным.

Второй путь — строительство новой мощной оборонительной системы. Уже на своих границах. В перспективе — на военных базах стран СНГ, которые придется брать в дорогую аренду. Но на этом пути есть одна серьезная проблема — позиция бывших советских республик. Их сейчас пытаются во что бы то ни стало отрезать от России, от ее влияния. В том числе и с помощью особых отношений с НАТО. Между тем миллионы граждан этих стран работают и живут сейчас в России. Экономика ближнего зарубежья получает от нас постоянную подпитку в виде товарного рынка, энергоносителей, налоговых и таможенных льгот. Такой двойной стандарт по отношению к нам абсолютно недопустим.

Возможно, оба варианта могут оказаться не взаимоисключающими. Но нащупать свой точный путь можно только в постоянном политическом диалоге, а не в изоляции. Изоляции нельзя допускать ни в коем случае.

...Я вынул из нагрудного кармана пиджака уже ненужный текст выступления. Самолет снижается, берет курс на «Внуково». Вот и все.

Кончилось. Да, немножко грустно.

...Но я верю, что Путин не потеряет главного ориентира России — уникальность ее роли в мире и вместе с тем полная интеграция в мировое сообщество.

Видит Бог, я этот ориентир никогда не терял.

ПАРТИЯ ЦЕНТРА — «ЕДИНСТВО»

После того как Владимир Путин был назначен исполняющим обязанности премьер-министра, а затем утвержден Думой на этом посту, я стал искать решение следующей политической задачи — победы на выборах.

Да, рейтинг Путина непрерывно рос. Но после парламентских выборов, на которых политологи прочили успех партии коммунистов и блоку Лужкова—Примакова «Отечество — Вся Россия», ситуация могла измениться.

Не имея на этих думских выборах близкой себе по духу, по-настоящему центристской, консервативной партии, Владимир Путин рисковал дать своим соперникам огромную фору. Любой успех сильно «накачивает», усиливает участника предвыборной гонки, тем более такой крупный, как успех на выборах в Думу.

...Но даже если парламентские выборы и не смогли бы сильно повлиять на исход президентских, что с того? Разве сможет новый президент нормально работать с Думой, строить нормальную экономическую политику, если ему по-прежнему будет противостоять оголтело ожесточенный парламент? А судя по дикой информационной кампании последних месяцев, кампании, в которой наши оппоненты прибегали к самым запрещенным приемам, это будет именно так.

...Нет, в Думе у будущего президента должна быть наконец настоящая поддержка. Иначе Путину придется мучиться, как мне, долгие годы. Нормальную страну без нормальных законов не построишь.

Значит, нужна партия.

Как писали газеты, которые поддерживали Лужкова и Примакова, «очередная партия власти». Да, действительно, очередная...

На первых выборах в Думу в 1993 году интересы президента представляла партия «Выбор России», организованная Егором Гайдаром и его сторонниками, демократами «первого призыва». Что казалось вполне логичным на волне событий октября 93-го, жестких антикоммунистических настроений, связанных с неудавшимся путчем. Но как идеология власти антикоммунизм уже исчерпал себя. Людям нужен был какой-то позитив, надежность. Увы, гайдаровские реформы были крайне непопулярны, а самое главное — Егор Тимурович не был похож на харизматического лидера. Это понимали все. И тем не менее другой партии, на которую мог бы опираться президент, у нас тогда не было.

В 1995 году новую «партию власти» возглавил Виктор Черномырдин. Ее новизна была именно в ставке на центризм, на умеренно-либеральную идеологию, на приоритеты государства. «Государственная» партия, «Наш дом — Россия», конечно, опиралась на государственных людей: крупных хозяйственников, губернаторов, чиновников. И это был явный, очевидный прокол. Такой тонкий политический инструмент, как партия, призванная отражать интересы больших социальных групп, не может настолько в лоб строиться на властной вертикали. Партия премьера Черномырдина, как и партия Гайдара в 93-м году, оказалась в парламенте в явном меньшинстве. Это было очень плохо и для авторитета власти, и для экономики, и для всей системы гражданского общества. Вместо политического диалога мы имели все эти годы яростную борьбу красной Думы — с президентом.

...Оглядываясь назад, я думаю, что в этих неудачах были виноваты не конкретные лидеры или обстоятельства, не политическая конъюнктура тех дней. Вернее, не только это. Но... и я, мое отношение к Думе. Теоретически я понимал, что парламент — важнейший инструмент демократии. Но практически, уже начиная с горбачевского съезда народных депутатов 1989 года, на всех этих бесконечных заседаниях я видел рядом с собой сплошных коммунистов, видел все те же до боли знакомые лица, видел очевидную, ничем не скрываемую (даже ради приличия) ненависть к реформам и переменам. Отношение к нашему парламенту как к чему-то априорно коммунистическому никогда не покидало меня.

Я считал, что двигать реформы вперед можно и так, с помощью политической воли. Но год за годом убеждался в том, что эта Дума, вызывающая в обществе только смех, смешанный с тоской, умудряется при этом жестко и негативно влиять на положение в стране. Не были приняты крайне важные для страны, фундаментальные для развития экономики законы и тем самым заблокированы важнейшие решения правительства. Нереальный бюджет, составленный депутатами, каждый год тяжким грузом висел на экономике.

Словом, я обязан был исправить эту тотальную ошибку. Хотя бы в самом конце моего второго президентского срока.

...Для начала я попросил своих помощников заказать социологический опрос: кому люди доверяют у себя в регионах? Кто там является лидером, какие политики или общественные деятели пользуются в своих областях, краях, республиках высоким моральным авторитетом? Кого, грубо говоря, любят или считают просто хорошим, порядочным человеком? Не из московского бомонда, а именно из своих, из местных.

Социологи ответили, что, наверное, такого опроса провести нельзя, любовь и порядочность трудно измерить в цифрах, но лидеров доверия они постараются определить.

Вот тут-то и выяснилась интересная вещь: во многих регионах действительно были (и есть) свои герои, очень популярные, которые там пользовались огромным авторитетом и в то же время были достаточно известны всей стране. Но самое главное — это были люди абсолютно «чистые» в политическом плане.

Например, в Калмыкии таким человеком оказалась ведущая программы новостей на первом канале, очень симпатичная и милая молодая женщина, Александра Буратаева. В Новосибирске — легендарный спортсмен, многократный победитель чемпионатов мира и Олимпиад, борец Александр Карелин.

И я подумал: а ведь люди действительно устали от одних и тех же лиц, от профессиональных политиков! Люди, заработавшие свой общественный авторитет не в политике, но идущие в нее, чтобы защитить интересы своих земляков, имеют огромный шанс. Это как бы защитный слой, спрятанная глубоко в душе надежда России.

Идея «Единства» родилась, конечно, далеко не сразу. В ее разработке принимали участие многие люди. И моя предвыборная команда 96-го года, и аналитики из команды Путина.

А на этапе реализации идеи в нее включился прежде всего Сергей Шойгу. Найти лидера, человека, который возглавит движение, было самым сложным. Министр по чрезвычайным ситуациям, принимавший участие в спасении людей во время катастроф, наводнений, землетрясений, Сергей Кожугетович из всего нашего списка «российских надежд» был самым звездным и самым знаменитым. Но обращаться к нему долгое время не решались: он возглавлял очень сложное министерство, был очень занят на работе и очень любил свое дело. В политику идти совершенно не хотел.

Но вот что такое командная игра. Когда Сергей Шойгу принял решение, возглавил движение, он бросился в политический водоворот со всей своей страстью, отчаянно, искренне. Теперь уже он сам загорелся идеей: создать новую партию центра, не «партию власти» в прежнем понимании, то есть партию начальников, руководителей, а партию «аполитичных» людей, которые все же идут в политику, чтобы приблизить ее к интересам простых смертных, сделать ее морально чище, прозрачнее, понятнее.

Вторым номером «Единства» стал Карелин. Третьим – бывший следователь, генерал милиции Александр Гуров, когда-то, еще в 80-е годы, первым заговоривший об организованной преступности, о наступлении мафии на страну.

Мужественный Шойгу, спасатель, по-настоящему романтичная фигура, которая воплотила в себе весь идеализм нового поколения. Он должен был привлечь к себе молодежь и женщин. Карелин – тот рассчитывал на поддержку всего мужского населения. Гуров – говорил на языке, близком и понятном людям пожилого и среднего возраста.

Я считал, что это блестяще составленная тройка. Но главное, что было заложено в концепцию «Единства», как мне кажется, – дух новой консервативности, ставка на общество, а не на политическую элиту. Сыграла свою роль и оригинальная политическая технология – другие партии внесли в свой федеральный список москвичей, политических функционеров, предоставив своим отделениям работать с местным электоратом по региональным спискам. «Единство» же внесло в свой федеральный список именно тех, кому люди больше доверяли в регионах. Да, это была хорошая работа.

Но к этой работе я очень скоро перестал иметь какое бы то ни было отношение. С самого начала мне было понятно, что эта партия «социального оптимизма» не должна в сознании избирателей ассоциироваться с моим именем, как, впрочем, и с именем любого другого известного политика прежнего поколения. Особенность нового движения, как я уже сказал, состояла в его абсолютной свежести, аполитичности его участников.

Я не обращал внимания на то, что «Единство» дистанцируется от меня, критикует прежнюю политическую эпоху, да и конкретно мою политику, мои решения. Для меня гораздо важнее были его главные приоритеты: защита интересов государства, защита бизнеса и либеральных свобод, защита прав граждан.

...Гораздо труднее пришлось Путину.

В его штабе произошел настоящий раскол. «Старые бойцы», проводившие еще избирательную кампанию 96-го года, например, социолог Александр Ослон, руководитель Фонда эффективной политики Глеб Павловский и другие «старики» предвыборных баталий, настаивали на том, что Путин должен обозначить свои политические пристрастия, поддержать «Единство». Их оппоненты в путинском штабе утверждали обратное. «Путин не должен тратить свой политический ресурс на поддержку неизвестного, только что возникшего политического образования, — говорили они. — Он должен оставаться вне этой борьбы, он — будущий президент всех граждан, а не отдельной их части. Если он это сделает, его рейтинг к марту будет не пятьдесят процентов, как сейчас, а пять».

Однако сам Владимир Путин решил по-другому. В своем телеинтервью он очень коротко ответил на вопрос журналиста о том, за какую партию будет голосовать на парламентских выборах. Есть только одна партия, которая четко и однозначно поддерживает наш курс. Это «Единство», сказал премьер-министр. Этих тридцати секунд, которые заняли в эфире слова Путина, хватило для оглушительного успеха на выборах нового, только что созданного блока: 23 процента! Такого не ожидал никто.

Да, коммунисты в итоге только чуть-чуть обогнали «Единство». На один процент. Новой «партии надежд» не хватило всего лишь нескольких месяцев, чтобы окончательно утвердиться в регионах, стать доминирующим политическим движением. Сыграло роль и «особое голосование» огромной Москвы. Она отдала «Единству» около десяти процентов, тогда как в других регионах оно получило от двадцати до тридцати.

...С учетом того, что в парламент была избрана большая группа независимых депутатов, семь-восемь процентов получили правые силы, около тринадцати – блок Примакова–Лужкова, по пять-шесть – ЛДПР и «Яблоко», сложилась абсолютно новая картина: левые силы перестали иметь в парламенте большинство! Это была победа.

...Так что же будет с российским парламентаризмом? Какая судьба его ждет?

Думаю, нормальная, рабочая судьба. Если лидеры «Единства» не будут почивать на лаврах, не уйдут целиком в думскую суету, а продолжат заниматься созданием общероссийского движения, у них обязательно должна получиться та консервативная партия центра, которая есть во многих развитых странах – консерваторы в Англии, республиканцы в США, христианские демократы в Германии, либеральные демократы в Японии. В какой-то мере «партия власти», но не претендующая на исключительное положение в обществе. На политическую монополию.

Почти во всех этих странах у консерваторов есть и политические оппоненты, как правило, социал-демократического толка. Появятся они, разумеется, и у нас. Для этого нужно, чтобы разумные политики в рядах компартии перестали наконец жить лозунгами вчерашнего дня, оказались разборчивее в выборе союзников. Если они не найдут в себе мужества сделать этот шаг к размежеванию с оголтелыми левыми радикалами, их место могут занять и другие – например, то же «Отечество – Вся Россия».

Впрочем, это всего лишь прогнозы. Прогнозировать на пустом месте я не люблю. Другая профессия. Я не политолог, а политик.

Могу дать лишь один твердый прогноз: в России с каждым годом, с каждыми новыми выборами будет все более работоспособный, современный, достойный парламент.

...И начался этот процесс именно в том, таком трудном для нас и драматичном 99-м году.

19 декабря я провел беспокойно. Хотя под конец выпили шампанское за победу «Единства», от волнений этого дня я устал. Итоговые цифры на телеэкране все время мелькали, менялись. Ночью, уже почти засыпая, я продолжал думать, сопоставлять, анализировать: что же произошло?

А утром проснулся с мыслью: произошло что-то очень важное. Итоги голосования подтвердили самое главное, о чем я непрерывно думал все эти последние недели: у Владимира Путина есть огромный запас доверия!

По сути дела, уже в декабре люди проголосовали за нового президента, поддержав «его» блок, хотя он не был его лидером, просто протянул руку новому движению.

Значит, все идет правильно.

ПРЕЗИДЕНТСКИЕ ГАРАНТИИ

Настала пора принимать последнее, может быть, самое главное решение. Еще за несколько дней до выборов, опережая ход событий, я встретился с Владимиром Путиным. Наш разговор окончательно укрепил меня во мнении: да, пора!

Я должен уйти в отставку. Путину больше не надо мешать. Нужно отойти в сторону. Освободить дорогу.

...Президент уходит в отставку. Уходит раньше времени.

Было это уже один раз. Первый и последний президент СССР Михаил Сергеевич Горбачев тоже в декабре, в декабре 1991-го, ушел со своего поста.

Судьба Горбачева, судьба наших с ним отношений, судьба России на страшном, опасном переломе конца 80-х — начала 90-х...

...Не раз и не два я возвращался мысленно к тем дням, когда в России менялся политический строй. На смену Советскому Союзу приходила новая страна — с другими границами, с другими приоритетами во внешней и внутренней политике, с другими политическими институтами, с другой системой власти. Я понимал, насколько это будет трудный, болезненный процесс.

Понимал это и Горбачев.

Во время наших последних встреч в Кремле осенью 91-го года, когда мы обсуждали новых министров, которые были назначены сразу после августовского путча — причем эти кандидатуры предлагал я в достаточно жесткой манере, но, конечно, прислушиваясь и к мнению Горбачева, — тема крушения прежнего режима как бы висела в воздухе, недоговоренная.

...Можно ли настолько резко ломать то, что выстраивалось с таким трудом, на протяжении десятилетий? По выражению лица Горбачева ясно читалось: нельзя!

Перед моими же глазами стояли картинки путча: танки и бронетранспортеры на улицах, горбачевские соратники, решившиеся нарушить законы страны. И человеческие законы, и юридические.

Если горбачевские «генералы», размышлял я, послушные исполнители системы — Язов, Крючков, Пуго, представители мощнейших силовых ведомств, по самому своему статусу обязанные охранять государство от потрясений, — решились на путч, решились восстать против президента, значит, такая система стала уже нежизнеспособной. Позволить генералам командовать страной, начиненной ядерным оружием, дать им еще один шанс к перевороту я просто не имел права. Да, советская власть была хорошо отлажена, и Горбачев очень боялся ее разрушать, боялся просто панически. Но если один раз она дала мощнейший сбой, то по самим внутренним законам своего функционирования, по самой своей структуре она была обречена. Застраховаться от ее дальнейшего непроизвольного саморазрушения было невозможно, доверять ей дальше — смертельно опасно.

Для того чтобы советские генералы не устроили нам всем кровавую баню, не затеяли игру в очередную хунту, нужны были немедленные и коренные политические преобразования.

Надо отдать должное Михаилу Горбачеву: при всех наших непримиримых разногласиях, при наших сложных личных отношениях он прекрасно понимал эту логику политического процесса и не стремился обострять ситуацию. Не стремился сражаться и воевать за личную власть, прекрасно понимая, что после путча она безвозвратно потеряна. В те ноябрьские и декабрьские дни и меня, и Горбачева волновал вопрос: насколько мягко нам удастся «перевести рычаги» в иное положение? Насколько четко и слаженно мы сумеем обеспечить этот переход из одного политического пространства в другое, из одной системы власти — в новую систему, от советской бюрократической, партийной «демократии» — в демократию реальную, подкрепленную реальными свободами?

Подписанный в Беловежской Пуще документ лидеров трех славянских государств — России, Украины и Белоруссии — был в этом отношении единственно возможным политическим ходом. Коммунисты не могли ожидать настолько стремительного развития событий. Приобретенный бывшими республиками Союза новый политический статус выбивал из рук коммунистов их главное оружие — старую административную систему. Они оказались сразу в новой истории, в новой реальности, и, чтобы собрать силы и заново организоваться (уже без поддержки огромной государственной машины), им потребовалось достаточно много времени. Об условиях подписания договора я подробно рассказывал в предыдущей книге. И здесь касаться этого момента не хочу.

...Исходя из всех этих обстоятельств я и рассматривал вопрос о личных гарантиях, предоставленных первому президенту СССР Михаилу Горбачеву и его семье.

Казалось бы, вопрос действительно личный. Но для нашей страны, для нашей истории он выходил далеко за рамки бытовых нужд президента и вопроса о том, как сложится его дальнейшая судьба. Для России это был вопрос воистину всемирно-исторический.

Так уж повелось в России: ее правитель никогда не передавал власть добровольно. Всегда это была или естественная смерть, или заговор, революция.

Коммунистический режим унаследовал неспособность к безболезненной передаче власти в новые руки. Царь переставал быть единоличным правителем лишь после смерти или после переворота, генеральный секретарь — точно так же. И то, что в 1964 году переворот прошел вроде бы мирно и Хрущев остался жив, — сути происходящего не меняло. Хрущев был насильственно устранен с политической сцены и посажен под домашний арест. Для огромного населения СССР его вчерашний лидер, живой и мыслящий человек, в один прекрасный день как бы навсегда исчез. Он не мог участвовать в жизни страны, без разрешения не мог никуда выезжать. О его смерти сообщила лишь крошечная заметка в газете.

...Горбачева в случае успеха путча, в случае прихода к власти хунты советских «генералов» ждала примерно такая же судьба (хотя события могли пойти и по гораздо более трагичному сценарию — к этому подталкивала сама логика переворота). И теперь нам с Горбачевым предстояло вместе решить непростой вопрос: какова будет судьба бывшего президента СССР в новой России? Необходимо было создать прецедент уважительного, достойного отношения к крупной политической фигуре, сошедшей со сцены. Я постарался сделать все, что мог, в этом направлении — это было нужно не для кого-то лично, а для страны.

Горбачеву была предоставлена одна из государственных резиденций в пожизненное пользование (президентская дача «Москва-река-5», та самая, которую он любил и которую попросил). Охрана и служебный автотранспорт ему и его семье. Медицинское обслуживание, пенсия.

Указ о гарантиях Горбачеву 91-го года имел еще несколько важных пунктов.

Прежде всего он предоставлял Михаилу Сергеевичу возможность для новой общественно-политической деятельности. «Горбачев-фонду» был предоставлен огромный комплекс зданий в центре Москвы.

Позднее в прессе было сказано немало едких слов на тему о том, что якобы я отобрал охрану, автомашину, дачу у Горбачева — за его своеволие.

Это неправда.

Часть площадей — их «Горбачев-фонд» сдавал в аренду — мы действительно передали другому учреждению, гуманитарному университету, но не по политическим соображениям. Сотрудники говорили, что аренда необходима, чтобы зарабатывать деньги для фонда. Но коммерческое использование площадей «Горбачев-фонда» противоречило сути указа.

Я знаю, что за прошедшие девять лет после своей отставки Михаил Сергеевич укрепил в глазах мировой общественности свою репутацию мудрого политика, свою популярность как человека, сломавшего «железный занавес».

Не раз и не два на мой стол ложились докладные записки: Горбачев вовсю критикует за рубежом, в своих книгах и в поездках, политику новой России, пытается набрать очки за счет критики Ельцина. Были люди, которые подталкивали меня к тому, чтобы я «наказал» Горбачева. Но все подобные разговоры я довольно жестко пресекал.

...Хотя первые несколько лет после его отставки, откровенно говоря, справиться с собой было нелегко. Внутри все кипело, когда я слышал о том, что говорит Горбачев за границей обо мне, о наших внутрироссийских делах.

Парадокс ситуации состоял в том, что единственным гарантом неприкосновенности Горбачева был... только я. Сделать Михаила Сергеевича в глазах общества козлом отпущения, политическим «преступником номер один» было в то время легче легкого. Многие демократы «первой волны» не могли простить Горбачеву его метаний, его шараханий из стороны в сторону. Тогда казалось, что для народа он олицетворял номенклатурное партийное зло, в нем видели средоточие всех наших бед, кризисов. Наконец, обычная аппаратная логика заставляла свалить на предшественника грехи прошлого. Словом, внутри страны это была одна из самых непопулярных фигур.

...И все-таки каждый раз я заставлял себя усилием воли справиться с нахлынувшими чувствами, забыть о наших личных отношениях. (Не хочу здесь касаться этой темы, поскольку о том, как Горбачев преследовал меня за критику, как потом пытался помешать каждому моему политическому шагу, я уже подробно говорил в предыдущих своих книгах.)

Я прекрасно понимал, что, несмотря на наши взаимные обиды, возможность для Горбачева жить своей жизнью, говорить все, что он хочет, участвовать в президентской кампании 96-го года для всей России, для новой демократии важна не менее, чем для самого Михаила Сергеевича.

Когда после 96-го года мои помощники принесли мне на подпись приглашение Михаилу Сергеевичу на очередное торжественное мероприятие в Кремле, я вдруг впервые почувствовал, что привычного протеста в душе не нахожу. Напротив, почувствовал облегчение, подумал, что нам будет о чем поговорить.

Ближе к концу второго президентского срока я окончательно понял, что был прав, когда сдерживал свою обиду, не давал волю эмоциям. Обида и эмоции прошли, а цель была достигнута. Мы хотели создать прецедент открытой, раскованной, спокойной жизни экс-главы государства — и мы его создали. Впервые в российской истории. Создали, несмотря ни на что.

...Однако Михаил Сергеевич ни разу (до инаугурации Путина) не откликнулся на мое приглашение. А ведь прошло почти восемь лет, как мы не видели друг друга. Восемь лет!

Последний контакт нашей семьи с Горбачевым произошел при известных печальных обстоятельствах. Умерла Раиса Максимовна...

Я не знал, стоит ли мне ехать на похороны. Очень хотелось выразить свое сочувствие, но в то же время понимал — мое присутствие может вызвать лишние эмоции, добавить горечи. На похороны поехала Наина. С Горбачевым она пробыла почти час, и встреча эта после долгого перерыва была искренней, человечной.

Сегодня изменилось общественное мнение в отношении Михаила Сергеевича. Горбачеву простили многое. Тем более после безвременной кончины Раисы Максимовны, когда простые люди впервые за много лет испытали к бывшему главе государства обычные, теплые чувства — сочувствие, понимание.

Наверное, естественно, что когда обдумывал свое решение об отставке, пытался понять: что будет со мной после ухода?

Как будут относиться ко мне?

Иллюзий не было — любить, обожать не будут. Были даже такие сомнения: а когда появлюсь после отставки на публике, в театре — не освищут ли?

Ясно, что через какое-то время многое из того, что я делал, будет понято людьми. Но сразу после отставки, когда по старой русской традиции обычно на ушедшего сваливают все беды, все грехи — как я буду чувствовать себя, как жить?

Чем закончились те мои декабрьские сомнения, размышления, порой мучительные, — вы уже знаете.

В первые недели и месяцы, пока Владимир Путин находился у власти, было, с моей точки зрения, одно довольно спорное решение. О нем я хочу вспомнить именно в связи с размышлениями об уходящем президенте. Я говорю о гарантиях, которые он предоставил мне.

Я никогда никого не просил об этом. Всегда наотрез отказывался обсуждать эту тему. Ко мне не раз приходили переговорщики из Думы, в том числе представители компартии, просили «посоветоваться» по поводу закона о гарантиях, предоставляемых ушедшему президенту, но я всегда говорил: «Хотите принимать? Принимайте. Я здесь ни при чем».

Закон так и не был принят.

...Мне потом Волошин объяснил, что на срочном выпуске указа настояли юристы из администрации; они считали, что ждать принятия закона в Госдуме нельзя, ибо в правовом поле образуется дыра, а такое понятие, как юридический статус ушедшего со своего поста президента, временных дыр не терпит. Как это прописано в Конституции, в случае отсутствия закона президент обязан заполнить правовой вакуум своим указом. 31 декабря президент ушел в отставку, закон отсутствовал... Но тем не менее даже ради этих высоких юридических материй не стоило торопиться. Хотя по-человечески я Путина понять могу.

Кстати говоря, и у нас в стране, и в мире о содержании указа ходит много нелепых слухов, толкований: будто бы все члены моей семьи освобождены от любой юридической ответственности перед законом. Будто бы указ о гарантиях предоставляет Ельцину какие-то немыслимые привилегии. Ну и главная нелепость: будто указ — это сделка между Ельциным и Путиным. Он мне дает неприкосновенность, а я ему за это освобождаю раньше времени Кремль.

Последний тезис про сделку комментировать не буду. Из-за его полной абсурдности. Никакой указ никакой неприкосновенности обеспечить не может. Только человек глубоко наивный, ничего не понимающий в политике может поверить, что указы или законы могут что-то гарантировать бывшему лидеру страны.

Будет общество нездоровым и озлобленным, оно обязательно найдет виновного в своих бедах, и тогда Ельцина обвинят во всех смертных грехах. И тут не то что указ — никакой закон не поможет.

Если же страна будет развиваться демократически, цивилизованно, а я уверен, именно так и произойдет, само здоровое общество и будет главным гарантом неприкосновенности президента, ушедшего в отставку.

Теперь о самом указе. Вот как звучит этот пункт о неприкосновенности: «Президент Российской Федерации, прекративший исполнение своих полномочий, обладает неприкосновенностью... не может быть привлечен к уголовной или административной ответственности, задержан, арестован, подвергнут обыску, допросу либо личному досмотру...»

На членов моей семьи иммунитет не распространяется. Никаких юридических препятствий к тому, чтобы расследовать любое дело, относящееся к окружению президента, не существует. Это миф, созданный прессой.

В указе речь идет о некоторых обычных, я бы сказал, служебных, гарантиях, которые дает государство президенту.

Это право на автотранспорт и на охрану, право пользоваться специальными залами для официальных лиц и делегаций на вокзалах и в аэропортах, право пользоваться правительственной связью. Есть в указе пункт о государственной даче, которая предоставляется президенту в пожизненное пользование. Есть пункт о медицинском обслуживании. Словом, ничего сенсационного.

Впрочем, тогда, в конце декабря, я об этом указе ничего не знал и думал совсем о другом.

Если говорить лаконично, я думал о том, что ждет меня и всех нас за той датой — 31 декабря. Какая жизнь?

ДРУГАЯ ЖИЗНЬ

Первые дни января 2000 года меня сопровождало какое-то удивительное настроение.

Как будто попал в другую жизнь.

Я почти физически ощущал: с плеч упала безумная тяжесть всех последних недель, месяцев, лет. Передать это словами невозможно. Никакой депрессии, пустоты, которой так боялся и к которой себя исподволь, заранее пытался готовить, не было и в помине. Совсем наоборот — положительные эмоции, хорошее, ровное настроение.

1 января к нам в гости пришли Владимир Путин с женой Людмилой.

...Я за все эти дни, которые прошли после отставки, услышал очень много приятных слов. Даже слишком много. Столько мне сразу никогда не говорили.

И новогодний тост Владимира Владимировича, конечно же, помню.

Мы с ним с удовольствием чокнулись шампанским. И не только по поводу Нового года.

С этого дня Путин абсолютно свободен во всем: в выборе приоритетов, экономической концепции, наконец, в выборе людей для своей новой команды. И я, и он это прекрасно понимаем: у него началась абсолютно новая жизнь.

Ну а потом была и вовсе какая-то сказочная неделя.

После Нового года я улетал с Наиной и дочерьми в Израиль, в Вифлеем, на празднование 2000-летия христианства. Летели в очень плохую погоду: то ли дождь, то ли мокрый снег, ветер, гроза...

В аэропорту я спросил у одного из встречавших: а что, та самая звезда над Вифлеемом уже взошла? Он смутился и ответил, что из-за дождя толком ничего не видно. А мне казалось: я обязательно должен был увидеть эту звезду над Вифлеемом. В конце концов, начало нового тысячелетия от Рождества Христова было и моим вторым рождением.

Главное в нашей программе — богослужение в базилике Рождества Христова. Но сначала мы посетили Иерусалим.

...Израиль поразил ощущением какого-то обыденного, простого чуда.

Голубой средиземноморский воздух пропитан мифами, тайнами, древностью. Это сразу чувствуется, с первых шагов по израильской земле.

Я встречался с президентом Вейцманом, обсуждал вопросы двусторонних отношений. Визит готовился заранее, еще до моей отставки, и все необходимые документы я изучил заранее. И вдруг поймал себя на том, что вместо обычного «хорошо, договорились» я заставляю себя (конечно, с некоторым усилием, привычка есть привычка) произносить: «Обязательно передам ваши слова Владимиру Владимировичу».

...По дороге в резиденцию Ясира Арафата нашу машину неожиданно остановили. Прямо на шоссе. Четыре минуты происходило что-то непонятное. Я не волновался, но Анатолий Кузнецов, руководитель охраны, тот все-таки был напряжен — террористические акты в Израиле не редкость. И вдруг выяснилось, что, пока мы стоим на дороге, к дворцу Арафата на страшной скорости везут в автобусах палестинских гвардейцев: лидер автономии решил принять меня с особыми почестями.

Я, конечно, был польщен таким радушием.

Кстати, Анатолий Кузнецов — из тех людей, которые все долгие годы моего президентства практически неотлучно были со мной рядом. Веселый, добродушный, большой умница. Как изменилось его самочувствие, когда он охраняет уже не действующего президента? Внешне — никак. Все так же рядом со мной его тяжелая борцовская фигура. Но думаю, и внутренне он ничуть не изменился. Толя — удивительно преданный человек, надежный.

В Израиле произошла еще одна важная для меня встреча, с моими однокурсниками, друзьями по Свердловску: Арнольдом Лавочкиным и Аней Львовой, которых не видел бог знает сколько времени. Несколько лет назад они переехали сюда, в Израиль. Наина заранее с ними созвонилась, и вот сидим вместе в гостиничном номере. Нолик Лавочкин хлопает меня по колену и восклицает: «Борька! Кто бы мог подумать!» Аня неторопливо, подробно рассказывает нам о здешнем житье-бытье. Пенсионерам здесь, наверное, неплохо: море, фрукты, солнце, прекрасное социальное обеспечение. Но я бы, конечно, не смог. Во-первых, дикая жара летом. Во-вторых... дома все-таки лучше. Однако Нолик не скучает, подрабатывает в разных местах понемножку. Даже дворником. Мне показалось, что у дворников здесь, в Иерусалиме, многовато работы. Нолик не жалуется. «Здесь все по-другому, Борька! — говорит он. — Другая жизнь!»

...И еще одно впечатление: огромное постоянное многолюдье в Иерусалиме. На каждой улице, на каждом перекрестке. Особенно остро я это почувствовал во время визита в Иерусалимскую патриархию. Служба безопасности буквально физически — локтями, телами — сдерживала толпу.

Здесь, в патриархии, президентам православных стран были вручены Звезды кавалеров ордена Гроба Господня. Рядом со мной стояли Кучма, Лукашенко, Шеварднадзе, Лучинский, мои давние коллеги. Я посмотрел на них, все они выглядели немного растерянно в этой непривычной обстановке. В зале было шумно, там собрались журналисты, политики, священники. Тихая Иерусалимская патриархия в этот день была переполнена гостями.

Наконец подошло время моего выступления. Отложил заготовленную речь: обстановка такая, что не мог выступать по бумажке. Сказал, что в этом городе будет когда-нибудь подписан общий международный документ о мире. Новая хартия мира. И отчетливо услышал, как в зале немного затихли и кто-то негромко сказал по-русски: «Молодец, дед!»

А на следующий день после официальных визитов мы побывали в Вифлеемской базилике Рождества Христова. Узкие проходы между домами. Какой-то безумный выплеск эмоций на фоне застывших камней. Низкий, едва мне до пояса, вход...

Древние седые патриархи, как из Библии. Полумрак. Потрескивание свечей. И страшно душно.

В храме было очень много людей, в алтаре на всех языках православных народов пели славу Спасителю, а под алтарем, в пещере, где в свое время укрылись Иосиф и его жена Мария, тихо молились. Прямо на земле спали измученные, видимо, долгой дорогой паломники. Я почувствовал, как волнуюсь.

В свое время, в детстве, я был крещен, но обрядов, как и подавляющее большинство советских людей, не соблюдал — просто некому было научить. Нельзя было креститься, нельзя ходить в церковь, нельзя молиться. И только в последние годы, мне кажется, люди у нас повернулись к Богу.

Вышел из храма, и ко мне обратилось множество паломников на русском языке: «Здравствуйте, Борис Николаевич! Как вы себя чувствуете? Мы с вами, мы за вас переживаем! С Рождеством!»

Не ожидал, что здесь, далеко от дома, услышу так много родной речи, увижу столько родных лиц.

...Домой летел переполненный эмоциями. Это ведь был первый мой визит после отставки.

7 января мы с Наиной и Таней пошли в Большой театр, на вручение ежегодной премии «Триумф». Честно говоря, сначала я хотел сослаться на здоровье и не пойти. Волновался. Это был мой следующий экзамен в новом качестве. Первое публичное появление уже перед российской публикой.

Таня надо мной слегка подшучивала: «Папа, чего ты боишься? Я тебе гарантирую — как минимум не освищут».

Знаменитая площадь перед Большим театром вся в свете прожекторов, реклам, прозрачная снежная новогодняя Москва, колючий морозный воздух. Меня ждут у служебного подъезда, я поднимаюсь в ложу, вхожу. Сначала непроизвольно зажмуриваюсь.

И вдруг — зал встает, аплодирует. Честно говоря, не ожидал. Не ожидал, что после всех этих восьми лет тяжелейшей политической борьбы — и последнего года, самого кризисного, — реакция людей будет именно такой. Ошеломляюще искренней.

...«Триумф» — заметное культурное событие в России. И кроме того, великолепный рождественский праздник в Большом театре. Я видел перед собой кумиров страны — поэтов Беллу Ахмадулину и Андрея Вознесенского, сатирика Михаила Жванецкого и мима Вячеслава Полунина, драматурга Александра Володина и многих, многих других. И то, что они подошли ко мне, поздравили с праздником, сказали какие-то простые, но важные слова, — это была и честь для меня, и, если хотите, важнейший психологический тест.

Поддерживать на высоте статус ушедшего в отставку президента — в этом, как мне кажется, проявляется достоинство нации. В тот вечер впервые по-настоящему почувствовал, что я справляюсь с работой — быть «первым президентом России», как меня теперь называют. Почувствовал теплоту людей.

Прошел день или два. Я отдохнул, успокоился. И вдруг резко ощутил чувство пустоты, о котором предполагал заранее, но не хотел верить, что встречусь с ним.

Утром 10 января, проснувшись рано, я, как всегда, пришел в свой кабинет.

Обычно здесь меня ждала гора документов. Много лет изо дня в день эта стопка исписанных бумажных листов составляла мою жизнь, занимала мой мозг. Я читал сухой текст, и за ним вставали сложные проблемы, отношения, весь спектр государственной жизни.

Эта стопка бумаги разом вливала привычную порцию адреналина в кровь.

И вот — стол пуст.

Подошел к столу и взял с пульта трубку телефона специальной связи. Гудков не было. Телефон не работал. Мне было совершенно нечего делать в этом кабинете. Я немного посидел в кресле и вышел.

Целый день был под впечатлением этой нахлынувшей пустоты.

Было чувство одиночества и даже тоски. Очень не хотелось навязывать его окружающим близким людям. То, что я более замкнут, чем все эти последние дни, было, наверное, все-таки заметно. Лена, Таня и Наина присматривались ко мне. Я погулял, пообедал, потом немного подремал. В конце дня все же решил выяснить, что с пультом, почему он отключен. Мне ответили, что идет переналаживание сети и что завтра утром все будет уже в порядке. Это была чисто техническая пауза. Я просто сразу не понял.

Неужели каждая такая мелочь будет выводить меня из себя? Как же жить? Как привыкать? Трудные вопросы.

Тяжелые. Я смотрел в окно, думал. Но потом, не сразу, постепенно, сумел все же в них разобраться, найти ответы.

Первое, что пришло в голову, — я действительно обязан вернуть себе все то, чего был лишен эти последние годы: созерцание, размышления, покой, радость каждой минуты, радость простых человеческих удовольствий, радость от музыки, театра, чтения.

Кроме того, я отвечаю за всех, кого вырастил, с кем работал, я отвечаю по-прежнему за все, что происходит. Да, не как президент, а как человек, несущий ответственность за тот политический процесс, за тот путь, которым пошла Россия. Каждый, включая нового президента, может сегодня прийти ко мне, спросить мое мнение, задать свой наболевший вопрос. И я обязан на него ответить, вовсе не претендуя на истину в последней инстанции!

Да. Вот это важно. Я обязан смирить в себе многолетний рефлекс руководителя и стать для всех этих людей просто собеседником — важным, ценным, мнением которого они дорожат. Но просто собеседником! И это — огромная, серьезная миссия.

Ну и третье.

Мои полночные дневники, мои мысли, мои разнообразные заметки, впечатления, эмоции, записи. Теперь я вправе отдать книге столько времени, сколько захочу. Быть может, она понравится читателю, а если даже и нет — для меня она все равно будет одним из самых важных «документов», над которыми я работал.

Я подумал, как же хорошо, что я никому ничего не сказал и прожил вчерашний день один. И подумал еще, что такой день обязательно бывает в жизни любого человека, который всю жизнь работал. А потом вдруг вышел на пенсию.

С этими мыслями заснул. Проснулся опять спокойный, полный сил.

С этого утра в моей «другой жизни» установился некий новый, довольно стройный порядок.

Встаю по-прежнему рано, в районе шести. Организм уже не переделаешь. Пью чай, иду в кабинет... Сегодня мне тоже есть что почитать — президентская служба по-прежнему готовит и присылает сюда, в Горки-9, справку с итогами социологических опросов, анализом событий, дайджестом прессы. Читаю аналитические справки, но все чаще и чаще сижу с диктофоном (а теперь вот уже с рукописью книги). Если надоедает диктовать в кабинете, выхожу в сад, хожу по дорожкам, снова диктую. Диктофон мне подарили на день рождения. Хороший диктофон, легко умещается на ладони. Только слушать себя сначала с непривычки было странно — как будто не мой голос.

...Иногда рано утром или днем, на даче, захожу в конюшню к нашим лошадям. Вот такая интересная подробность: наверное, десятки лошадей, которых частенько мне дарили во время официальных визитов, я отдавал на конезаводы. Но один ахалтекинский жеребец, подаренный Нурсултаном Назарбаевым, так был красив, так хорош, что я захотел его оставить. Ну и чтоб ему не скучно было, присоединили еще пару смирных лошадок, и я решил: пусть дочери и внуки учатся кататься верхом, мне-то уже поздновато. Из этого проекта пока ничего не вышло. Все слишком заняты. Таня помогает мне. Лена по-прежнему вся в своих новых обязанностях молодой бабушки. Катя — юная мама. Маша закончила школу, поступила в МГИМО. Борька бы обязательно освоил верховую езду, но он далеко — учится за рубежом.

...А лошади остались.

Я захожу к ним, трогаю теплую морду, заглядываю в умные глаза. Кормлю с руки. Ну, привет! И настроение сразу становится на несколько «градусов» выше.

Часто четырехлетний Глеб, двухлетний Ванька тянут меня в бассейн. Им ужасно нравится поплескаться вместе с дедом, поиграть, побезобразничать, покувыркаться. Мне, откровенно говоря, все это тоже доставляет огромное удовольствие.

Возвращаюсь в кабинет.

Вот здесь надо справиться с собой. В крови — четкий рефлекс начала рабочего дня. Впрочем, во многом для меня он и остался рабочим. Обязательно раздаются звонки, или звоню я. Аппарат «СК» для связи с некоторыми важными абонентами у меня по-прежнему в кабинете.

Двенадцать — время запланированных визитов.

За первые месяцы после отставки несколько раз встречались с Владимиром Путиным. Обсуждали выборы, и особенно часто — проблему Чечни.

По тому же поводу — Чечня, армия — несколько раз были встречи с министром обороны, маршалом Игорем Сергеевым, с начальником Генштаба Анатолием Квашниным, министром внутренних дел Владимиром Рушайло. Больная для меня тема. Очень верю в то, что уже в этом году мир в Чечне будет установлен.

Было несколько встреч с новым премьер-министром Михаилом Касьяновым. Мне он нравится. Спокойный, уверенный, компетентный. Вообще сейчас в правительстве сложилась сильная команда, это приятно.

С силовиками — министром МЧС Сергеем Шойгу, начальником пограничной службы Константином Тоцким, директором ФАПСИ Владимиром Матюхиным. Не раз встречался с руководителем Федеральной службы охраны Юрием Крапивиным. Жаль, что через несколько месяцев после моей отставки Юрий Васильевич тоже принял решение уйти. Всегда нравилось, как он работал: незаметно, неброско, но абсолютно надежно, как и должен работать руководитель такой спецслужбы. У нас ним сложились очень хорошие личные отношения. И теперь мы встречаемся уже в ином качестве. Нам есть что вспомнить, о чем поговорить... Полный список моих встреч приводить, я думаю, не обязательно.

Круг моего личного общения за последние месяцы стал, кстати, значительно шире. Я гораздо чаще приглашаю людей к себе в гости. Теперь есть такая возможность, а раньше с этим было трудно. Дорогую цену пришлось заплатить за свою политическую карьеру: потеря здоровья, потеря друзей детства и юности. Почти все они остались в Свердловске. Да и с теми, что в Москве, встречаемся редко: всегда не хватало времени и сил. И теперь все мои мысли по-прежнему в контексте политической жизни, борьбы, страстей.

...В час — обед.

Моя склонность к простой, незамысловатой пище в последнее время только укрепилась. Особенных кулинарных открытий за время своих официальных поездок не сделал. Всегда свое «президентское» меню, из продуктов, проверенных ФСО. Никаких изысков. На официальных приемах есть вообще не люблю. Да там и не до того. Напряжение, переговоры.

Кажется, в Пекине был такой случай. Таня с Наиной решили все-таки попробовать знаменитую утку по-пекински, заказали к себе в номер, поздно вечером, чтобы никто не запретил есть «непроверенную» пищу. Я неожиданно проснулся, вышел в гостиную в халате. «Что это вы здесь едите? Я тоже хочу попробовать!»

Но это — исключение.

К тому же сейчас пытаюсь сбросить вес. Таня купила мне электронные весы. Почти как в спорте — ежедневное взвешивание, диета. Мы с Таней соревнуемся, кто раньше достигнет запланированного результата. Я даю ей ценные советы. Она смеется: взвешивание покажет! Ем мало, за ужином выпиваю стакан кефира — и все.

В выходные наша большая семья собирается, как правило, вся без исключения. Такова традиция, мной же и установленная.

А в будни... жду в гости государственных людей.

В конце марта у нас в семье состоялся «театральный штурм». Сходили в «Современник» на спектакль «Пигмалион». Это мой любимый театр, и режиссер любимый — Галина Борисовна Волчек. Удивительная женщина, с очень тонким юмором, замечательный художественный руководитель. Не знаю, где еще в Москве есть такая же театральная атмосфера, особая публика, такой высокий накал понимания и сочувствия, такой контакт между сценой и залом. А какие артисты: Марина Неелова, Елена Яковлева, Лия Ахеджакова, Валентин Гафт, Игорь Кваша — всех и не перечислить.

И буквально на следующий день Таня вдруг зовет на современный мюзикл «Метро» в Театр оперетты. Наина говорит:

«Что это мы так зачастили? Наверстываем упущенное?» А Таня отвечает: «Мама, это самый модный спектакль в Москве. Вы обязательно должны его посмотреть».

Тут я решил: идем! Самый модный, самый молодежный не пропущу ни за что.

Вышел из машины на бывшей Пушкинской. Вдруг раздается оглушительный многоголосый девчачий визг, я даже вздрогнул. Оказывается, в дни показа «Метро» у театра собирается масса молодежи — фанаты мюзикла. Увидев «живого Ельцина», они и устроили «торжественный прием». Посвоему. Конечно, много было просто здоровых эмоций, которые можно объяснить одним — возрастом. Но было и искреннее чувство.

Я это понял уже в театре, когда ко мне из зала (мы сидели в ложе) потянулась девушка, почти вылезая из туфелек, и протянула программку: «Пожалуйста, автограф, Борис Николаевич!» Я говорю: «Извините, у меня ручки нет!» Она: «Вот, помаду мою возьмите, Борис Николаевич!» Мои женщины, конечно, помадой писать автограф не разрешили, тут же нашли ручку.

Смешная деталь, а вспоминать почему-то приятно.

Мюзикл просто потряс энергетикой, чистым ярким вокалом и... децибелами. Чуть-чуть бы громкости поменьше. Но потрясающие ребята, и очень современно все это по языку, по стилю, по движению на сцене. Актер, который играет циничного продюсера, так сказать, приспособленца, по ходу действия разговаривает с каким-то важным начальником. Ему звонят по мобильному телефону, и он, естественно, отвечает: «Слушаю, Борис Николаевич!» Зал молодой, на шутку реагирует, хохочет. В зале, кстати, сидел мой внук Борька с тремя приятелями. В шестом ряду. По-моему, им тоже было интересно. Жаль только, уйти мне пришлось чуть-чуть раньше, поскольку в тот вечер была еще одна встреча. Но мне понравилось. Честное слово!

...Слушаю в последнее время очень много музыки. Чаще классику — в разных исполнениях, в разных вариациях — Моцарта, Вивальди, Чайковского. Знаменитые оперы. В последнее время приучился к современным мюзиклам. Это тоже, как правило, почти классика. Слушаю вещи Вебера («Призрак оперы», например). Понравился французский мюзикл «Нотр-Дам де Пари». Интересная особенность: как только я запоминаю ритм вещи, ее музыкальную тему (а происходит это после двух-трех прослушиваний), становится неинтересно, и я пристаю к Тане или Лене: пожалуйста, привезите что-нибудь новенькое!

За последнее время появилось много литературы о Второй мировой, там столько новой фактуры, а порой и новых мыслей, что хочется прочесть все. К тому же к мемуарам у меня, понятно, свой интерес. Пытаюсь лучше понять специфику этого жанра.

Из новых привычек. Появился в моей жизни телевизор. По-прежнему не люблю политические программы, но смотрю новости. Иногда — кино. Хотя хорошие фильмы у нас показывают, к сожалению, всегда за полночь, а я ложусь спать рано.

По моей просьбе Таня заказала в Госфильмофонде все картины Владимира Мотыля. Его «Белое солнце пустыни» я знаю практически наизусть, и моя семья тоже. С огромным удовольствием посмотрел и другие фильмы: «Женя, Женечка и “катюша”», «Звезда пленительного счастья», «Лес». Хочу пригласить этого великого режиссера поужинать в ресторане. И знаете, в каком? «Белое солнце пустыни»!

Вот такой распорядок дня.

Но бывают в этом распорядке, конечно, и исключения! Очень хорошие исключения...

...С огромным волнением впервые после долгого перерыва я ехал в Кремль.

Все-таки трудно в первый раз возвращаться на старое место работы, с которого ты недавно ушел.

Причина визита в Кремль — встреча с журналистами, моим президентским «пулом». Это те люди, которые летали со мной во все поездки начиная с 1996 года. Татьяна Малкина,

Наталья Тимакова, Вероника Куцылло, Светлана Бабаева, Вячеслав Терехов и многие другие. Встречу провели в одном из кабинетов Большого Кремлевского дворца, чтобы не беспокоить обитателей «рабочих» корпусов. Она была очень трогательной. Даже язвительный Алексей Венедиктов с «Эха Москвы» был, как никогда, мил и любезен.

Каждому гостю я подарил знаменитые президентские часы, девушкам еще и по букету цветов. Но этим дело не кончилось. Расставаться совершенно не хотелось. По-моему, Таня Малкина спросила: «А как день рождения будете отмечать, Борис Николаевич?» «Как еще, — говорю, — дома буду отмечать. Придете?» Они: «А пригласите?» — «Разумеется, приглашаю!»

День рождения получился веселый. И у меня после него появилось новое орудие труда — диктофон. Правда, накануне Наина не спала полночи: пекла торты, чтобы всех журналистов угостить.

А девочки из «Коммерсанта» сделали для меня подарок: спецвыпуск их газеты, тиражом 50 экземпляров, в котором собраны все лучшие коммерсантовские статьи обо мне.

Ценный подарок. Потом, через несколько дней, они расхрабрились и позвонили: «Борис Николаевич, верните хоть один экземплярчик, с вашим автографом!»

14 марта был день рождения Наины. Мы с дочерьми задумались, что ей подарить. Украшения? Платье?

И вдруг вспомнили, как совсем недавно она сказала: «Слушайте, а может быть, мне все-таки начать шить? Я же всю жизнь мечтала...»

Швейная машинка!

Таня тут же поехала в магазин, долго выбирала, а потом сказала продавцам: «Давайте самую последнюю модель». Когда увидел эту швейную машинку, глазам не поверил: какая-то сплошная электроника, можно нажать несколько кнопок, и она сама выберет из сотни стежков, из десятков петель — просто компьютер какой-то. Такое впечатление: засунешь в эту швейную машинку кусок материи, а она в ответ тебе готовый костюм выдаст!..

Рано утром мы втроем вкатили к Наине в комнату столик, на котором стояли цветы и возвышалась машинка-компьютер.

Такая традиция. Человек просыпается, вся семья в сборе, цветы и подарки. Странно было одно — на этот раз в это утро я никуда не торопился. Я долго стоял, смотрел, как Наина восхищается машинкой: «Что же я буду с этим богатством делать?» «Вышей мне инициалы на платках... — сказал я. — Для начала».

Как же редко мы все эти годы с Наиной куда-нибудь ходили — в театр, в ресторан. А теперь вот начали ходить. Мы пригласили в гости доктора Сергея Миронова, который долгие годы был руководителем моего консилиума. А потом решили: лучше все вместе сходим в грузинский ресторан! И мы отправились в ресторан «Сулико». Все получилось замечательно. У жены доктора Миронова, Джулии, великолепный грудной голос. Она пела вместе с грузинским мужским хором. Поет она просто прекрасно, глубоко, красиво. А когда раздались ритмичные грузинские песни, я даже пытался отбивать ритм на ложках.

Над моей страстью к ложкам много раз смеялись журналисты. Ну что же делать, если во времена моей юности не было таких шикарных ударных инструментов, как сейчас. Учился отбивать ритм на ложках. А ритм — это у меня в крови.

Я ритмичный, хотя и по-своему, человек. Люблю в разговоре резкие повороты, иногда паузы, неожиданные переходы, держу ритм и терпеть не могу тупую монотонность.

...Директор ресторана пытался закрыть ресторан, чтобы никого, кроме нас, в зале не было, но я попросил этого не делать. Было шумно, весело, настоящий грузинский вечер. И настоящая грузинская еда, вино «Александроули», специальный заказ из Тбилиси.

...Весь февраль и март были связаны с предвыборными волнениями.

Я был абсолютно уверен в победе Путина. Об этом говорило все: и моя интуиция, и весь расклад общественного мнения, подтвержденный «диагнозами» социологов, и реальная ситуация — альтернативы Путину не было никакой.

Ждал 26 марта в спокойном, бодром, приподнятом настроении.

И все же сам день выборов был для меня чрезвычайно волнующим. Я узнавал предварительные результаты по телефону, звонил губернаторам тех областей и краев, где выборы уже прошли: что? как?

Таня пыталась меня образумить: «Папа, ну что ты волнуешься? Все равно он победит!» «Сам знаю. Хочу скорее узнать результат», — отвечал я.

Когда по экрану поползли первые открытые цифры голосования и их стал объявлять Николай Сванидзе, я позвал всех домашних: «Несите шампанское! Быстрей!»

В доме все были тоже в приподнятом, возбужденном настроении.

Я от волнения не мог усидеть на месте. Победа! Быть может, главная моя победа!

Господи, как долго я этого ждал!

Кстати, Лена со своим сыном, моим внуком Ванькой, которому два с половиной года, ходила в этот день, 26 марта, голосовать на избирательный участок. Там Ванька, наплевав на Закон о выборах, стал громко требовать, чтобы все голосовали за Путина. А когда объявили результаты, мама Лена сказала ему: «Смотри, твой кандидат победил. Знаешь, кем он теперь будет работать?» «Знаю!» — сказал Ваня. «Кем?» — «Ельциным!»

...А в апреле в Москву прилетел бывший премьер-министр Японии Рютаро Хасимото.

Я пригласил Рю в резиденцию «Русь», в мое любимое Завидово. Мы продолжили нашу рыболовную традицию — пошли рыбачить. Вернее, поехали: Таня отвезла нас на электрокаре к пруду. В нем разводят форель и зеркальных карпов.

Но, к сожалению, за все это время, после Красноярска, Рю так и не научился подсекать удочку с наживкой. А спиннинг с блесной — с берега ну никак не идет. Так что Рю со вздохом взял в руки русскую удочку. Однако волновал его, конечно, совсем не улов. Он хотел выяснить степень моего доверия новому президенту, степень преемственности политического курса. Рю очень не хотелось терять достигнутое нами в Красноярске. И я сказал, что абсолютно доверяю Путину. И курс на партнерство с Японией, безусловно, будет продолжен новым президентом России.

Думаю, что и новый премьер-министр Мори, к сожалению, при печальных обстоятельствах занявший свой пост (весной этого года скоропостижно скончался премьер Кэйдзо Обути, семье которого я выразил свое глубочайшее соболезнование), будет держаться той же линии.

...Пока мы возвращались с рыбалки, мне пришла в голову интересная идея. А ведь можно создать клуб бывших президентов и премьеров! Ну не могут такие мощные фигуры, задававшие тон на мировой политической сцене, как Коль, Буш, Тэтчер, как Клинтон или Хасимото, как Валенса или Мандела, в одночасье уйти в личную жизнь, удалиться на покой. По себе знаю, как это трудно — перейти в иное качество. В другую жизнь.

Но дело не только в общении. Такой «клуб старейшин» мог бы оказать нравственное влияние на весь международный климат.

Вот закончу с книгой и обязательно вернусь к этой идее.

Еще одна встреча. В Москву с официальным визитом прилетел президент США Билл Клинтон.

...После переговоров в Кремле с Владимиром Путиным, после публичных выступлений, после всей официальной программы он заехал к нам. Мы с Биллом давно не виделись, и, честно говоря, я даже соскучился. И вот распахнулись ворота, кортеж президента США въехал в Горки-9.

Я спросил у Клинтона, в который же раз мы встречаемся.

Он улыбнулся: трудно посчитать.

...Время летит быстро. Очень быстро. Хотя в политике время другое — оно то ползет, замедляется во время тяжелейших кризисов, то стремительно рвется вперед. Но сейчас мы говорили о другом времени. Об обычном, человеческом.

В этом обычном человеческом времени мы с Биллом за эти годы успели подружиться, проникнуться друг к другу симпатией.

«Тебе понравился Путин?» — спросил я. «Хороший, сильный лидер, — серьезно ответил Билл. Потом продолжил: — Я знаю, у него в России огромный авторитет. Но он еще только делает первые шаги, и, чтобы стать великим политиком, ему нужно больше доверять своему сердцу, доверять своим ощущениям».

Я спросил Билла, как, с его точки зрения, прошли переговоры по проблеме ПРО. Клинтон ответил неопределенно. Мол, есть в проблеме ПРО аспекты философские, политические, есть технические. Сами механизмы наших договоренностей должны уточнять военные. Я напомнил ему, как мы вместе находили выход из самых тупиковых ситуаций, даже из тех, где не могли договориться наши эксперты.

...Клинтон на минуту задумался. Я понимал о чем. Билл хочет уйти, окончательно решив проблему ПРО. Чтобы не оставлять ее новому президенту. Как теперь пойдет диалог наших стран? Что ждет мир в результате этого диалога? Я убежден, что только путем взаимных компромиссов мы сохраним достигнутое нами в области разоружения, сохраним у человечества надежду на то, что двадцать первый век будет веком мира.

...Я спросил его, как поживает Хиллари. Клинтон рассказал в ответ неожиданную историю: «Я вчера выступал на вашем радио. — Накануне он в прямом эфире отвечал на вопросы российских радиослушателей. — Был смешной вопрос, Борис. Что будет, если Хиллари станет президентом США? Как я себя буду чувствовать в роли мужа президента? Я им ответил: а что, буду носить ей чай!»

...Мне всегда нравились добродушная открытость Билла, его свобода, легкость в общении. Как-то раз на одном из торжественных приемов мы долго сидели рядом. Он сказал: «Мы с тобой почти одного роста, Борис». Я спросил: «Билл, а у тебя какой размер обуви? Давай померяемся». Он засмеялся, я стал снимать ботинок. Оказалось, рост одинаковый, а размер у меня — сорок третий, а у него — сорок шестой. Вот так бывает...

Я ждал в гости одного Билла, а приехала американская делегация почти в полном составе. Это были те люди, которые помогали Биллу в последние годы, тесно работали с нашей администрацией. Все они захотели пожать мне руку, сказать теплые слова. Это было приятно.

Наконец я встал, чтобы проводить гостя. На прощание Билл сказал интересную вещь: «Ты хотел изменить страну, Борис, и ты ее изменил». «И ты изменил свою страну, Билл», — сказал я в ответ. Думаю, это не были дежурные слова.

Мы вышли из дома. Замечательный день. Таня и Наина сфотографировались с президентом США. Он помахал рукой и направился к машине. Перед ним прошел офицер с ядерным чемоданчиком — в перчатках, несмотря на жару.

...Когда Билл уехал, я долго смотрел на фотографию, которую он мне подарил. Мы с ним сидим в знаменитых плетеных креслах. И смотрим вдаль. На голубое небо.

Два президента. Два человека.

Хорошая фотография.

Наступили майские праздники. До инаугурации Владимира Путина оставались считанные дни. Я чувствовал, как все больше и больше меня охватывает волнение.

Александр Волошин, руководитель президентской администрации, привез предварительный план инаугурации. Было два варианта: Дворец съездов, где проходила инаугурация 96-го года, или Большой Кремлевский дворец. Я вспомнил, что у меня с той церемонией связаны не самые лучшие воспоминания, и поэтому мне судить трудно. Решайте сами. Но был очень рад, когда узнал, что инаугурацию решено проводить в недавно отреставрированном зале старого Кремля, а не в стеклобетонном советском Дворце съездов.

И вот все решено. 7 мая в Андреевском зале Большого Кремлевского дворца должна состояться инаугурация нового президента России. Здесь, в этих залах — Георгиевском, Андреевском, Александровском, — короновали на царство.

Залы хранят память об этих исторических событиях. И нет ничего плохого в таких аналогиях. Это наша большая история, которая требует к себе и любви, и уважения.

Но вот интересная деталь — сколько кресел во Дворце съездов, известно всем. А сколько человек поместится в этих залах Большого Кремлевского дворца? Этого не знал никто. Проблему решили просто: привезли солдат, которые встали вдоль ковровой дорожки и некоторое время представляли собой гостей инаугурации. А затем их просто пересчитали.

Я внимательно изучал сценарий.

...Однако стоит ли мне выходить на сцену вместе с Путиным, стоит ли произносить свою речь? С этим тоже было связано немало сомнений.

Но в конце концов я понял: в этой конкретной инаугурации роль бывшего президента обозначена не по прихоти сценария, а самой историей.

И все-таки, когда началась работа над речью, разволновался окончательно. Восемь лет я был у власти в России. Восемь лет пытался удерживать страну от потрясений и вместе с тем шел на очень трудные, непопулярные меры. Восемь лет такого дьявольского напряжения, которому не вижу аналогов в мировой политической практике последней четверти века. Что я могу сказать об этом на одной страничке текста?

Встали рано утром. Как всегда, меня собирали в дорогу мои женщины. Таня спросила, какой костюм я надену. «Не знаю. А ты какой предлагаешь?» Таня предложила темно-синий. Я считал, что черный — более строго. Вот тут она меня переспорила, что случается у нас не часто. Провожать за ворота вышли всей семьей.

Большой Кремлевский дворец, недавно отреставрированный, был полон. Огромное напряжение. В залах БКД — полторы тысячи человек, представители всей российской элиты. Политики, чиновники, журналисты, бизнесмены, деятели культуры. Духовные пастыри всех без исключения конфессий.

Здесь же первый и последний президент СССР Михаил Сергеевич Горбачев.

В огромных хрустальных люстрах искрится свет, золоченые бархатные перевязи отделяют от аудитории путь, по которому пройдет к сцене новый президент. Кортеж автомобилей и мотоциклистов строго по расписанию, в полдень, подъезжает к Кремлю, когда участники инаугурации уже в зале. Владимир Путин начинает свой долгий путь мимо всех, кто внимательно наблюдает — и будет наблюдать еще четыре года! — за каждым его шагом, каждым движением. Какими же долгими, наверное, показались ему эти несколько минут!

Инаугурация не только соответствовала строгим государственным канонам, но и стала великолепным зрелищем. Компания Си-эн-эн, другие крупнейшие западные телекомпании транслировали ее на весь мир в прямом эфире. Естественно, по российскому телевидению ее передавали три федеральных канала. Каждая мелочь была продумана, и недаром вся страна припала к своим телевизорам 7 мая. Одно лишь плохо: яркие лампы-софиты не вовремя подло «сбликовали», и на экране монитора, по которому бежали строки моей речи, я ничего не увидел, кроме отдельных слов. Потом все наладилось. Слава Богу, заминка не сказалась на общем празднике.

Выходит, не зря я волновался.

Впрочем, и это, если вдуматься, символично. Не было у меня здесь, в Кремле, ни одной легкой минуты. От начала до самого конца.

Мы с Владимиром Владимировичем вышли на Соборную площадь. Дул легкий ветерок, светило неяркое солнце. Я столько лет ждал этого дня, готовился к нему. А чувствую себя все-таки грустно.

Полк кремлевских гвардейцев промаршировал мимо нашей трибуны.

Казалось, что все это я вижу как в кино, со стороны.

Ударили пушки с набережной. И в гулком воздухе растаяла, исчезла та огромная, невиданная эпоха перемен и потрясений, в которой я был одним из главных действующих лиц.

...Проснулся сегодня ночью. Подумал: а все ли правильно в моей книге? Да, я так устроен, что могу говорить только от первого лица, могу писать только о том, что сам знаю и чувствую. Да, я был долгие годы президентом, и от моих действий, правильных или нет, зависело очень многое в нашей стране. Но в конце концов, история пишется ведь не отдельными людьми. Есть общие, подчас таинственные закономерности в жизни целых наций.

Не слишком ли я самонадеян, не много ли на себя беру?

Думаю, все-таки нет. Я обязан абсолютно честно отчитаться обо всем, что думал, что чувствовал, почему поступал так или иначе. Но вопросы остаются: что дальше? кто я сегодня, сейчас?

Наверное, я чувствую себя бегуном, который пробежал супермарафон, сорок тысяч километров.

Вот такое у меня сегодня состояние. Я отдал все силы, всю душу своему президентскому марафону. Я честно выложился на дистанции.

Если у меня есть необходимость в чем-то оправдываться, то вот мое оправдание: можете лучше — попробуйте. Пробегите эти сорок тысяч заново. Быстрее. Лучше. Изящнее. Легче.

А я это сделал.

ВМЕСТО ЭПИЛОГА

4 утра.

Мой кабинет.

Снова я сижу с рукописью. И спать не могу, и книга, в сущности, закончена.

Но какое-то чувство недосказанности все-таки есть. Впрочем, высказать все, наверное, и невозможно. Нереально.

Летом ночи короткие. Уже почти рассветает. Среди деревьев сада — туман, влажный воздух идет в окно.

Чем закончить эту книгу?

...Я сознательно избегал в ней официальности, как можно меньше старался цитировать документы, указы, обращения. Это мой взгляд на происходящие события. Абсолютно субъективный. В каком-то смысле — это мои личные записи.

Но один документ хочу все-таки вспомнить — именно здесь, в самом конце книги. Потому что это был очень необычный документ. Необычный по эмоциональному заряду. В нем каждое слово — от сердца. По сути дела, это тоже личное письмо. Но не одному человеку, а всем людям. Мое последнее обращение как президента к гражданам России.

Вот оно, передо мной.

Дорогие россияне!

Осталось совсем немного времени до магической даты в нашей истории. Наступает 2000 год. Новый век, новое тысячелетие.

Мы все примеряли эту дату на себя. Прикидывали, сначала в детстве, потом повзрослев, сколько нам будет в 2000 году, а сколько нашей маме, а сколько нашим детям. Казалось когда-то — так далеко этот необыкновенный Новый год.

Вот этот день и настал.

Дорогие друзья! Дорогие мои!

Сегодня я в последний раз обращаюсь к вам с новогодним приветствием. Но это не все. Сегодня я последний раз обращаюсь к вам как Президент России.

Я принял решение.

Долго и мучительно над ним размышлял. Сегодня, в последний день уходящего века, я ухожу в отставку.

Я много раз слышал: Ельцин любыми путями будет держаться за власть, никому ее не отдаст. Это — вранье.

Дело в другом. Я всегда говорил, что не отступлю от Конституции ни на шаг. Что в конституционные сроки должны пройти думские выборы. Так это и произошло. И также мне хотелось, чтобы вовремя состоялись президентские выборы — в июне 2000 года. Это было очень важно для России. Мы создаем важнейший прецедент цивилизованной добровольной передачи власти — от одного президента России другому, вновь избранному.

И все же я принял другое решение. Я ухожу. Ухожу раньше положенного срока.

Я понял, что мне необходимо это сделать. Россия должна войти в новое тысячелетие с новыми политиками, с новыми лицами, с новыми, умными, сильными, энергичными людьми.
А мы, те, кто стоит у власти уже многие годы, мы должны уйти.
Посмотрев, с какой надеждой и верой люди проголосовали на выборах в Думу за новое поколение политиков, я понял: главное дело своей жизни я сделал. Россия уже никогда не вернется в прошлое. Россия всегда теперь будет двигаться только вперед.
И я не должен мешать этому естественному ходу истории. Полгода еще держаться за власть, когда у страны есть сильный человек, достойный быть Президентом и с которым сегодня практически каждый россиянин связывает свои надежды на будущее?! Почему я должен ему мешать? Зачем ждать еще полгода? Нет, это не по мне! Не по моему характеру!
Сегодня, в этот необыкновенно важный для меня день, хочу сказать чуть больше личных своих слов, чем говорю обычно. Я хочу попросить у вас прощения.
За то, что многие наши с вами мечты не сбылись. И то, что нам казалось просто, оказалось мучительно тяжело. Я прошу прощения за то, что не оправдал некоторых надежд тех людей, которые верили, что мы одним рывком, одним махом сможем перепрыгнуть из серого, застойного, тоталитарного прошлого в светлое, богатое, цивилизованное будущее. Я сам в это верил. Казалось, одним рывком — и все одолеем.
Одним рывком не получилось. В чем-то я оказался слишком наивным. Где-то проблемы оказались чересчур сложными. Мы продирались вперед через ошибки, через неудачи. Многие люди в это сложное время испытали потрясение.
Но я хочу, чтобы вы знали. Я никогда этого не говорил, сегодня мне важно вам это сказать. Боль каждого из вас отзывалась болью во мне, в моем сердце. Бессонные ночи, мучительные переживания — что надо сделать, чтобы

людям хотя бы чуточку, хотя бы немного жилось легче и лучше? Не было у меня более важной задачи.

Я ухожу. Я сделал все, что мог. Мне на смену приходит новое поколение, поколение тех, кто может сделать больше и лучше.

В соответствии с Конституцией, уходя в отставку, я подписал Указ о возложении обязанностей Президента России на Председателя Правительства Владимира Владимировича Путина. В течение трех месяцев в соответствии с Конституцией он будет главой государства. А через три месяца, также в соответствии с Конституцией России, состоятся выборы Президента.

Я всегда был уверен в удивительной мудрости россиян. Поэтому не сомневаюсь, какой выбор вы сделаете в конце марта 2000 года.

Прощаясь, я хочу сказать каждому из вас — будьте счастливы. Вы заслужили счастье. Вы заслужили счастье и спокойствие.

С Новым годом! С новым веком, дорогие мои!

СОДЕРЖАНИЕ

Ельцин Борис Николаевич

Президентский марафон

Размышления, воспоминания, впечатления

Фото:
Д. Донского, А. Сенцова, А. Чумичева,
С. Величкина, В. Родионова, Ю. Феклистова
и из семейного архива Ельциных

Редакторы:
Б.Д. Минаев, Н.А. Науменко

Художественные редакторы:
О.Н. Адаскина, И.А. Сынкова

Дизайн:
А.А. Кудрявцев

Технический редактор:
Н.Н. Хотулева

Корректоры:
Н.С. Бойко, Е.Л. Будаева, Л.А. Ладыгина, И.М. Цулая

Подписано в печать 29.09.2000 г.
Формат $60 \times 100^1/_{16}$. Усл. печ. л. 24,36.
Тираж 20 000 экз. Заказ № 465.

Отпечатано с готовых диапозитивов в Государственном ордена Октябрьской Революции, ордена Трудового Красного Знамени Московском предприятии «Первая Образцовая типография» Министерства Российской Федерации по делам печати, телерадиовещания и средств массовых коммуникаций.
113054, Москва, Валовая, 28.

Ельцин Б.Н.

Е58 Президентский марафон: Размышления, воспоминания, впечатления. — М.: ООО «Издательство АСТ», 2000. — 428 с.; ил.

ISBN 5-17-004456-9

Эта книга — своего рода итог «десятилетия» Б.Н. Ельцина в российской политике. В ней он обращается к событиям, которые относятся в основном ко второму сроку его президентства.